Ce volume est

de :

DION DURRELL
Actuaires et Conseillers

AON   *Aon Progesst*

Bon séjour à

RIVIERA MAYA - Mexique

Nos bureaux

Canada : Guides de voyage Ulysse, 4176, rue St-Denis, Montréal (Québec) H2W 2M5, ☎(514) 843-9447 ou 1-877-542-7247, fax : (514) 843-9448, info@ulysse.ca, www.guidesulysse.com

Europe : Guides de voyage Ulysse SARL, BP 159, 75523 Paris Cedex 11, France, ☎01 43 38 89 50, fax : 01 43 38 89 52, voyage@ulysse.ca, www.guidesulysse.com

États-Unis : Ulysses Travel Guides, 305 Madison Avenue, Suite 1166, New York, NY 10165, ☎1-877-542-7247, info@ulysses.ca, www.ulyssesguides.com

Nos distributeurs

Canada : Guides de voyage Ulysse, 4176, rue St-Denis, Montréal (Québec) H2W 2M5, ☎(514) 843-9882, poste 2232, ☎1-800-748-9171, fax : (514) 843-9448, www.guidesulysse.com, info@ulysse.ca

États-Unis : Distribooks, 8120 N. Ridgeway, Skokie, IL 60076-2911, ☎(847) 676-1596, fax : (847) 676-1195

Belgique : Presses de Belgique, 117, boulevard de l'Europe, 1301 Wavre, ☎(010) 42 03 30, fax : (010) 42 03 52

France : Vivendi, 3, allée de la Seine, 94854 Ivry-sur-Seine Cedex, ☎01 49 59 10 10, fax : 01 49 59 10 72

Espagne : Altaïr, Balmes 69, E-08007 Barcelona, ☎(3) 323-3062, fax : (3) 451-2559

Italie : Centro cartografico Del Riccio, Via di Soffiano 164/A, 50143 Firenze, ☎(055) 71 33 33, fax : (055) 71 63 50

Suisse : Havas Services Suisse, ☎(26) 460 80 60, fax : (26) 460 80 68

Pour tout autre pays, contactez les Guides de voyage Ulysse (Montréal).

Données de catalogage avant publication (Canada) (voir p 4).

© Guides de voyage Ulysse inc.
Tous droits réservés
Bibliothèque nationale du Québec
Dépôt légal - Troisième trimestre 2001
ISBN 2-89464-363-2

At four o'clock we left Pisté, and very soon we saw rising high above the plain the Castillo of Chichén. In half an hour we were among the ruins of this ancient city, with all the great buildings in full view, casting prodigious shadows over the plain, and presenting a spectacle which, even after all that we had seen, once more excited in us emotions of wonder.

John Lloyd Stephens
Incidents of Travel in Yucatan

«*À 4 heures de l'après-midi, nous partîmes de Pisté, et, peu de temps après, nous vîmes au-dessus de la plaine le Castillo de Chichén. Une demi-heure plus tard, nous étions parmi les ruines de cette ancienne cité, avec tous ses grands bâtiments devant nos yeux écarquillés, provoquant de prodigieuses ombres sur la plaine et présentant un spectacle qui, malgré tout ce que nous avions déjà vu, suscitait, encore une fois, l'émerveillement.*»

Écrivez-nous

Recherche et rédaction
Denis Faubert
Alain Legault
Alain Théroux
Caroline Vien

Éditrice
Stéphane G.
Marceau

Directrice de production
Pascale Couture

Correcteur
Pierre Daveluy
Marie-Josée Guy

Adjoints à l'édition
Raphaël Corbeil
Eileen Connelly
Julie Brodeur

Cartographes
André Duchesne
Yanik Landreville
Patrick Thivierge

Illustratrices
Myriam Gagné
Lorette Pierson
Marie-Annick
Viatour

Photographes
1re de couverture
Super Stock
Pages intérieures
Tibor Bognar
Alain Legault
M. Daniels
A. Cozzi
Morandi
Sappa

Directeur artistique
Patrick Farei (Atoll)

Remerciements :

Lorena López Mateos, Directora de Promoción Turistica del Edo. de
Quintana Roo, Gerardo Magana Barragán du Fideicomiso de Isla
Mujeres, Erika Ivonne Arredondo M. du Fideicomiso de la Riviera Maya,
Kiara Giselle Yanez de la Torre du Fideicomiso de Cozumel et Chantale
Fleurant.

Les Guides de voyage Ulysse reconnaissent l'aide financière du
gouvernement du Canada par l'entremise du Programme d'aide au
développement de l'industrie de l'édition (PADIÉ) pour ses activités
d'édition.»

Les Guides de voyage Ulysse tiennent également à remercier le
Gouvernement du Québec - Programme de crédit d'impôt pour l'édition
de livres - Gestion SODEC.

Données de catalogage

Cancún et la Riviera Maya
(Plein sud Ulysse)
Comprend un index.

ISSN 1495-2637
ISBN 2-89464-363-2

1. Riviera Maya, Région de (Mexique) - Guides. 2. Cancún (Mexique) -
Guides. I. Collection.

F133.C36   917.26704836   C00-301662-5

Sommaire

Liste des cartes

Légende des cartes

❶	Information touristique	Ⓟ	Stationnement
Ⓢ	Plage	⋏	Golf
✈	Aéroport	☎	Téléphone
🚤	Navette maritime	✉	Bureau de poste
🚗🚤	Traversier (ferry)	▲	Zone archéologique
🚌	Gare routière	Ⓗ	Hôpital

Tableau des symboles

≡	Air conditionné
⊛	Baignoire à remous
⊘	Centre de conditionnement physique
🦶	Coup de cœur Ulysse pour les qualités particulières d'un établissement
C	Cuisinette
pc	Pension complète
pdj	Petit déjeuner inclus dans le prix de la chambre
≈	Piscine
ℝ	Réfrigérateur
ℜ	Restaurant
bc	Salle de bain commune
bp	Salle de bain privée (installations sanitaires complètes dans la chambre)
△	Sauna
⇌	Télécopieur
☎	Téléphone
tlj	Tous les jours
tc	Tout compris
⊗	Ventilateur

Classification des attraits

★	Intéressant
★★	Vaut le détour
★★★	À ne pas manquer

Classification de l'hébergement

Les tarifs mentionnés dans ce guide s'appliquent,
sauf indication contraire, à une chambre standard pour deux personnes
en haute saison.

$	moins de 50$ US
$$	de 50 $US à 80 $US
$$$	de 80 $US à 130 $US
$$$$	de 130 $US à 180 $US
$$$$$	plus de 180 $US

Classification des restaurants

Les tarifs mentionnés dans ce guide s'appliquent,
sauf indication contraire, à un dîner pour une personne.

$	moins de 10$US
$$	de 10 $US à 20 $US
$$$	de 20 $US à 30 $US
$$$$	plus de 30$US

Tous les prix mentionnés dans ce guide sont en dollars US.

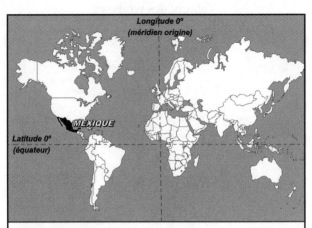

Longitude 0°
(méridien origine)

MEXIQUE

Latitude 0°
(équateur)

Situation géographique
dans le monde

©ULYSSE

Cancún
(21°N 87°O)

Mexique
Capitale : México
Population : 97 400 000 hab.
Monnaie : peso mexicain
Superficie : 1 970 000 km²

É T A T S - U N I S

Hermosillo

• Chihuahua

• Monterrey

Golfe du
Mexique

La Paz•
Mazatlán• **MEXIQUE**

Puerto
Vallarta•
Guadalajara• **México**

Cancún•

Bahía de
Campeche

Océan
Pacifique

• Veracruz

Acapulco •

BELIZE

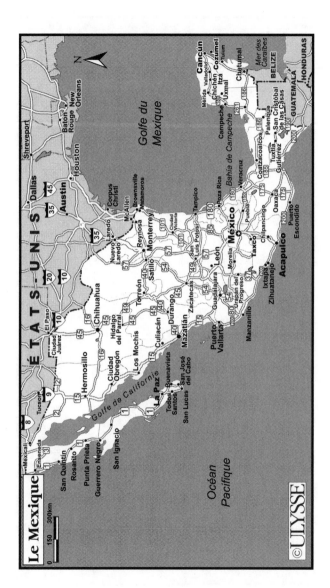

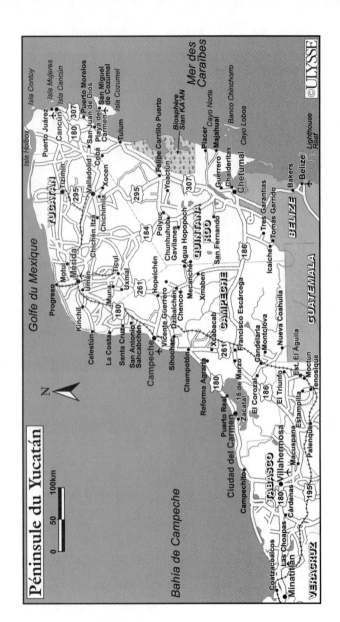

Péninsule du Yucatán

© ULYSSE

Portrait

Cancún et la Riviera Maya sont reconnues avant tout pour la splendeur de leurs plages de sable blanc et la modernité des infrastructures qu'on y a construites.

C'est aussi une région où triomphe la diversité: des îles inhabitées du nord aux mangroves de la réserve de la biosphère Sian Ka'an, et des puits naturels appelés *cenotes* aux immenses récifs qui bordent la côte Caraïbe. La variété et la beauté des mondes sousmarin et terrestre constituent la grande richesse de la région. Aborder les côtes de cet État permet de découvrir le cœur et l'âme de la péninsule du Yucatán, ses richesses et son peuple, et ce, aussi bien par ce qui prévaut aujourd'hui que par les sites archéologiques tels que Chichén Itzá, témoin grandiose de l'histoire du peuple maya.

Plages exceptionnelles, poissons tropicaux, lagunes et littoral de récifs de corail, savanes arborées et truffées de sites archéologiques millénaires, voilà quelques caractéristiques particulières à cette contrée bénie des dieux, fussent-ils mayas ou catholiques, et qui en font sans contredit l'une des destinations touristiques les plus courues de l'hémisphère Nord. Il est facile de se lancer à l'aventure dans la région. La péninsule du Yucatán est couverte de routes planes et bien aménagées, bordées de villages intéressants. Les sites archéologiques mis au jour ou enfouis dans la jungle, les baignades avec les dauphins, la plongée sous-marine... tout cela fait partie des nombreux attraits de la région, situés suffisamment près les uns des autres pour permettre à ceux qui y font un court séjour de pouvoir tous les visiter, par eux-mêmes ou avec un guide.

En logeant à Cancún, on accède facilement à la zone archéologique de Chichén Itzá et à l'Isla Mujeres. On peut aussi emprunter le «corridor Cancún-Tulum» et descendre la Riviera Maya jusqu'à la Reserva de la Biosfera Sian Ka'an. Il est également facile d'aller de Cancún à Cozumel et vice-versa par bateau ou par avion.

Cancún est une station balnéaire très développée pour les oiseaux de nuit et ceux qui apprécient l'animation. Mais les amateurs de plein air, d'activités aquatiques particulièrement, seront comblés sur la Riviera Maya. Ses longues plages de sable doré, fouettées par une mer d'un turquoise éblouissant, ne manqueront pas d'en ensorceler plus d'un.

S'il est un attrait, cependant, qui ne doit pas être négligé, c'est la population. Principal berceau des descendants des Mayas, la péninsule du Yucatán vit au rythme lent et savant de ses habitants, à la fois travailleurs, patients et simples. Leur politesse et leur timidité cachent une tranquille empathie et une sincère gentillesse, un sourire qui n'appartient qu'à eux.

Géographie

Péninsule du sud-est du Mexique, le Yucatán, pays du maïs et du sisal, est divisé en tiers: l'État de Campeche, à l'ouest, échappe toujours au tourisme de masse; l'État de Quintana Roo est un long couloir qui suit le littoral à l'est, où se trouvent notamment Cancún, Tulum, Cozumel et l'Isla Mujeres; au nord, en forme de pointe, l'État de Yucatán avance dans le golfe du Mexique. Ce dernier État abrite le plus important site archéologique de la région, Chichén Itzá, et la ville coloniale de Mérida.

Une grande partie du Yucatán repose sur un sol calcaire ponctué de puits naturels appelés *cenotes*, dont certains furent jadis le théâtre de sacrifices mayas. Certains *cenotes* sont aujourd'hui très recherchés par les plongeurs. Attraits des plus intéressants, les *cenotes* du Yucatán sont les seuls plans d'eau visibles sur la péninsule, où rivières et lacs sont le plus souvent souterrains.

Les *cenotes*

Si les *cenotes* sont nombreux au Yucatán, c'est que le sol calcaire en est la cause. La péninsule tout entière est parsemée de grottes et de cavités, tantôt vides, tantôt remplies d'eau fraîche et limpide, un phénomène qui ne se retrouve nulle part ailleurs au Mexique et qui émerveilla jadis les Mayas, lesquels s'établirent dans la région et firent de ces puits naturels des lieux sacrés. Ils installèrent leurs villages à proximité des *cenotes*, leur principale source d'eau potable sur le territoire. Leurs

croyances faisaient également de ces puits naturels baptisés *dzonot* (mot qui devint *cenote* en espagnol) le refuge des dieux de la pluie.

Les *cenotes* ont leur source dans un sous-sol calcaire ponctué de cavernes et de grottes baignées par des rivières souterraines qui, successivement gonflées par l'eau de pluie et réduites par les sécheresses, ont érodé le sol jusqu'à l'affaissement de la croûte terrestre. Enfin mises au jour, ces étonnantes crevasses, aux dimensions variables du nord au sud de la péninsule, dévoilent leur pourtour presque parfaitement rond et leurs parois marquées par l'érosion.

Aujourd'hui, petits baigneurs ou plongeurs expérimentés partent régulièrement à la recherche des *cenotes* du Yucatán. Certains *cenotes* sont devenus d'importants centres d'attraction, tandis que d'autres sont restés à l'écart de la frénésie touristique.

Si la nage et la baignade se pratiquent aisément dans la plupart des *cenotes*, la plongée doit, quant à elle, s'effectuer avec prudence. Il est en effet possible de se perdre dans les dédales des cavernes sous-marines ou encore d'y ressentir une claustrophobie soudaine. L'exploration en profondeur d'un *cenote* est une expérience palpitante réservée aux plongeurs expérimentés.

Parmi les *cenotes* les plus populaires, notons ceux-ci:

Cenote Sagrado (*cenote* sacré). Situé dans le site archéologique de Chichén Itzá, à 201 km de Cancún par la route 180, ce *cenote* est populaire en raison des trouvailles étonnantes qu'y firent les archéologues. L'endroit fut, comme son nom l'indique, un important site religieux maya où l'on pratiquait des sacrifices. Inutilisable aujourd'hui en raison de ses eaux stagnantes, il mesure 60 m de diamètre et 40 m de profondeur.

Sin Nombre (sans nom). Ce *cenote* se trouve à une centaine de kilomètres au sud de Cancún sur la route 307, non loin de Puerto Aventuras. Pour s'y rendre, il faut suivre les indications.

Toucan

Xel Ha. Ce charmant *cenote*, partie prenante d'un site maya du post classique, est situé face au parc national Xel Ha, de l'autre côté de l'autoroute 307. Généralement, les voyagistes ne font pas d'arrêt pour montrer ce site aux touristes. Il faut donc s'y rendre par ses propres moyens. La baignade y est interdite.

Tankah. Ce *cenote* se trouve à 137 km au sud de Cancún (route 307), près de Tulum. On y accède par un petit chemin indiqué sur l'autoroute par une pancarte. Baignade permise.

Faune

Le Yucatán, par sa situation géographique particulière, son état péninsulaire, ses lagunes, ses *cenotes* et ses criques saumâtres, est l'habitat idéal d'une grande diversité d'animaux.

Préoccupées par la destruction effrénée de la végétation et de la forêt qu'entraîne le développement touristique, les autorités mexicaines entendent préserver et mettre en valeur certaines zones qui se prêtent à merveille à l'écotourisme. Les deux projets les plus importants concernent l'île corallienne de Contoy, située au nord de l'Isla Mujeres, où cohabitent près de 80 espèces d'oiseaux, et la Reserva de la Biosfera Sian Ka'an, classée patrimoine de la biosphère par l'Unesco en 1986 et située à quelques kilomètres au sud de Tulum. Le site abrite une variété d'animaux sauvages tels que pumas, jaguars, lamantins et crocodiles.

Le moins téméraire des touristes ne saura dénombrer à la fin de son voyage, le nombre de lézards qu'il aura croisés, espions tranquilles qui se fondent dans le paysage, n'attirant que l'attention que lorsqu'ils prennent la fuite.

Si l'iguane, facilement identifiable à sa peau foncée, est l'une des espèces de reptiles les plus répandues, vous croiserez aussi le *gecko*, minuscule comme un insecte, et l'iguane noir, qui parcourent la péninsule et se retrouvent ici, perchés au sommet d'un temple maya et observant le guide se perdre en explications, ou là, sur la table d'un restaurant au bord de la mer.

Flamant rose

Le pélican, qui se déplace souvent en couple, survole la plage

d'un coup d'aile et surveille les touristes qui prennent un bain de soleil. Volant elle aussi près des baigneurs, la frégate marine, noire et lustrée, déploie ses longues et étroites ailes, et pratique le surplace en ouvrant parfois sa queue fourchue pour maintenir son fragile équilibre.

Quant à la sterne, elle fait souvent du tapage près des restaurants, intimidant sans relâche, l'œil menaçant, les clients qui tardent à lui lancer un morceau de pain. Les touristes qui pousseront leur visite jusqu'à l'intérieur des terres verront peut-être le toucan, emblème de bien des pays du Sud. Tout au nord de la péninsule, près de Río Lagartos, les flamants roses vivent en colonie. On estime leur population à près de 30 000 individus.

D'autres spécimens peuvent être observés lors de petites expéditions pendant lesquelles on s'éloigne des zones habitées. Il s'agit des jaguars, des serpents et des fourmiliers.

Vie sous-marine

Le monde sous-marin aux abords de l'État de Quintana Roo est un paradis de coraux multicolores et de poissons aux formes et aux variétés qui semblent sans fin.

La popularité de la plongée sous-marine et de la plongée-tuba (le moyen idéal pour observer la vie subaquatique) est telle que ces sports constituent plus de 20% de l'activité touristique pratiquée à l'île de Cozumel, réputée pour ses récifs de corail s'étendant sur plusieurs mètres, et qui attire des plongeurs venus de partout à travers le monde.

Poisson perroquet

L'eau claire et limpide permet d'observer, comme nous le disions plus haut, un grand nombre de spécimens dans la mer ainsi que dans certains parcs ou réserves. Les adeptes de la pêche sportive s'en donnent à cœur joie, car Isla Mujeres et Cozumel organisent chaque année des tournois où de nombreuses prises records sont effectuées.

La quantité d'animaux peuplant les eaux du secteur est trop imposante pour en dresser une liste exhaustive, mais vous trouverez ici quelques espèces que la moindre exploration vous permettra de découvrir...

Cancún

Parmi les espèces observées, notamment lors des excursions proposées dans la zone hôtelière, notons le mérou, la dorade, le barracuda et le thon rouge.

Isla Mujeres

Sur la côte est de l'île, le Parque Nacional El Garrafón abrite une faune diverse. C'est le refuge de nombreuses espèces de poissons tels que l'ange, caractérisé par ses vives rayures blanc et jaune, et le «sar», qui privilégie un environnement de corail «corne de cerf» et d'éponges noires où il aime se cacher. La «damoiselle» défend avec ardeur son territoire et n'hésite pas à attaquer les nageurs téméraires qui entrent dans sa

Papayes

zone, attirés par la beauté des anémones de mer qui jalonnent les fonds marins. D'autres espèces, plus imposantes et souvent prisées des pêcheurs, pataugent dans les mêmes eaux: le «ludjan», le mérou, la dorade, le barracuda et le thon entre autres.

Cozumel

Poisson féroce à la dentition cauchemardesque, le barracuda, de grande taille, sillonne les eaux aux alentours d'un récif qui porte d'ailleurs le nom de «Barracuda» et celles qui se situent près du récif San Juan également. Il n'est pas toujours nécessaire de ratisser le fond des mers en scaphandre pour voir des merveilles: vous pourrez sûrement observer, simplement à bord du bateau faisant la navette entre Playa del Carmen et Cozumel, de magnifiques dauphins sautant joyeusement hors de l'eau ou des poissons volants...

Parmi les espèces répertoriées dans la région de Cozumel, notons le «thézard bâtard», le «paupile bleu», le «coryphène», le marlin bleu et blanc, le thon, le voilier et le «macaire», ainsi que l'espadon, vedette du roman *Le Vieil Homme et la mer* d'Ernest Hemingway, qu'on retrouve en grand nombre.

Près de la «petite mer» (Chankanaab en maya), poissons tropicaux et coraux sont légion. Ici, à travers les branches de corail «corne d'élan», un poisson-perroquet. Là, à peine perceptible, tout près d'une roche de corail «diploria», un ange mesurant à peine 2 cm et, au loin, toujours

La disparition du cocotier

Une inquiétante épidémie a atteint la population de cocotiers (*Cocos nucifera*) des régions tropicales durant les dernières années. La maladie, appelée LY (pour *Lethal Yellowing*), s'est d'abord attaquée à la Floride au milieu des années 1970 pour s'étendre ensuite au Mexique, à l'État de Quintana Roo précisément, à Haïti, à la Jamaïque et plus récemment au Belize.

Issue d'une bactérie primitive transportée et injectée par un insecte dans les feuilles de cocotier qu'il dévore, la maladie envahit et obstrue les vannes d'alimentation de l'arbre, qui, après avoir jauni, perd ses feuilles et ses branches pour dégénérer jusqu'à devenir un tronc désolé. Une intense opération de reboisement avec une espèce plus résistante est en cours partout où se trouvent les zones affectées ou à risque.

très visible dans cette eau très claire, un marlin de 2 kg. De mai à septembre, les visiteurs auront la chance de voir des tortues géantes déposer leurs œufs dans le secteur.

Flore

La jungle yucatèque n'a rien de celle de l'Amazonie. Le paysage se caractérise par une forêt dense, trapue et peuplée de petits cocotiers, de bananiers et de sapotiers dont le latex appelé «chiclé» était utilisé dans la fabrication de la gomme à mâcher.

Les fruits de la région sont l'avocat, l'orange, la lime, le pamplemousse et la papaye. La culture du maïs et du haricot est très répandue dans ce coin de pays. La culture du sisal, sorte d'agave servant dans la composition de matières textiles surtout pratiquée au nordouest de la péninsule, est en perte de vitesse.

Partout sur le bord des routes, aux alentours des sites archéologiques et dans les parcs, de beaux arbres, les fromagers, offrent aux regards des passants leurs jolies fleurs rouge orangé.

Notez l'apport des artistes paysagistes qui redonnent à Cancún quelques couleurs naturelles, surtout dans la zone hôtelière, où le béton est souvent maître. Ainsi le long des routes, sur les terre-pleins et dans les parcs, autant de gros oiseaux et d'animaux verts et immobiles forment des kilomètres de haies taillées avec originalité.

Climat

La saison des pluies s'étend de mai à septembre. Les températures sont élevées et l'air est humide, surtout en juin. Les autres mois de l'année offrent un temps agréable et de l'air sec.

La zone touristique de Cancún et la Riviera Maya, tout comme les îles de la mer des Caraïbes, doivent faire face aux plus redoutables des ennemis: les ouragans, qui font annuellement leur apparition (de septembre à novembre), laissant parfois derrière eux un paysage désolé.

Les ouragans Gilbert (1988) et Roxane (1995) ont durement frappé l'État de Quintana Roo, rappelant brutalement à l'ordre les entrepreneurs touristiques inexpérimentés, séduits par l'idée de construire hôtels et restaurants près des limites du rivage.

Histoire

Préhistoire

La disparition des dinosaures, selon une théorie à laquelle adhèrent nombre de scientifiques aujourd'hui (théorie appuyée par une expédition de recherche en janvier 1997), aurait été causée par la chute, il y a 65 millions d'années, d'un gigantesque astéroïde sur la Terre. Ce choc a provoqué, pendant des mois, une chaleur extrême, des inondations et un épais nuage de poussière en suspension dans le ciel, anéantissant 70% de toutes les espèces. En 1989, on a découvert au Yucatán ce qui serait le point d'impact: un immense cratère circulaire, appelé «cratère de Chicxulub» (du nom d'un petit village situé à quelques kilomètres au nord de Mérida). L'astéroïde, dont on estime le diamètre entre 10 et 20 km, aurait creusé ce cratère mesurant entre 180 et 300 km. Les fameux *cenotes*, ces trous ronds qui ressemblent à des puits et qui sont nom-

breux dans la région, se-
raient un autre résultat de
ce bouleversement.

Au cours de la période gla-
ciaire, à l'ère quaternaire,
une baisse momentanée du
niveau de la mer a permis
aux habitants du continent
asiatique de franchir le
détroit de Béring et d'atteindre l'Alaska. Pendant
des milliers d'années, les
populations nomades inves-
tirent le continent du nord
au sud, jusqu'à la Terre de
Feu. La plus ancienne dé-
couverte anthropologique
au Mexique serait l'homme
de Tepexpan, vieux de
12 000 ans. Délaissant gra-
duellement la cueillette et la
chasse, les populations sont
devenues sédentaires, pour
se tourner vers l'agriculture
et la pêche à partir de
l'an 7000 av. J.-C. Les premiers villages auraient donc
été érigés le long des côtes.

Période archaïque

La culture du maïs fit son
apparition vers l'an 5000
av. J.-C. Des figurines
d'argile, âgées de 5 000 ans,
laissent deviner que la religion connaît alors une nette
progression.

C'est vers 1200 av. J.-C., que
la civilisation olmèque de
San Lorenzo connaît son
apogée. Doté de sa propre
écriture hiéroglyphique,
d'un calendrier complexe et

d'un système de numéra-
tion, cette civilisation aurait
grandement influencé, par
son art et son organisation
sociale, les civilisations mé-
soaméricaines qui ont suivi.
On leur doit entre autres de
colossales têtes de basalte
qui mesurent jusqu'à 3 m
de hauteur et plusieurs
grands centres cérémoniels.

Une autre étape importante
de l'histoire du Mexique est
l'ère de la resplendissante
Teotihuacán, ville peuplée
et centre religieux. Cette
grande métropole, située
près de l'actuelle ville de
México, connaît ses début
vers l'an 200 av. J.-C. Cette
ville précolombienne est
plus grande que toutes celles qui furent découvertes
en Amérique à ce jour. À
son apogée, elle était plus
grande que la Rome an-
tique. On ignore par qui
elle fut fondée, mais ce qui
est certain, c'est que son
pouvoir politique, culturel
et religieux s'étendait sur
des dizaines de kilomètres.
Son apogée se situerait
entre l'an 300 et 650 ap.J.-C.

Vers l'an 200 après J.-C., les
civilisations du Mexique
sont déjà très développées
au point de vue de
l'architecture, de l'art et de
la science. L'astronomie et
les mathématiques, surtout,
paraissent avoir été au
centre de leurs préoccupa-
tions.

Le chiclé

À la fin du XIXe siècle, les pharmacies américaines virent apparaître sur leurs tablettes un nouveau produit appelé «Adams New York Gum», une boîte contenant de petites boules d'une substance résineuse, le chiclé, qu'il fallait mâcher sans avaler.

Cette résine est un latex extrait du sapotier, un arbre de grande taille très répandu en Amérique centrale et dans le Yucatán, et qui fut importée et commercialisée aux États-Unis par l'inventeur américain Thomas Adams vers 1880. Le chiclé, bien que nouveau alors pour les Américains, existait déjà sous la forme de «gomme à mâcher». En effet, Mayas et Aztèques en connaissaient depuis longtemps les vertus hygiéniques et digestives, et savaient comment le récolter.

La résine de chiclé est obtenue en lacérant l'écorce du sapotier de plusieurs grands X profonds, d'où elle s'écoule pour être ensuite recueillie par les Chicleros. Le produit est alors bouilli, coupé en cubes et exporté.

Au début du siècle, l'homme d'affaires de Chicago William Wrigley ajouta un goût de menthe et de fruit à la résine, et baptisa sa création *Chiclêt*. Le succès fut tel que la forte demande de matière première au Yucatán entraîna, en 1920 notamment, une migration vers la péninsule. Dans les années cinquante cependant, un substitut moins coûteux du chiclé, le polyester, remplaça la substance naturelle.

Aujourd'hui, quoique la cueillette industrielle du latex est chose révolue, plusieurs sapotiers du Yucatán arborent encore de larges cicatrices. Les autocars des voyagistes s'arrêtent parfois pour montrer aux touristes quelques spécimens en bordure de route.

La civilisation maya

Les Mayas connurent leur apogée entre les années 200 et 900 ap. J.-C. environ. Plusieurs villes de cette époque se trouvent dans la péninsule du Yucatán, entre autres, Uxmal et Cobá.
Dès l'an 900, l'influence commerciale de la civilisation des hauts plateaux remplaça celle des mayas de l'époque classique. Les civilisations toltèque et maya ont toutefois cohabité et se sont entremêlées. Le site archéologique de Chichén Itzá, entre autres, présente des ornements typiques des deux civilisations. Le déclin des grandes villes fut toutefois rapide et ce fut au tour de l'étoile des Aztèques de briller dès l'an 1300. Grâce à leurs réalisations techniques et commerciales, les Aztèques surent s'imposer face à leurs rivaux.

Les Aztèques

Les Aztèques fondèrent Tenochtitlán (aujourd'hui México). Leur puissance s'étendit sur de grandes distances, et leur règne dura à peu près 150 ans. Ils furent vaincus par les Espagnols de Cortès aidés par les peuples ennemis.

La conquête espagnole

L'histoire de la rencontre des Espagnols et du Nouveau monde a donné lieu à toutes sortes de spéculations, mais une chose est sûre, il s'agit là d'un des moments les plus importants et les plus troublants de l'histoire du monde. Le premier contact se produisit en 1512, lorsque deux naufragés, le prêtre Jerónimo de Aguilar et le navigateur Gonzalo Guerrero furent faits prisonniers par les Mayas. Guerrero gagna l'estime de ses ravisseurs, apprit la langue maya et épousa la princesse Zacil. Ils eurent trois fils: les premiers métis.

En 1519, Hernán Cortés, parti de Cuba avec une flotte d'une dizaine de bateaux et 500 hommes, libère Aguilar, et en fait son interprète. Les conquistadors prendront plus de deux années de combat pour détruire l'empire aztèque. En effet, le 13 août 1521, avec leurs alliés amérindiens, ils réussissent à s'emparer de Tenochtitlán.

En 1522, Cortés la fait reconstruire. Elle s'appelle désormais «México» et devient la capitale de la Nouvelle Espagne. La conquête du Yucatán prendra plus de deux décennies.

L'évangélisation

Les premiers missionnaires franciscains arrivent à Mexico en 1523 et se hâtent d'édifier des monastères. Par la suite, les augustins et les jésuites s'attelleront eux aussi à la tâche. En 10 ans, alors que des millions d'autochtones sont christianisés, quantité de monuments précolombiens sont démolis, de nombreux Amérindiens sont réduits à l'état d'esclavage et le pillage des ressources et des richesses se généralise.

L'évêque Diego de Landa nota et compila de nombreuses observations sur la société maya du Yacatán dans un ouvrage intitulé *Relaciones de las Cosas de Yucatán*. Les historiens considèrent d'ailleurs que c'est en grande partie grâce à lui qu'on peut, aujourd'hui, comprendre la société maya de l'époque précolombienne.

Bien que les autochtones aient accepté sans enthousiasme le catholicisme qu'on leur imposait, ils l'adaptèrent à leurs propres croyances. Même au XIXe siècle on dépouillait les Amérindiens de leurs terres, on les obligeait à travailler pour le compte d'une hacienda et le maigre salaire qui leur était versé servait uniquement dans les *tiendas de raya* (boutique de l'hacienda). Les autochtones n'avaient d'autre choix que de s'endetter et ce cercle vicieux les maintenaient prisonniers du système, de même que leurs enfants après eux, puisque les dettes se transmettaient à la descendance du père. L'indépendance du Mexique, obtenue après une guerre qui dura 11 ans (1810-1821), ne mit pas fin à cette injustice, puisque les terres ne firent alors que changer de main. Chez les Mayas, le feu trop longtemps attisé de la révolte grondait.

La guerre des castes

Après de trop durs traitements, à bout de forces et d'espoir, les Mayas se livrèrent avec furie, en 1847, à ce qu'on a appelé plus tard la «guerre des castes». À Tepich, à 76 km au sud de Valladolid, à la suite de l'exécution du leader maya Manuel Antonio Ay, ils massacrèrent tous les

Blancs qui n'avaient pas fui la ville. Ce nettoyage se poursuivit dans la plupart des villes du nord du Yucatán. Mérida était, malgré des appels à l'aide répétés, sur le point de tomber lorsque les Mayas décidèrent de retourner à leur culture du maïs, qui ne pouvait attendre davantage, car la saison des pluies était arrivée. La revanche des colons espagnols fut impitoyable. Hommes, femmes et enfants furent sans distinction tués, emprisonnés ou vendus comme esclaves. La population maya, déjà fort disséminée par les épidémies et les mauvaises conditions de vie, chuta de 500 000 à 300 000 individus entre 1846 et 1870. S'étant réfugiés dans le sud du Quintana Roo, ils offrirent cependant une résistance acharnée à leurs ennemis. Les Cruzobs, installés à Santa Cruz (qui deviendra Felipe Carillo Puerto), contrôlèrent pendant plus de 40 ans la moitié sud-est de la péninsule du Yucatán.

La résistance

La péninsule du Yucatán, isolée du reste du pays, était difficilement contrôlable par le gouvernement. Vers la fin du XIXe siècle le gouvernement mexicain, sous la présidence de Porfirio Díaz, commença à s'intéresser sérieusement au Yucatán. Ce n'est qu'en 1901 toutefois, lors d'une campagne menée par le général Ignacio Bravo, que l'armée fédérale réussit à prendre la capitale, Santa Cruz Chan, que les Cruzobs avaient abandonnée. La guérilla menée par les mayas se poursuivit jusqu'en 1935, alors que les Cruzobs consentirent à signer un traité de paix avec l'armée fédérale.

La Révolution

La Révolution, qui dura 10 ans et causa la mort d'un million de Mexicains, fut provoquée en 1910 par la réélection frauduleuse de Porfirio Díaz. Elle fut initiée par Francisco de Madero et menée par différents chefs révolutionnaires. Madero, allié de Pancho Villa, succède à Díaz en 1911, mais est renversé au cours d'un soulèvement conduit par le général Huerta et est assassiné en 1913. Cet événement déclencha la révolte populaire, dirigée pendant 10 ans par les quatre chefs révolutionnaires Villa, Obregón, Carranza et Zapata. La Révolution voulu mettre fin à l'injustice criante des propriétaires et apporta une redistribution de la richesse.

Cette révolution a aussi amené une nouvelle constitution, dont plusieurs éléments sont encore en vigueur aujourd'hui, comme la scolarisation de tous les enfants et la redistribution des possessions de l'Église.

Carranza est reconnu président par les États-Unis en 1916. Pourtant, la Révolution continue. En 1917, une nouvelle constitution limite le mandat des présidents à quatre ans. On construit des écoles, et l'on confisque des propriétés rurales pour les attribuer aux paysans. Les affrontements avec l'Église s'intensifient. Zapata se battra sans relâche jusqu'à son assassinat, en 1919. Pancho Villa est, quant à lui, abattu en 1923.

Il faudra cependant attendre le règne (1934-1940) du président Lázaro Cárdenas pour que les paysans de la péninsule yucatèque puissent profiter des réformes.

Le Mexique moderne

Au début du XXe siècle, on construit au Yucatán un réseau de chemins de fer qui relie enfin l'État au reste du Mexique. Malgré de lourdes difficultés économiques, le Mexique se modernisa entre 1940 et 1970. Grâce au système d'irrigation, l'agriculture se développa. Les routes se multiplièrent. L'État devient le moteur principal du développement économique,

mais la perte de compétitivité du Mexique sur les marchés mondiaux amena une situation économique difficile.

Relations avec les États-Unis

Les relations du Mexique avec les États-Unis ont souffert de la Révolution. À l'époque, le président Woodrow Wilson hésita longtemps avant de reconnaître officiellement un chef, donc à lui accorder son aide. La balance penche finalement en faveur de Venustiano Carranza, reconnu président du Mexique en 1916.

La découverte d'importants gisements de pétrole place le Mexique au quatrième rang des pays producteurs. Toutefois, les taux d'inflation élevés et la mauvaise gestion plongent en même temps le pays dans un déficit budgétaire qui provoque une fuite importante de capitaux. En 1982, le président López Portillo préside, à Cancún, la conférence Nord-Sud pour sortir les pays de l'Amérique latine du cercle vicieux de l'endettement.

La station balnéaire de Cancún, un projet amorcé dans les années soixante, verra le jour en 1974, après la construction d'une infrastructure importante. Le développement de cette région s'est accéléré depuis 1982 et fait en sorte que le tourisme a pris, dans la péninsule du Yucatán, la deuxième place dans l'économie.

Système politique

L'État de Yucatán et l'État de Quintana Roo forment 2 des 31 États de la république fédérale du Mexique, qui compte en outre un district fédéral, soit la ville de México et ses environs.

Bien que la constitution autorise le multipartisme, le Mexique était encore tout récemment une démocratie contrôlée par un «parti unique». Le pluralisme politique a réellement pris naissance dans les années quatre-vingt, avec l'émergence du Parti d'action nationale (PAN) et du Parti de la révolution démocratique (PRD), les deux principales formations de l'opposition. Ces partis rivalisent pour occuper des sièges au gouvernement, aux côtés du Parti révolutionnaire institutionnel (PRI), dont le pou-

voir est demeuré longtemps incontesté.

En 1929, le Parti national révolutionnaire est fondé (Parti révolutionnaire institutionnel ou PRI depuis 1946). C'est de ce parti qu'étaient issus tous les présidents du Mexique jusqu'à l'an 2000.

Les États-Unis sont aujourd'hui le principal partenaire commercial du Mexique, avec plus de 65% des exportations. Cependant, de nombreux accords ont été signés pour diversifier ces partenaires (le président Salinas de Gortari a signé en 1992 un accord de libre-échange, l'Alena, avec le Canada et les États-Unis), car tout n'est pas rose entre les deux voisins. Pensons entre autres à la présence de travailleurs mexicains illégaux sur le territoire américain et au parti pris des États-Unis à ne pas reconnaître l'espagnol comme langue seconde, malgré la grande place qu'il occupe sur son territoire.

Les élections de juillet 2000 ont fait souffler un vent de changement sur le pays. Le Parti révolutionnaire institutionnel (PRI), qui était au pouvoir depuis 71 ans, a été évincé par le PAN et son charismatique président, Vincente Fox. Le Mexique peut donc commencer à espérer une véritable démocratisation de ses institutions.

Économie

La production du Mexique est assez diversifiée. L'exploitation minière, le secteur manufacturier, l'industrie du pétrole (réserves de 60 milliards de barils), l'électronique, le textile et le tourisme sont tous des secteurs très développés.

Avec 21,7 millions de touristes en 1996, le Mexique se place au 7e rang des destinations touristiques mondiales. Le tourisme représente une grande part de l'économie mexicaine, surtout dans l'État de Quintana Roo. Ce fut même, pendant plusieurs années, la principale source de revenus du pays. Les villes d'Acapulco, de Puerto Vallarta et de Cancún reçoivent à elles seules chaque année des millions de touristes.

Le Mexique, au quatrième rang des pays producteurs de pétrole, connut de 1976 à 1982 une inflation énorme qui paralysa son développement. Malgré cela, le développement touristique dans l'État de Quintana Roo alla bon train, car les investisseurs ont cru au tourisme pour sortir la région de l'impasse.

En octobre 1982, le président José López Portillo convoqua une assemblée à Cancún pour trouver des solutions à la fuite des capitaux. Il laissa cependant à son successeur, Miguel de la Madrid Hurtado (élu en 1982), un pays en proie à une inflation monstre. L'accession du pays au *General Agreement on Tariffs and Trade* (GATT) en 1986, un nouvel accord de conversion de la dette signé en 1987 et une plus grande ouverture économique ont toutefois contraint les Mexicains à un régime maigre et à un taux de chômage élevé.

En 1994, une nouvelle crise conduisit à une baisse de 60% de la valeur du peso, et l'économie du pays ne s'est toujours pas relevée, malgré un plan d'austérité draconien et l'aide du Fonds monétaire international (FMI) obtenue par le président Ernesto Zedillo. Le taux d'inflation, qui avait atteint le niveau record de 160% en 1987, a cependant chuté à moins de 10% en 2000.

Portrait social

Mexique, terre du métissage. Les Mexicains dans leur ensemble, formant une société métissée, se targuent d'intégrer dans leur vie courante les héritages du passé.

Pour le touriste, l'évidence de ce fait viendra lors d'une visite organisée de sites mayas, où le guide (avec toutes les caractéristiques physiques de sa descendance ibérique) s'identifiera de façon automatique et difficilement compréhensible à ses supposés ancêtres mayas, qualifiant aisément de barbarie la conquête espagnole.

De son côté, la société maya qui subsiste a quand même fort à faire pour faire valoir ses droits et amener ses revendications sur la place publique, notamment au niveau de l'exploitation touristique progressive du fait maya, qui prend souvent la forme de détours sur la route des autocars vers de petits villages pittoresques où une population, en retrait, vit au rythme du passé.

La société maya

Bien que l'origine des Mayas ne soit pas très bien connue, on croit qu'en l'an 2000 av. J.-C. plusieurs villages mayas existaient. Les premiers Mayas à peupler la péninsule du Yucatán se seraient d'abord installés entre autres à Dzibilchaltún (nord du Yucatán), où des temples de pierre furent érigés.

Le regroupement d'établissements épars a précédé le développement de grandes cités mayas où ont été réalisées des découvertes scientifiques et des inventions remarquables. Les villes et les centres cérémoniels ont atteint des proportions considérables au cours de la période classique, soit de l'an 300 à l'an 900 de notre ère. Les centres urbains y abondaient, avec leurs aménagements, leurs grandes allées, leurs réseaux d'aqueducs et d'égouts, leurs gigantesques pyramides et palais, ainsi que leurs terrains de pelote de la taille d'un champ de soccer.

Les réalisations scientifiques et sociales des Mayas n'avaient d'égales que leurs réalisations artistiques. Les stèles gigantesques, les sculptures, les peintures et les décorations abstraites des temples mayas font encore que cette civilisation se démarque des autres cultures du monde. Toutes ces réalisations sont d'autant plus étonnantes que les Mayas n'ont jamais utilisé la roue (sauf pour les jouets d'enfants), car ils n'avaient pas de bêtes de trait.

Plusieurs croient que les cités mayas furent aménagées selon des schémas de division du temps extrêmement précis. Chaque ornement, chaque marche d'un temple exprime une divi

Quelques films dont l'action se déroule au Yucatán

Contre toute attente
(*Against all odds*) (USA, 1984), de Taylor Hackford, avec Rachel Ward et Jeff Bridges.

Zorro Rides Again (USA, 1937), de John English, avec John Carroll.

Rastro de Muerte (Mexique, 1981), thriller politique d'Arturo Ripstein, avec Pedro Armen Dariz Jr.

La Momia Azteca (Mexique, 1957), suivi de **Attack of the Mayan Mummy** et **Face of the Screaming Werewolf** (USA, 1964), de Rafael López Portillo.

Marie Galante (USA, 1934), de Henry King, avec Spencer Tracy.

sion du temps. Le calendrier maya est, à cet égard, le résultat de la combinaison de deux calendriers, permettant d'identifier une journée précise à des millions d'années dans le passé ou le futur. Chaque journée, chargée de présages heureux ou funestes, était analysée par les chefs, qui prenaient leurs décisions en conséquence.

L'essor de Chichén Itzá prit fin vers l'an 1200, lorsque Mayapán atteint son apogée. Le déclin du pouvoir central s'amorça vers l'an 1450, lorsque cette dernière grande métropole maya fut abandonnée.

Aujourd'hui, au Yucatán, de nombreux descendants des Mayas vivent à l'intérieur des terres. Ils sont très facilement reconnaissables à leur petite taille, leur teint foncé et leur profil plat. Les femmes portent le *huipil*, pièce d'étoffe carrée en coton blanc, brodée sur le col et les manches.

Arts et culture

Musique

La musique occupe une grande place dans la vie quotidienne mexicaine. À Cancún, les musiciens sont nombreux devant les terrasses des restaurants pour une petite ballade évoquant un amour perdu ou inassouvi, une peine quelconque, une dispute. Ces ballades sont inspirées de chansons espagnoles qui furent «mexicanisées».

La musique des *mariachis* est certainement la plus connue à l'étranger. Groupes de musiciens en costume de *ranchero*, ils se tiennent fiers et droits avec guitare, violon, trompette et voix, et leurs ballades sont enrichies par les cultures d'Europe.

Les instruments traditionnels sont la trompette, la guitare, le marimba et la harpe.

À l'Isla Mujeres, où l'on trouve depuis peu une «Maison du musicien», la musique populaire locale est omniprésente lors des fêtes et événements sociaux. Considéré comme le père de la musique de l'île des Femmes, le troubadour Virgilio Fernández, décédé à l'âge de 60 ans en 1962, aura chanté son île avec des ballades aux noms évocateurs: *Mujer Isleña, Mi son pa Contoy, Bahía Isleña*... Aujourd'hui, les groupes de musiciens sont nombreux dans l'île.

Cancún présente depuis 1990 un festival de jazz annuel en mai, avec les plus grands noms du genre: Etta James, Ray Charles, Carlos Santana et Tito Puente s'y sont déjà produits. Les concerts ont lieu sur une scène extérieure placée sur la plage Ballenas.

Quant à la musique classique, quelques compositeurs mexicains ont fait leur marque: Manuel Ponce (1886-1948), Julian Carillo (1875-1965), Carlos Chávez (1899-1978) et Silvestre Revuelta (1899- 1940).

Danse

Plusieurs danses pratiquées au Mexique remontent aux civilisations précolombiennes. Les danses païennes, interdites par les conquistadors, étaient encouragées par les missionnaires, qui voyaient là sans doute un moyen d'y intégrer la religion catholique.

Les danses occupent une place prépondérante dans les fêtes mexicaines. Il y a la danse du Cerf, la danse des Plumes, la danse Quetzal, la danse des Petits Vieux, la danse Sonajero, la danse Conchero et la Jarana. L'une des principales danses mexicaines, qu'on peut voir en de multiples occasions, est la danse Venado (danse du Cerf) des Yaquis, des Mayas et des Tarahumaras du nord du Mexique.

Lors de votre séjour à Cancún, vous aurez un bel aperçu de toutes ces danses en allant voir le Ballet folklorique de Cancún, qui donne des représentations chaque samedi soir au Centro de Convenciones. Le spectacle, avec dîner, retrace les grands courants et les différentes tendances de la musique traditionnelle du Mexique selon les États et les époques.

Cinéma

Les débuts

Comme la majorité des pays d'Amérique latine, le Mexique a découvert le cinéma au XXe, en pleine période de la dictature de Porfirio Díaz. Les cinéastes, occupés à suivre les activités officielles du dictateur, n'ont pas vu venir la Révolution. Toute la production mexicaine est alors orientée vers la représentation d'un pays cultivé, civilisé et progressiste, tel que le souhaitait la bourgeoisie de l'époque.

Cependant, l'éclatement de la Révolution amena le documentaire à caractère politique, le premier au monde selon certains critiques, à s'attaquer aux problèmes présents. Le film *Memorias de un Mexicano* (1959) de Carmen Toscano présente une compilation des films de Salvador Toscano, pionnier du cinéma mexicain, tournés durant les dernières années de la dictature de Díaz.

Parallèlement, le cinéma de fiction étranger exerce une grande influence sur les goûts du public. De 1916 à 1930, les films de fiction mexicains reproduisent les modèles de l'extérieur, aux intrigues mélodramatiques. La seule exception est peut-être *La Banda del automóvil gris* (film muet de 1919 sur un gang de malfaiteurs de México). Le mélodrame prend dès lors une place prédominante dans le cinéma mexicain.

L'année 1930 marque le début du cinéma sonore. *Santa*, d'Antonio Moreno, représente le prototype du mélodrame de prostituées, dans un traitement naïf, genre qui sera par la suite très prisé. L'année 1938 inaugure la comédie *ranchera*, sorte de petits films aux scénarios simplistes qui servaient surtout à mettre

Films mexicains

Quelques réalisateurs

Roberto Sneider
Dos crimenes, 1995.

Alfonso Arau
Como Agua para chocolate,
1992 (tiré du roman de Laura
Esquivel).

Jaime Humberto Hermosillo
L'Anniversaire du chien,
1974; *La Passion selon
Bérénice*, 1976; *Naufrage*,
1977; *Maria de mon cœur*,
1979; *Doña Herlinda et son
fils*, 1984; *Intimités dans une
salle de bains*, 1989; *Le
Devoir*, 1990.

Felipe Cazals
Le Jardin de tante Isabelle,
1971; *Canoa*, 1975; *Le
Mitard*, 1975; *Las
Poquianchis*, 1976.

Arturo Ripstein
Temps de mourir, 1965; *Le
Château de la pureté*, 1972;
L'Inquisition, 1973; *Ce lieu
sans limites*, 1977; *La Veuve
noire*, 1977; *Rastro de
Muerte*, 1981.

Paul Leduc
Frida, nature vivante, 1984;
*Reed, le Mexique en
ébullition*, 1971.

Emilio Fernández
Janitzio 1938.

Luis Buñuel
Né en Espagne en 1900 et
décédé au Mexique en 1983,
Buñuel aimait à dire qu'il
avait appris son métier au
Mexique. Il tourne 21 films
au Mexique entre 1946 et
1965, dont ceux-ci:
Los Olvidados, 1951;
Nazarín, 1959; *La Jeune fille*,
1960; *Viridiana* (coproduit
avec l'Espagne), 1961; *L'Ange
exterminateur*, 1962; *Simon
du désert*, 1964.

Quelques comédiens

María Félix

Cantinflas et **Tin Tan** (deux
grands comiques
populaires)

Pedro Infante

Dolores del Río

en valeur un certain héros, le *Charro*, cowboy mexicain monté sur son cheval à la recherche d'aventures.

L'âge d'or

Pendant les années 1940, alors que les États-Unis suspendent leur production hispanique pour se consacrer à la propagande antinazie, le Mexique devient le premier producteur mondial de films en espagnol. C'est l'«âge d'or» du cinéma mexicain, marqué par un nombre impressionnant de productions et l'apogée du mélodrame, du nationalisme et de l'esprit religieux.

Le cinéma mexicain se fait l'écho du discours officiel de l'unité nationale en récupérant le passé préhispanique et en redéfinissant le rôle de l'Amérindien dans la société. Les films de *cabareteras* (entraîneuses), dérivés des films où les prostituées sont des héroïnes, apportent au mélodrame moral un certain renouveau et dominent les écrans. Ce courant se perpétue jusqu'au début des années 1960.

Le savoir-faire hollywoodien a cependant raison de ce cinéma sans prétention, et l'industrie cinématographique mexicaine s'affaisse au début des années 1960. Seuls quelques réalisateurs, influencés sans doute par le néoréalisme italien, ont tourné des films sur le «vrai» Mexique.

Le cinéma mexicain moderne

En 1964, on créa le Centre universitaire d'études cinématographiques de México, puis, en 1970, la Banque nationale du film afin d'apporter une aide aux studios de cinéma. S'ensuivit la réalisation de nombreux films de qualité au début des années 1970.

Cependant, la privatisation des sociétés de production a entraîné la fermeture de centaines de salles de cinéma. Autre malheur, la Cinémathèque nationale fut victime en 1982 d'un incendie qui détruisit des milliers de films. De plus, les Mexicains ont, depuis le début des années 1980, beaucoup délaissé le cinéma, préférant regarder les *Tele-Novelas*, téléromans réalisés à un rythme effréné, très populaires dans toute l'Amérique latine.

Littérature

L'évêque Diego de Landa détruisit les codex mayas dans leur presque totalité. Après cette œuvre de destruction, il s'est un peu amendé en mettant par écrit ses observations du peuple maya, dans ses *Relaciones de*

Portrait

John Lloyd Stephen

Le globe-trotter américain John Lloyd Stephen entreprit deux expéditions en Amérique centrale et au Mexique, entre 1839 et 1842, en compagnie du peintre et dessinateur britannique Frederick Catherwood. Ses recherches le menèrent aux sites archéologiques de Palenque, Chichén Itzá, Kabah, Labna et Uxmal. Il publia deux récits de voyage qui connurent un grand succès et incitèrent à des recherches plus poussées sur les Mayas: *Incidents of Travel in Central America, Chiapas and Yucatán* (1841) et *Incidents of Travel in Yucatán* (1843).

las Cosas de Yucatán. Par contre, certains documents aztèques ont pu traverser le temps jusqu'à nous grâce à quelques ecclésiastiques, entre autres, le moine espagnol Bernardino de Sahagún (1500-1590). Ces œuvres, pour la plupart des poèmes héroïques, sont empreintes d'une poésie lyrique. D'autres récits sauvegardés en langue nahuatl, traduits en espagnol, sont celles du roi-poète Netzahualcóyotl (1402-1472), du roi Huejotzingo et du prince aztèque Temilotzin.

La littérature nahuatl fut traduite entre autres par Eduard Georg Seler (1849-1922).

Quant à la littérature maya, il nous reste le *Rabianl-Achi*, une œuvre dramatique expliquant le mode de vie et les coutumes mayas. Le *Popol Vuh* ("Livre du conseil"), traduit par Fray Francisco Ximénez au début du XVIIIe siècle, est une source de renseignements sur les traditions et les coutumes des Kichés, une ethnie maya.

L'époque de la conquête espagnole marqua les débuts de la littérature mexicaine en espagnol. Ses principaux chroniqueurs sont Bernal Díaz de Castillo (1492-1580), compagnon de Hernán Cortés, Bartolomé de las Casas (1474-1566), Jerónimo de Mendieta

(1525-1604) et Antonio de Solis (1610-1686).

L'époque coloniale est dominée par l'influence espagnole, omniprésente, ce qui empêche une littérature proprement mexicaine. Certains écrivains ont cependant réussi à percer avec originalité: Juan Ruiz de Alarcón y Mendoza (1581-1639) et Iñes de la Cruz (1648-1695), une religieuse considérée comme l'une des grandes poétesses de langue espagnole du XVIIᵉ siècle. Carlos de Sigüenza Y Góngora (1645-1700) est un digne représentant du nouveau baroque espagnol. À l'époque de José Manuel Martínez de Navarrete (1768-1809), qui s'inspira du néoclassicisme français, le Mexique est à la recherche d'une identité nationale.

Les soulèvements indépendantistes qui enflammèrent le Mexique dès 1810 amenèrent presque toute la littérature autour de ce sujet dans une grande polémique. Le roman réaliste suivra ensuite, traitant beaucoup de politique. Vers la fin du XIXᵉ siècle, le romantisme espagnol et français influencera bon nombre d'écrivains mexicains. Un contre-courant s'affirmera tout de suite après, initié par Manuel Gutiérrez Najera (1859-1895), que l'on considère comme le père de la littérature mexicaine

moderne.

La Révolution marque l'avènement, au Mexique, de la littérature contemporaine qui s'inspire de sentiments nationalistes. Mariano Azuela (1873-1952) est le principal représentant de ce courant, entre autres avec *Ceux d'en bas* (1916), récit vivant et coloré de la Révolution. Ensuite, dans les années vingt, on se penche à nouveau sur l'histoire du Mexique. Artemio de Valle Arizpe (1888-1961) est le principal auteur à avoir analysé l'époque coloniale. Carlos Fuentes (1928), auteur de *Paysage sous la lumière*, *La Mort d'Artemio Cruz* et *Le Vieux gringo*, a atteint la célébrité.

L'auteur mexicain le plus connu mondialement est Octavio Paz (1914-1998), qui a obtenu en 1990 le prix Nobel de la littérature. En plus de ses nombreux essais, poésies et traductions, Paz fut aussi conférencier, diplomate et journaliste. On lui doit entre autres *Le Labyrinthe de la solitude* (1950). Avec Alfonso Reyes (1889-1959), il est considéré comme le grand maître mexicain de l'essai.

Actuellement, de jeunes auteurs, membres de la *Espiga amotinada*, groupe fondé en 1980, renouvellent avec talent la littérature mexicaine. Il s'agit entre autres d'Augusto Shelley,

Portrait

Juan Buñuelos et Oscar Olivas.

Parmi les auteurs du Yucatán, citons Wilberto Cantón (1925-1979), poète et essayiste qui reçut de nombreux prix pour l'ensemble de son œuvre, ainsi que Miguel Barbachanco Ponce (1930), dramaturge, professeur et critique cinématographique. Héctor Aguilar Camil (1946), journaliste, historien et narrateur, a reçu en 1986 le Prix national du journalisme. On lui doit beaucoup d'écrits sur la Révolution mexicaine.

Peinture

De magnifiques fresques précolombiennes ornaient de nombreux temples mayas au Mexique. On y distingue encore les rouges, et le fameux bleu maya qui se retrouvait partout. Peu après la conquête, des artistes européens enseignent à México dans une école fondée par des moines franciscains.

L'art colonial s'épanouira au XVIIe siècle, avec plusieurs peintres qui réussiront à intégrer l'art européen à leur propre style. De nombreuses œuvres de cette époque décorent églises, cloîtres et musées de plusieurs villes.

Le baroque mexicain verra le jour à la fin du XIIIe siècle tout en restant étonnamment insensible à toute influence amérindienne. Les peintres mexicains resteront influencés par les maîtres européens jusqu'au XXe siècle. Il faudra attendre la révolution de 1910 pour voir surgir un courant original, propre aux Mexicains. Il s'agit du muralisme (le ministre de l'Éducation de l'époque, José Vasconselos, permit aux peintres d'utiliser les murs des écoles et d'autres bâtiments publics).

Le muralisme a pour point de départ une exposition de partisans de la sécession, dirigée par Gerardo Murillo (1875-1964), qui se fait appeler Dr. Atl. Le caricaturiste politique Guadalupe Posada (1851-1913) est considéré comme le précurseur de ce courant. Ces peintres privilégient les motifs et les couleurs précolombiennes, reniant les éléments espagnols. Les sujets glorifient l'héritage amérindien et la Révolution. Un manifeste sera publié en 1923, dans lequel on se déclare contre les tableaux des musées. Diego Rivera, David Alfaro Siqueiros et José Clemente Orozco sont trois peintres importants ayant dominé cette période.

Quelques peintres mexicains

Diego Rivera (1886-1949) a réalisé d'immenses fresques, s'inspirant de la Renaissance italienne et de l'art maya et aztèque afin de développer des œuvres ayant pour sujet la vie sociale et politique du Mexique. Il fut aussi marié à la peintre Frida Kahlo (1910-1954). Cette dernière, clouée depuis l'âge de 18 ans dans un fauteuil roulant, a peint des tableaux empreints d'angoisse et de lucidité. Elle n'a accédé à une certaine célébrité posthume que depuis quelques années.

Le peintre d'origine zapotèque Rufino Tamayo (1899-1991) est considéré comme le maître de l'art moderne, refusant de servir, dans sa peinture, quelque intérêt politique que ce soit. Il s'est inspiré de divers courants de son temps, surtout le cubisme, tout en puisant dans l'art populaire mexicain.

Portrait

Religion et fêtes

Le Mexique, majoritairement catholique, est très pratiquant. Les églises, toujours pleines, retentissent du chant des fidèles. Plusieurs fêtes religieuses ponctuent l'année. L'Église catholique, implantée très tôt au début de la conquête espagnole, était très puissante, régissant l'éducation et s'ingérant dans la politique et la vie quotidienne.

À l'image de leur sang métissé, les Mexicains, dans leur pratique de la religion, mêlent aux rites catholiques traditionnels les croyances mystiques des Amérindiens, vouant entre autres un culte à la mort (*Día de los Muertos*). Les fêtes, très colorées, sont importantes et l'on y participe en grand nombre.

30 décembre au 6 janvier
Fête des Rois mages (*Fiesta de Los Tres Reyes Magos*) Cette fête est célébrée à Tizimin, une petite municipalité située au nord de Valladolid, deuxième plus

grande ville de l'État de Yucatán. Cette municipalité célèbre les Rois mages de toutes les façons. On y trouve entre autres un restaurant et le Convento de Los Tres Reyes.

1er janvier

Le jour de l'An (*Año Nuevo*)
Grandes réjouissances dans tout le pays et foires agricoles dans les provinces.

6 janvier

Fête de l'Épiphanie (*Día de los Reyes*)
Ce jour-là, les enfants reçoivent des cadeaux. Dans de nombreuses réceptions, on sert un gâteau en forme d'anneau dans lequel est cachée une poupée miniature; la personne qui reçoit la tranche de gâteau où se trouve la poupée doit offrir une autre réception le 2 février, jour de la Chandeleur.

17 janvier

Fête de San Antonio Abad
On honore les animaux domestiques dans tout le Mexique. Les animaux apprivoisés et le bétail sont décorés et bénis dans les églises locales.

2 février

Jour de la Chandeleur (*Candelaria*)
Fêtes, défilés et courses de taureaux. Les rues sont décorées de lanternes.

5 février

Jour de la Constitution (*Día de la Constitución*)
Commémoration des constitutions de 1857 et de 1917, qui régissent maintenant le Mexique.

Variable

Carnaval précédant le Carême
Musique, danse et défilés dans de nombreuses stations balnéaires, entre autres Cancún, Isla Mujeres et Cozumel.

24 février

Fête du drapeau

21 mars

Anniversaire de Benito Juárez
Jour férié en hommage au bien-aimé président (1806-1872), né de parents zapotèques et initiateur de nombreuses réformes durant son mandat, comme l'abolition des privilèges de l'Église, l'introduction du mariage civil et de l'école d'État, ainsi que l'industrialisation.

20, 21 ou 22 mars

Équinoxe du printemps
Durant une dizaine de minutes ce jour-là, le soleil descend le long de la grande pyramide de Chichén Itzá, donnant l'illusion spectaculaire d'un serpent qui longe l'arête du temple jusqu'au sol. Ce phénomène se reproduit à l'équinoxe d'automne (20, 21 ou 22 septembre).

Semaine avant Pâques
Semaine sainte (*Semana Santa*)
Elle commence le dimanche des Rameaux, constitue la plus grande fête du Mexique et est célébrée dans toutes les régions.

Variable
Pâques

Avril
Regata Sol a Sol
Une régate entre la Floride et Cozumel avec de nombreuses célébrations.

3 mai
Jour de la Sainte-Croix (*Día de la Santa Cruz*)
Ce jour-là, les travailleurs de la construction placent des croix décorées sur les bâtiments qu'ils sont en train d'édifier. Il y a aussi des pique-niques et des feux d'artifice.

5 mai
Bataille de Puebla (*Cinco de Mayo*)
Commémoration de la victoire de l'armée mexicaine sur les troupes de Napoléon III à Puebla en 1862.

15 mai
San Isidoro Labrador
Festivals tenus à Panaba, près de Valladolid, et à Calkini, au sud-ouest de Mérida.

Mai
Plusieurs festivités ont lieu à Isla Mujeres.

Juin
Tournois de pêche à Cozumel et à Cancún.

24 juin
Fête de la Saint-Jean-Baptiste (*Día de la San Juan Bautista*)
Foires populaires, festivités religieuses et baignades.

Août
Coupe Cancún
Courses de *lanchas* (canots) à Cancún.

15 et 16 septembre
Fête de l'Indépendance du Mexique (jours fériés)
On célèbre dans tout le pays la déclaration d'indépendance proclamée en 1810. Sur la place centrale de la plupart des villes, à 23h, le soir du 15 septembre, on joue *El Grito* (le cri), une reconstitution de l'appel au soulèvement lancé par le père Hidalgo à ses compatriotes. Le président ouvre la cérémonie, qui a lieu dans le square de la Constitution à México. Presque tous les établissements du pays sont fermés pendant ces deux jours. Défilés le jour et feux d'artifice le soir.

20, 21 ou 22 septembre
Équinoxe d'automne (voir, en mars, équinoxe de printemps).

27 septembre
Cristo de las Ampollas
Cette fête a lieu à Mérida.

12 octobre
Fête de Colomb (*Día de la Raza*) (jour férié)
Festivités commémorant la fusion des races autochtones et européennes du Mexique.

23 octobre au 2 novembre
Fêtes de Cancún

31 octobre
Fête des âmes
Au Yucatán, on met des chandelles sur les pierres tombales. Début de huit jours d'évocation.

1er novembre
Discours du président sur l'état de la nation (*Informe Presidencial*) (jour férié)
Le président du Mexique prononce ce discours annuel devant le Congrès.

1er et 2 novembre
La Toussaint (*Día de los Muertos*)
Au cours de cette fête, le pays rend hommage à la Mort par des festivités où se mêlent les cultures chrétienne et amérindienne. Des crânes et des squelettes en sucre, ainsi que des cercueils miniatures sont vendus partout. Processions vers les cimetières où les pierres tombales et les autels sont décorés de façon élaborée. Ces journées sont l'occasion d'évoquer la mémoire des chers disparus.

20 novembre
Jour de la Révolution (jour férié)
Commémoration du début de la guerre civile, qui a duré 10 ans (de 1910 à 1920), au cours de laquelle des millions de Mexicains ont perdu la vie.

1er au 8 décembre
Plusieurs festivités ont lieu à Isla Mujeres.

12 décembre
Fête de la Virgen de Guadalupe
Cette fête, la plus religieuse du Mexique, célèbre la sainte patronne du pays. Des pèlerins venus de toutes les régions convergent à la basilique de México, où l'on peut voir une mystérieuse empreinte à l'image de la sainte sur un linceul.

16 au 24 décembre
Posadas
Processions et fêtes commémorant le voyage de Joseph et de Marie à Bethléem. La musique remplit les rues et l'on casse des *piñatas*.

25 décembre
Noël (*Navidad*)
Cette fête familiale est célébrée à la maison.

Renseignements généraux

Il est relativement facile de voyager partout au Mexique, que ce soit seul ou en groupe organisé. Pour profiter au maximum de son séjour, il est important de bien se préparer.

Le présent chapitre a pour but de vous aider à organiser votre voyage. Vous y trouverez des renseignements généraux et des conseils pratiques visant à vous familiariser avec les habitudes locales.

Formalités d'entrée

Avant de partir, veillez à apporter tous les documents nécessaires pour entrer et sortir du pays. Quoique ces formalités soient peu exigeantes, sans les documents requis, on ne peut voyager au Mexique. Gardez donc avec soin ces documents officiels.

Passeport

Dès que vous quittez votre pays, il est bon d'emporter votre passeport, car cela demeure le meilleur moyen de prouver votre citoyenneté. Si votre passeport expire dans les six mois qui suivent, renseignez-vous auprès de l'ambassade ou du consulat de votre pays afin de savoir quelles sont les règles et restrictions appliquées au Mexique en matière de validité et d'expiration. Si vous n'avez pas de passeport ou devez le renouveler, prévoyez un délai d'au moins trois semaines avant le départ.

Les voyageurs français, belges et suisses doivent toujours avoir en leur possession un passeport valide. Les citoyens canadiens, pour leur part, même s'ils peuvent entrer au Mexique avec un simple certificat de naissance officiel ou une carte de citoyenneté, devraient quand même avoir leur passeport en leur possession. En cas de problèmes avec les autorités, le document d'identification attestant le plus officiellement votre identité demeure votre passeport. Il se peut également qu'on l'exige pour des transactions financières ou juridiques.

Votre passeport est un document précieux à conserver dans un endroit sûr. Ne le laissez pas dans vos bagages ni dans votre chambre d'hôtel, où il pourrait facilement être volé. Un coffret de sûreté à l'hôtel est le meilleur endroit où conserver vos papiers et objets précieux durant votre séjour.

Prenez soin de conserver une photocopie des pages principales et de noter le numéro et la date d'échéance de votre passeport. Gardez cette copie à part de l'original durant votre voyage et laissez-en une copie également chez un ami ou un parent dans votre pays. Dans l'éventualité où votre passeport serait perdu ou volé, il vous sera alors plus facile de le remplacer (faites de même avec votre certificat de naissance ou carte de citoyenneté). Lorsqu'un tel incident survient, vous devez contacter sans délai l'ambassade ou le consulat de votre pays pour faire émettre un document équivalent (pour les adresses, voir p 47), ainsi que le bureau de police local. Vous devez alors remplir un autre formulaire de demande, produire une pièce prouvant votre citoyenneté, remettre de nouvelles photographies et payer les droits en entier.

Carte de tourisme

Aussitôt après les vérifications douanières à votre arrivée au Mexique (ou dans l'avion), on vous fera remplir une carte de tourisme *(tarjeta turística)* pour obtenir diverses informations sur vous. Cette carte sera votre «permission écrite» de visiter le Mexique pendant 60 jours. Vous devez conserver votre exemplaire bleu et le remettre à la douane à la fin de votre séjour. Un conseil: notez le numéro de votre carte de tourisme et joignez-la à vos documents de voyage. Ce numéro sera très utile si vous la perdez. En cas de perte, vous devez communiquer avec le bureau de l'Immigration au ☎01-800-001-4800. Le personnel du bureau vous offrira son aide au moment de quitter le Mexique.

Visa

Les touristes de nationalité canadienne, française, belge et suisse n'ont pas besoin de visa pour entrer au Mexique.

Aéroports

Information

La péninsule yucatèque compte deux aéroports internationaux situés à Cancún et à Cozumel. Il existe également de petits aéroports à Chichén Itzá, Playa del Carmen et Mérida. De plus, des vols intérieurs quotidiens sont proposés à destination d'Acapulco, Mérida et México.

L'**aéroport international de Cancún** (☎9-886-0028) est situé à environ 20 km au sud-ouest de la zone hôtelière. Il s'agit de l'un des aéroports les plus modernes du Mexique depuis les récents travaux de rénovation. En plus d'un bureau de change et d'une boutique hors taxes, on y trouve quelques magasins, restaurants et bars où les prix, comme c'est le cas dans les grands centres touristiques, sont un peu plus élevés qu'à la ville.

L'**aéroport international de Cozumel** (☎9-872-2081 ou 9-872-0847) est situé à près de 4 km au nord-est de San Miguel. On y trouve un bar-restaurant et quelques boutiques de souvenirs, des agences d'excursions à l'étage et des comptoirs de location de voitures.

Autobus

Pour quitter l'aéroport international de Cancún et se rendre à Cancún, un service de navette est offert pour environ 10$US. Ce service de transport aller-retour, appelé «Transfert», est souvent inclus dans le prix des voyages à forfait. Les autobus sont spacieux et respectent les horaires avec un zèle surprenant. Au retour, faites attention: il se peut que le chauffeur de la navette arrive à l'hôtel avant l'heure prévue et reparte aussitôt pour l'aéroport sans vous attendre. Pour éviter cette catastrophe, précédez l'horaire de 30 m et attendez la navette à l'extérieur.

Taxis

Notez que les taxis ne sont autorisés qu'à laisser les voyageurs à l'aéroport et, à l'inverse, les autobus publics ne peuvent transporter les touristes que de l'aéroport à leur hôtel.

Contrairement à Cancún, il n'existe à Cozumel aucun service de transport en commun, mais d'innombrables taxis circulent dans l'île et offrent un service à prix raisonnable. Une navette peut vous prendre à l'aérogare pour environ 5$US.

Location de voitures

Plusieurs agences de location de voitures ont un comptoir à l'aéroport. Pour éviter des frais excessifs, il est préférable de louer une voiture avant le départ et de comparer les prix. La plupart des grandes firmes peuvent être jointes grâce à des numéros sans frais de partout en Amérique. Quand vous comparerez les prix des différentes agences, prenez compte des taxes, du kilométrage gratuit et de l'assurance. Voici les noms et numéros des agences présentes à l'aéroport de Cancún:

Monterrey Rent
☎(9) 886-0239

Economovil
☎(9) 886-0082 ou 886-0171

Avis
☎(9) 886-0222 ou 800-321-3652

Budget
☎(9) 886-0026 ou 800-268-8970

National/Tilden
☎800-361-5334

Hertz
☎(9) 886-0150 ou 800-263-0678

Taxe de départ

Une taxe de départ de 18$US par passager (souvent incluse dans le prix des billets émis par les transporteurs aériens) s'applique aux vols internationaux en partance du Mexique. Renseignez-vous auprès de votre transporteur aérien avant votre départ pour savoir si vous avez à payer cette taxe.

Les bagages

Le poids maximal des bagages que vous pouvez emporter varie d'une compagnie aérienne à une autre. Ce poids sera minimal sur les vols nolisés. Des frais devront être déboursés pour le poids excédentaire. Souvenez-vous que vous avez normalement droit à seulement un bagage à main assez petit pour se glisser sous le siège devant vous.

Prenez soin de bien fermer toutes les attaches de vos sacs et valises et de solidement emballer tous les paquets, car ils pourraient s'abîmer dans les mécanismes des chariots au moment de l'entrée ou de la sortie de la soute à bagages. Certaines compagnies aériennes et certains aéroports fournissent des sacs de plastique résistants pour envelopper les sacs à dos, boîtes ou autres.

Avant de monter dans l'avion, on peut vous demander si vous avez laissé vos bagages sans surveillance et si vous les avez préparés vous-même. Cela afin d'éviter que quelqu'un en ait profité pour y introduire des marchandises illégales, que vous apporteriez avec vous à votre insu.

On vous demandera aussi de ne pas apporter avec vous dans l'avion des objets dangereux tels que couteaux ou canifs, que vous pouvez cependant mettre dans vos valises qui sont rangées dans la soute à bagages. Les amateurs de plein air noteront que les bonbonnes de gaz ne peuvent pas voyager en avion et qu'il faut dégonfler les pneus des vélos. Si vous transportez des objets inusités, informez-vous donc

auprès de la compagnie aérienne avant de faire vos valises.

Douane

Le Mexique est doté d'un système de contrôle douanier à l'européenne, mais avec quelques différences. On vous fera d'abord remplir un formulaire de déclaration, puis on vous demandera si vous avez quelque chose à déclarer. Si oui, on fouillera vos bagages. Si vous n'avez rien à déclarer, vous devrez actionner un «feu de circulation» aléatoire. S'il est vert, vous passerez sans fouilles, mais, s'il est rouge, vous aurez droit à une inspection.

Il est bien sûr interdit d'importer de la drogue et des armes à feu. Si vous vous posez des questions sur ce qui est permis ou non, vous pouvez appeler la douane à l'aéroport de Cancún au ☎(9) 886-0073.

Ambassades et consulats

À l'étranger

CANADA
45, rue O'Connor, Bureau 1500
Ottawa (Ontario), K1P 1A4
☎(613) 233-8988 ou 233-9572
✆(613) 235-9123

Renseignements généraux

QUÉBEC
2055, rue Peel, bureau 1000,
Montreal (Québec) H3A 1V4
☎*(514) 288-2502*
⇻*(514) 288-8287*
www.consulmex.qc.ca

BELGIQUE
Av. Franklin-Roosevelt 94
1050 Bruxelles
☎*(32) 2 629-0777*
⇻*(32) 2 649-8768*
embamexbel@pophost.eunet.be

FRANCE
9, rue de Longchamp
75116 Paris
☎*01 53 70 27 70*
⇻*01 47 55 65 29*

SUISSE
Bernastrasse, n° 57
3005 Berne
☎*(031) 357 47 47*
⇻*(031) 357 47 48*

Sur place

Les ambassades et les
consulats peuvent fournir
une aide précieuse aux visiteurs qui se trouvent en
difficulté (par exemple en
cas d'accident ou de décès,
pour leur fournir le nom de
médecins ou d'avocats,
etc.). Toutefois, seuls les cas
urgents sont traités. Il faut
noter que les coûts relatifs à
ces services ne sont pas
défrayés par ces missions
consulaires.

CANADA
Plaza Caracol II, 3er piso, local 330,
Blvd. Kukulkan km.8.5 Zona hotelera
77500, Cancún

☎*(9) 883-3360*
⇻*(9) 883-3232*
cancun@canada.org.mx

DÉLÉGATION GÉNÉRALE DU QUÉBEC
Av. Taine, n° 411, Colonia Bosques de
Chapultepec, 11580 México, D.F.
☎*(5) 250-8222 ou 250-8208*
⇻*(5) 254-4282*
qc.mexico@mri.gouv.qc.ca

FRANCE
Campos Elíseos 339, Col. Polanco
11560 México, D.F.
☎*(525) 282-9700*
⇻*282-9703*

BELGIQUE
Ave. Alfredo de Musset, n° 41
Col. Polanco, 11550 México, D.F.
☎*(525) 280-0758*
⇻*(525) 280-0208*

Renseignements touristiques

Les offices de tourisme ont
pour fonction d'aider les
voyageurs à préparer leur
voyage au Mexique. Les
responsables du bureau
peuvent répondre aux questions des visiteurs et leur
fournissent des brochures.

À l'étranger

Les Canadiens peuvent,
avant le départ, joindre le
ministère du Tourisme du
Mexique sans frais au
☎*800-263-9426* (service en
français et en anglais). On
répondra à toute demande

d'information touristique. Il est également possible, à ce numéro, de commander des dépliants, cartes et brochures sur la région visitée.

CANADA
2, Bloor Street West, Suite 1801
Toronto (Ontario), M4W 3E2
☎*(416) 925-0704*
⇄*(416) 925-6061*

QUÉBEC
1, Place Ville-Marie, Bureau 1526
Montréal (Québec), H3B 2B5
☎*(514) 871-1052*
⇄*(514) 871-3825*

FRANCE
4, rue Notre-Dame-des-Victoires
75002 Paris
☎*01 42 86 56 30*
⇄*01 42 86 05 80*
Minitel: 3615 MEXIQUE

ESPAGNE
Calle Vélasquez, n° 126
28006 Madrid
☎*13 41 561-3520*
⇄*13 41 411-0759*

ITALIE
Via Barberini, n°3
00187 Rome
☎*39 6 487-2182*
⇄*39 6 448-3630*

Sur place

Sur place, le gouvernement mexicain offre aux voyageurs un service téléphonique d'assistance en anglais touchant les formalités (douanes, visas), les directions routières, l'état des routes, la météo, etc. Com-posez sans frais le ☎*9-1-800-90392*.

CANCÚN
Avenidas Coba & Avenida Carlos
J Nader, Cancún
☎*(529) 884-3238 ou 884-3438*

Transport

En voiture

État du réseau routier

Jusqu'aux années 1950, le Mexique ne disposait pas, en raison de son relief tourmenté, d'un réseau de transport terrestre couvrant l'ensemble du pays. Depuis lors, la construction de routes a constitué un élément essentiel de l'intégration des régions éloignées à l'économie nationale.

Une part importante des nouvelles grandes routes mexicaines relève actuellement du secteur privé. Des autoroutes modernes et sûres, à péage et à quatre voies, relient à présent les grandes villes du pays. Bien qu'elles soient très coûteuses, ces nouvelles routes représentent un immense progrès par rapport aux routes plus anciennes, souvent mal entretenues et encombrées de camions et d'autocars.

Il est toujours préférable de bien planifier son itinéraire et d'avoir en tête les distances qui séparent les différents lieux que vous voulez visiter. Saviez-vous, par exemple, que la zone hôtelière de Cancún mesure 22 km et qu'il peut vous prendre jusqu'à 45 min pour vous rendre au centre-ville? Les réparations sur la route sont également fréquentes et peuvent ralentir considérablement la circulation, ce qui, sous un soleil cuisant, n'est pas très agréable.

Le gouvernement injecte des millions de pesos dans l'infrastructure routière de cette région depuis des années. Les autoroutes et les routes principales sont donc généralement en bon état et bien revêtues. L'axe routier principal dans la région de Cancún et de la Riviera Maya est formé de la route 307, qui longe la côte, de Punta Sam (au nord de Cancún) à Chetumal en passant par Tulum, et de la route 180, qui va de Cancún à Mérida en passant par Valladolid et Chichén Itzá. Le segment de la route 307 entre Playa del Carmen et Tulum, qui fait 70 km de long, fait l'objet d'une importante réfection et d'un élargissement depuis janvier 1997.

Voyager sur les routes secondaires reste une entreprise périlleuse. Elles sont souvent couvertes de pierraille ou envahies par les mauvaises herbes, quelques-unes sont revêtues et la plupart sont parsemées de trous de toutes les tailles. On y circule donc lentement. Par ailleurs, le long de ces routes, se trouvent de petits villages où il vous faudra rouler très lentement, car des piétons peuvent surgir de n'importe où. Des dos-d'âne ont été placés dans les rues des villes afin de ralentir les automobilistes, et ils sont souvent fort mal indiqués.

Quelques conseils

Permis de conduire

Un permis de conduire valide de votre pays est accepté.

Le code de la route

Les panneaux de signalisation routière sont également peu nombreux (peu d'indication de limite de vitesse, d'arrêts et d'accès ou non au passage). Ces panneaux sont encore insuffisants en de nombreux endroits. Il n'est pas rare qu'une simple inscription sur un carton accroché à un arbre vous indique la route à suivre. Pour retrouver son chemin, il n'existe parfois pas d'autres moyens que de demander aux passants.

Tableau des distances (km)
par le chemin le plus court

	Cancún	Chichén Itzá	Mérida	México	Playa del Carmen	Tulum	Valladolid
Cancún		202	315	1651	69	132	158
Chichén Itzá			113	1445	256	193	44
Mérida				1332	384	306	157
México					1582	1519	1489
Playa del Carmen						63	212
Tulum							149
Valladolid							

Exemple: la distance entre Playa del Carmen et Cancún est de 69 km.

La circulation est rarement dense sur les routes dans cette région, sauf au centre-ville de Cancún et dans la zone hôtelière. Les règles de conduite élémentaires sont parfois peu respectées, car les Mexicains roulent vite et ne surveillent pas leur angle mort dans les dépassements. Enfin, rares sont les voitures munies de clignotants et le port de la ceinture de sécurité est rare.

Du fait du manque d'éclairage et du manque de balisage des routes mexicaines, il est fortement recommandé d'éviter de conduire la nuit. Le risque de vol augmente avec l'obscurité; aussi, à la nuit tombée, ne prenez jamais de personnes faisant de l'auto-stop, évitez de vous arrêter sur le bord de la route et verrouillez vos portières.

La vitesse maximale est de 110 km/h sur les autoroutes à quatre voies et de 90 km/h sur les autoroutes à deux voies.

Les accidents

Comme certaines routes mexicaines sont peu éclairées et peu balisées, évitez de conduire la nuit si vous vous écartez des grandes routes. Faites attention aux dos-d'âne et aux nids de poule. Ralentissez aux passages à niveau. Les autorités ne prennent pas à la légère le stationnement illégal.

N'oubliez jamais de verrouiller votre voiture.

En cas d'accident ou de panne d'essence, rangez votre voiture sur le bord de la route et soulevez le capot. Vous devriez recevoir rapidement du secours des automobilistes. De plus, les principales routes mexicaines sont patrouillées par les «Anges verts» (Los Angeles Verdes). Ces dépanneuses gouvernementales sont conduites par des mécaniciens qui parlent l'anglais. Où que l'on soit, on peut les joindre par téléphone à toute heure du jour et de la nuit au ☎800-90392. Ce service est gratuit, mis à part les pièces et l'essence.

La police

Le long de l'autoroute, les policiers sont postés pour surveiller les automobilistes. Ils détiennent le pouvoir d'arrêter toute personne qui commet une infraction au code de la sécurité routière, ou de simplement vérifier les papiers du conducteur. Les policiers essaient de ne pas ennuyer les touristes, mais il peut arriver que certains tentent de vous soutirer des pesos. Si vous êtes certain de n'avoir commis aucune infraction, il n'y a pas de raison de leur verser quoi que ce soit. Parfois ils vous arrêteront le long de la route, le temps de vérifier vos papiers. En règle générale, ils sont serviables et, si vous avez des problèmes sur la route, ils vous aideront.

L'essence

L'essence se vend au litre, et il en existe deux qualités: la Nova (pompes bleues) est une essence qui contient du plomb et dont l'indice d'octane est de 81, tandis que la Magna Sin (pompes vertes) ne contient pas de plomb. La Magna Sin est facile à trouver. Cherchez l'enseigne PEMEX (Petroleos Mexicanos), qui est le monopole d'État des stations-service.

Généralement, on donne au pompiste un pourboire de quelques pesos. Il n'y a pas de libre-service. Le prix de l'essence semble élevé aux Américains, mais, pour les Canadiens, il est plutôt dans la moyenne, alors qu'il est bas pour les Européens. Un dernier conseil: faites le plein dès que vous en avez l'occasion, car les stations-service sont plutôt rares.

Location de voitures

La location d'une voiture au Mexique n'est pas une simple affaire. Attendez-vous à ce que le tarif soit élevé et le choix de véhicules restreint. On trouve au Mexique toutes les grandes firmes de location, dont plusieurs sont

américaines et certaines mexicaines. Vous devez avoir 21 ans et détenir un permis de conduire en règle ainsi qu'une carte de crédit reconnue. On demande aux clients de signer deux bordereaux d'achat à crédit, l'un pour la location et l'autre pour couvrir les dommages éventuels. Il s'agit là d'une pratique courante au Mexique.

Il faut prévoir débourser en moyenne 50$US par jour (le kilométrage illimité n'est pas toujours inclus) pour une petite voiture, sans compter les assurances et les taxes. Choisissez une voiture en bon état, de préférence neuve. Quelques agences locales demandent des prix moins élevés, mais leurs véhicules sont souvent en mauvais état et elles offrent un service bien relatif en cas de panne.

Au moment de la location, vous devrez souscrire à une police d'assurance automobile mexicaine, votre propre police n'étant pas valide au Mexique. De plus, les franchises sont très élevées (environ 1 000 $US). Avant de signer un contrat de location, veillez à ce que les modalités de paiement soient clairement définies. Lors de la signature du contrat, votre carte de crédit devra couvrir les frais de location et le montant de la franchise de l'assurance.

Il est de loin préférable de réserver une voiture de location depuis votre pays: vous paierez moins cher et les formalités seront plus simples. Afin de faire garantir le tarif proposé, demandez à ce qu'on vous transmette une confirmation par télécopieur.

En autobus public

À Cancún, les autobus publics *(camiones)* sillonnent la zone hôtelière sans arrêt. Vous n'attendrez jamais plus que deux ou trois minutes, à moins qu'il y ait des embouteillages. Le prix du trajet est d'environ cinq pesos, peu importe la distance parcourue. Les arrêts officiels sont indiqués par des panneaux bleus, mais vous n'avez qu'à lever la main et l'autobus s'arrêtera. Au centre-ville de Cancún, les autobus passent aux principales intersections. Les autobus sont en service 24 heures sur 24.

On ne peut pas dire que les autobus sont vraiment inconfortables, mais les chauffeurs sont préoccupés de la vive concurrence entre les différentes compagnies d'autobus. Généralement, ils ralentissent à peine pour vous permettre de monter à l'intérieur, puis démarrent aussitôt en trombe. Un conseil: accrochez-vous! Les personnes âgées ou fragiles devraient carrément éviter ce moyen de transport à Cancún.

Préparez le montant exact de la course ou bien des petites coupures avant de monter à bord de l'autobus, car parfois on ne vous rendra pas la monnaie. Le chauffeur doit vous donner un reçu, qui vous servira en cas de contrôle. Exigez-le.

À Cozumel, il n'existe pas de service d'autobus public.

En autocar

Le réseau mexicain d'autocars est très développé, rejoignant tous les villages. Les tarifs sont incroyablement bas (le trajet entre Cancún et Tulum, par exemple, coûte environ 5$US) et le service est fréquent et rapide. Les véhicules sont généralement assez neufs et climatisés. Comme la seconde classe coûte à peine moins cher que la première classe, n'hésitez pas à choisir cette dernière option. De plus, notez que même les autocars modernes peuvent avoir des toilettes plus ou moins bien équipées: pour les longs trajets, munissez-vous de papier de toilette et de serviettes humides. N'oubliez pas non plus un bon gros chandail, car les compagnies d'autocars ne lésinent pas sur l'air conditionné.

Des autocars partent presque chaque heure de Cancún pour Mérida, Playa del Carmen, Tulum et Chichén Itzá.

En bateau

Dans la péninsule du Yucatán, des services de navette pour piétons ou voitures relient plusieurs points.

De Puerto Juárez à l'Isla Mujeres: il y a un service de navette juste au nord de Cancún; huit départs quotidiens dans chaque sens, d'une durée de 20 min. Renseignements sur les horaires et tarifs: ☎(9) 883-0216.

De Playa del Carmen à Cozumel: deux compagnies maritimes font la navette. Neuf départs quotidiens dans les deux sens, d'une durée de 45 min.

En mobylette

Il est possible de louer des mobylettes à l'heure ou à la journée en plusieurs endroits au coût de 25$US à 30$US par jour. L'Isla Mujeres et Cozumel se prêtent bien à ce moyen de transport. À Cancún, la circulation est beaucoup trop rapide et encombrée.

En taxi

Les taxis fonctionnent 24 heures sur 24. Dans l'ensemble, leurs tarifs sont raisonnables, mais ils sont beaucoup plus élevés dans les stations balnéaires que dans les villes de l'intérieur. Il vaut mieux demander le prix de la course avant de monter dans un taxi, car les voitures ne sont pas munies de compteurs. La plupart des hôtels peuvent vous dire exactement le tarif habituel d'un point à un autre. Quelques taxis attendent habituellement les clients devant les hôtels. S'il n'y en a pas, demandez à la réception qu'on vous en appelle un. Pour vous donner un exemple de tarif, à Cancún, de l'hôtel le plus éloigné de la zone hôtelière jusqu'au centre-ville, cela vous coûtera 45 pesos.

Renseignements généraux

En stop

Il est possible, quoique très peu répandu et risqué, de se déplacer en faisant de l'auto-stop au Mexique. Il se peut que vous attendiez très longtemps sur le bord de la route avant qu'on ne vous prenne.

En avion

Plusieurs entreprises proposent des forfaits incluant

l'avion et l'hébergement. Ces formules ont l'avantage d'éviter aux voyageurs tout souci une fois arrivés à destination. Ces forfaits amènent généralement les visiteurs dans l'un des centres touristiques du pays, notamment Cancún et Cozumel. Les quelques entreprises québécoises suivantes se spécialisent dans ce type de voyages: Vacances Signature, Royal Vacances et Air Transat.

Il est également possible de partir en ne prenant que son billet d'avion et en trouvant à se loger sur place, les types d'hébergement étant nombreux dans cette contrée. Cela vous permet de vous promener et de choisir où loger au jour le jour. En dehors des périodes de pointe (vacances de Noël et Semaine sainte), on ne devrait avoir aucun problème à se loger, tant dans les régions plutôt reculées que dans les grands centres touristiques. Réserver à l'avance demeure toutefois le moyen le plus sûr d'avoir une chambre à l'arrivée.

Pour les voyageurs plus fortunés, ou ceux qui détestent les transports terrestres ou maritimes, il est à noter que les transporteurs Mexicana et Aeromexico proposent un service aérien vers Cancún, Mérida, Playa del Carmen et Chichén Itzá.

Mexicana
Avenida Cobá, n° 39, Cancún
☎ *(9) 887-2513 ou 800-50-220-00*
✉ *(9) 887-4441*

Aeromexico
Avenida Cobá, n° 80
☎ *(9) 884-1097*
☎ *800-37-6639*

Les vols à destination de Cancún à partir de Cozumel partent toutes les heures et coûtent une quarantaine de dollars américains. Le vol vers Chichén Itzá est offert deux fois par jour au même prix.

Monnaie

La monnaie du pays est le *nuevo peso* (nouveau peso). Depuis le mois de décembre 1996, le mot «peso» est suffisant pour désigner la monnaie nationale. Le symbole du peso est $MEX ou NP$.

La Banque du Mexique émet des billets de 500, 200, 100, 50, 20 pesos, de même que des pièces de 20, 10, 5, 2 et 1 pesos ainsi que de 50, 20, 10 et 5 centavos (100 centavos=1peso). Les prix à Cancún et Cozumel sont souvent énoncés en dollars américains, ce qui peut porter à confusion, car cette monnaie s'énonce aussi avec le symbole $. Sur vos reçus de cartes de crédit, assurez-vous que le

Taux de change

1 peso	=	0,11 $US	1 $US	=	9,11 pesos
1 peso	=	0,17$CAN	1 $ CAN	=	5,93 pesos
1 peso	=	0,80FF	1 FF	=	1,25 pesos
1 peso	=	4,89 FB	1 FB	=	0,20 peso
1 peso	=	0,18 FS	1 FS	=	5,42 pesos
1 peso	=	0,12 euro	1 euro	=	8,23 pesos

montant soit bien précédé des lettres *NP*.

Nous vous recommandons de changer la valeur de 20 à 30 dollars américains en pesos avant de quitter votre pays. Les bureaux de change de l'aéroport seront fermés si votre avion arrive dans la nuit, et il vous faudra attendre au lendemain pour pouvoir régler pourboires et taxis, ou même pour vous procurer de l'eau embouteillée dans les distributeurs automatiques. Le restaurant de votre hôtel peut bien être fermé lui aussi, et votre arrivée serait alors un vrai cauchemar.

Bien que les dollars soient acceptés dans les grands hôtels, nous vous recommandons d'utiliser des pesos au cours de votre voyage. Vous ne courrez ainsi aucun risque de voir votre argent refusé. Vous économiserez aussi, car les marchands qui acceptent les dollars consentent en général un mauvais taux de change.

Services financiers

Banques

Les deux banques mexicaines les plus importantes sont Banamex et Bancomer. Elles sont reliées aux réseaux Cirrus et PLUS, et présentent même des menus en anglais et en espagnol. Certains distributeurs automatiques vous fournissent de l'argent en pesos ou en dollars américains. Les banques sont ouvertes du lundi au vendredi de 9h à 17h.

Les dollars américains ($US)

Il est toujours mieux de voyager avec des dollars ou des chèques de voyage en dollars américains car, en plus d'être faciles à changer, ils bénéficient d'un meilleur taux que toute autre monnaie.

Change

Le meilleur taux de change est obtenu en demandant une avance de fonds à partir d'une carte de crédit. Cette transaction s'avère encore plus rentable lorsqu'on procède avant son départ à un dépôt anticipé dans son compte. Dans ce cas, il n'y aura pas d'intérêt à payer sur l'avance de fonds. La plupart des guichets automatiques acceptent les cartes Visa, Master-Card, Cirrus et Plus. Cette solution peut vous éviter d'acheter des chèques de voyage avant le départ et de courir à la banque mexicaine pour les changer. Enfin, les guichets automatiques sont accessibles 24 heures sur 24. Si vous perdez votre carte, cependant, vous risquez d'avoir des problèmes. La diversité des sources d'argent (carte de crédit, chèques de voyage, devises mexicaines) est l'option la plus sécuritaire.

Bureaux de change

En ce qui concerne les bureaux de change (*casas de cambio*), leurs heures d'ouverture sont plus longues et le service est plus rapide que dans les banques. Vous en trouverez partout dans les villes, ouvertes tard en soirée. Notez toutefois que le taux de change est souvent plus avantageux dans les banques. Il n'y a généralement pas de frais de change. Vous pouvez convertir les devises chaque jour au site Internet suivant pour connaître les taux les plus récents: ***www.xe.net/currency***. Une calculatrice électronique qui convertit les devises est aussi un bon investissement et peut vous éviter bien des maux de tête.

Vous trouverez sur la page précédente les taux de change pour différentes monnaies étrangères. Ceux-ci étaient à jour au moment de mettre sous presse et ne sont donnés qu'à titre indicatif. La monnaie mexicaine étant soumise à de fortes fluctuations, de nombreuses dévalutations ont eu lieu au cours des dernières années.

Chèques de voyage

Il est toujours plus prudent de garder la majeure partie de son argent en chèques de voyage, car ils peuvent être remplacés rapidement en cas de vol ou de perte. Les chèques de voyage sont parfois acceptés dans les restaurants, les hôtels ainsi que certaines boutiques (s'ils sont en dollars américains ou en pesos). En outre, ils sont facilement échangeables dans les banques et les bureaux de change du pays. Il est conseillé de garder de côté une copie des numéros de vos chèques car, si vous les perdez, l'entreprise émettrice pourra vous les remplacer plus facilement et plus rapidement. Rayez sur cette copie, au fur et à mesure de leur utilisation, les numéros des chèques de voyage que vous écoulez. En cas de perte ou de vol, l'entreprise émettrice saura ainsi exactement ce qu'elle vous doit. Cependant, comme nous l'avons déjà dit, ayez toujours des espèces sur vous.

Cartes de crédit

Les cartes de crédit sont acceptées dans bon nombre de commerces, en particulier les cartes Visa et MasterCard. Les cartes American Express et Diners Club sont acceptées moins souvent. Ne comptez pas seulement sur vos cartes de crédit, car plusieurs petits commerçants les refusent. Même si vous avez des chèques de voyage et une carte de crédit, veillez à toujours avoir des espèces sur vous.

Au moment de l'inscription à votre hôtel, il peut vous

être demandé de signer une «empreinte» de votre carte de crédit, sans indiquer de montant, pour divers frais occasionnés lors de votre séjour. Cela est une pratique courante au Mexique.

Lorsque vous payez avec votre carte de crédit, vérifiez toujours vos bordereaux et détruisez vous-même les doubles.

Guichets automatiques

Plusieurs banques offrent le service de guichets automatiques pour le retrait d'argent, souvent 24 heures sur 24. La plupart font partie des réseaux Cirrus et Plus, permettant aux visiteurs de retirer directement dans leur compte personnel. Vous pouvez alors vous servir de votre carte comme vous le faites normalement, des dollars vous seront remis, accompagnés d'un reçu, et l'on prélèvera le montant équivalent dans votre compte. Et ce, sans prendre plus de temps que si vous étiez à votre propre banque! Cela dit, le réseau peut parfois éprouver des problèmes de communication qui vous empêcheront d'obtenir de l'argent. Si votre transaction est refusée au guichet d'une banque, essayez une autre banque, car il se pourrait que vous y soyez plus chanceux. Toutefois veillez à ne pas vous retrouver les mains vides.

Taxes

Le Mexique a une taxe sur la valeur ajoutée de 10% (c'est la IVA, ou *impuesto de valor agregado*), imposée tant aux résidants qu'aux voyageurs. Elle s'applique à l'achat de la plupart des articles. Cette taxe est souvent «cachée» dans le total de l'addition au restaurant et dans le prix des achats en magasin et des voyages organisés. D'autres taxes s'appliquent entre autres aux appels téléphoniques, dans les restaurants et les hôtels.

Santé

Voyager n'est pas dangereux pour la santé! Une bonne hygiène et un peu de bon sens vous garderont en bonne forme : dormez bien, buvez beaucoup d'eau embouteillée, faites attention à ce que vous mangez et prenez garde au soleil et aux insectes. Rappelez-vous de laisser à votre organisme du temps pour s'adapter à un nouvel environnement, que ce soit par rapport au décalage horaire, au soleil et à la chaleur ou encore à l'altitude.

Cependant, la nourriture et le climat peuvent être la cause de divers malaises. Une certaine vigilance s'impose quant à la fraîcheur des aliments (en l'occurrence la viande et le poisson) et à la propreté des lieux où la nourriture est apprêtée. Une bonne hygiène (entre autres, se laver fréquemment les mains) vous aidera à éviter bon nombre de ces désagréments. Il est aussi recommandé de ne jamais marcher pieds nus à l'extérieur, car parasites et insectes minuscules pourraient traverser la peau et causer divers problèmes, notamment des dermites (infection à champignons). N'oubliez pas non plus d'être prudent sur et au bord des routes.

L'eau

Qu'on boit

Les malaises que vous risquez le plus de ressentir sont causés par une eau mal traitée, susceptible de contenir des bactéries provoquant certains problèmes, comme des troubles digestifs, de la diarrhée, de la fièvre. L'eau en bouteille, que vous pouvez acheter un peu partout, est la meilleure solution pour éviter les ennuis. Lorsque vous achetez l'une de ces bouteilles, tant au magasin qu'au restaurant, vérifiez toujours qu'elle est bien scellée. Souvenez-vous que, pour éviter la déshydratation en pays chaud, vous devez boire au moins deux litres d'eau par jour et jusqu'à six litres de boissons (non alcoolisées bien sûr). Bref, n'attendez pas d'avoir soif pour boire parce qu'alors vous serez déjà déshydraté.

Les fruits et les légumes nettoyés à l'eau courante (ceux qui ne sont donc pas pelés avant d'être consommés) peuvent causer les mêmes désagréments, de même que les glaces, sorbets et glaçons. Évitez-les si vous n'êtes pas certain de leur provenance. De même, assurez-vous de la provenance des glaçons que l'on met dans vos boissons.

Où l'on se baigne

Évitez de vous baigner dans les plans d'eau douce, sauf si vous êtes certain de sa pureté. L'eau de mer est moins à risque, mais l'eau douce peut contenir des micro-organismes dangereux pour la santé. Les bains de boue et de sable sont aussi à éviter pour les mêmes raisons. Qui plus est, dans plusieurs pays le sable des plages (même au bord de la mer) cache des larves qui peuvent en profiter pour s'introduire sous la peau; aussi vaut-il mieux s'étendre sur une serviette.

Le soleil et la chaleur

Aussi attirants que puissent être les chauds rayons du soleil, nous savons maintenant qu'ils peuvent aussi être très nocifs. Pour profiter au maximum de leurs bienfaits sans souffrir, veillez à toujours utiliser une crème solaire, à opter pour un indice de protection qui vous protège bien (minimum 15 pour les adultes et 25 pour les enfants) et à l'appliquer de 20 à 30 min avant de vous exposer. Souvenez-vous que vous devez vous protéger en tout temps, pas uniquement lorsque vous êtes sur la plage ou au bord de la piscine, pas seulement non plus lorsque le soleil brille mais aussi par temps nuageux, et que le bronzage ne protège pas contre les rayons nocifs. Toutefois, même avec une bonne protection, une trop longue période d'exposition, au cours des premières journées surtout, peut causer une insolation, provoquant étourdissement, vomissement, fièvre, etc. N'abusez donc pas du soleil.

Un parasol, un chapeau et des lunettes de soleil de qualité sont autant d'accessoires qui vous aideront à contrer les effets néfastes du soleil tout en profitant de la plage. Cependant, souvenez-vous que le sable et l'eau peuvent réfléchir les rayons et causer des coups de soleil même si vous êtes à l'ombre!

Portez des vêtements amples et clairs en évitant qu'ils soient faits de fibres synthétiques, les tissus idéaux étant le coton et le lin. Quelques douches par jour aideront à éviter les coups de chaleur. Ne faites pas d'effort inutile pendant les heures les plus chaudes de la journée. Et surtout, buvez, buvez et buvez de l'eau!

Diarrhée des voyageurs

La diarrhée des voyageurs survient fréquemment lors de déplacements. Bien qu'une diarrhée mineure soit sans grand risque, diverses méthodes peuvent être utilisées pour la traiter. Tentez de calmer vos intestins en ne mangeant rien de solide et en buvant de l'eau en bouteille. Recommencez à manger petit à petit en évitant les produits laitiers, le café, le thé, les boissons gazeuses et l'alcool, et en leur préférant des aliments faciles à digérer et riches en glucides (riz, pommes de terre, pâtes, etc.). Cependant, la déshydratation pouvant être dangereuse, il faut boire beaucoup. Pour remédier à une déshydratation sévère, il est bon d'absorber une solution contenant un litre d'eau, une cuillerée à thé de sel et huit de sucre. Vous trouverez également des préparations dans la plupart des pharmacies. Des médicaments, tel l'Imodium, peuvent aider à contrôler certains problèmes intestinaux. Dans les cas où les symptômes sont plus graves (forte fièvre, diarrhée importante ou avec saignements), un antibiotique peut être nécessaire. Il est alors préférable de consulter un médecin.

Les insectes

L'omniprésence des insectes, particulièrement pendant la saison des pluies et dans les régions boisées, aura vite fait d'ennuyer plus d'un vacancier. Pour vous protéger, vous aurez besoin d'un bon insectifuge. Les produits répulsifs contenant du DEET sont les plus efficaces. La concentration de DEET varie d'un produit à l'autre; plus la concentration est élevée, plus la protection est durable. Dans de rares cas, l'application d'insectifuges à forte teneur (plus de 35%) en DEET a été associée à des convulsions chez de jeunes enfants; il importe donc d'appliquer ce produit avec modération, seulement sur les surfaces exposées, et de se laver pour en faire disparaître toute trace dès qu'on regagne l'intérieur. Le DEET à 35% procure une protection de quatre à six heures, alors que celui à 95% protège pendant une période de 10 à 12 heures. De nouvelles formulations de DEET, dont la concentration est moins élevée mais qui offrent une protection plus durable, sont proposées en magasin. Il y a aussi des crèmes solaires doublées d'insectifuges; vous pourrez ainsi vous protéger à la fois du soleil et des moustiques.

Les insectes sont en général plus actifs au crépuscule. Ceux porteurs de la malaria sont de plus à craindre la nuit. Cependant, il faut se méfier d'un insecte diurne, même sous certaines latitudes tempérées, puisqu'il est porteur de la fièvre dengue, malheureusement de plus en plus prolifique.

Dans le but de minimiser les risques d'être piqué, couvrez-vous bien en évitant les vêtements aux couleurs vives et évitez de vous parfumer. Lors de promenades dans les montagnes et dans les régions forestières, des chaussures et chaussettes protégeant les pieds et les jambes seront certainement très utiles. Des spirales insectifuges vous permettront de passer des soirées plus agréables. Avant de vous coucher, enduisez votre peau d'insectifuge, ainsi que la tête et le pied de votre lit. Choisissez de dormir sous une mousti-

quaire ou louer une chambre climatisée pour pouvoir fermer les fenêtres.

Comme il est impossible d'éviter complètement les moustiques, vous devriez apporter une pommade pour calmer les irritations causées par les piqûres.

Les serpents et autres rencontres inattendues

La richesse et la diversité de la faune entraînent aussi, il va sans dire, la présence d'espèces qui peuvent nous sembler moins conviviales de prime abord, tels les serpents et insectes venimeux. Inutile d'être alarmiste outre-mesure, vous n'en verrez peut-être aucun durant votre séjour. Cependant, il importe de garder l'œil ouvert. Prenez toujours le temps de regarder où vous mettez les pieds. Dans la forêt, vérifiez les lieux avant de vous appuyer ou de vous asseoir quelque part. Lors d'excursions de randonnée pédestre, soyez prudent en écartant délicatement les feuilles sur votre passage; lors de baignade en rivière, surveillez aussi bien les rives que la surface de l'eau. Certaines personnes, croyant être plus rapides qu'un serpent, s'amusent à les taquiner ou à les déplacer pour les observer : inutile de préciser qu'il s'agit d'une grave erreur. Encore une fois, la présence de serpents ne devrait pas vous empêcher de découvrir un coin de pays; les serpents, comme la plupart des animaux, ne cherchent pas la présence de l'humain et fuient à son approche.

Le décalage horaire, le mal des transports et l'altitude

L'inconfort dû à un décalage horaire important est inévitable. Quelques trucs peuvent aider à le diminuer, mais rappelez-vous que le meilleur moyen de passer à travers est de donner à son corps le temps de s'adapter. Vous pouvez même commencer à vous ajuster à votre nouvel horaire petit à petit avant votre départ et à bord de l'avion. Mangez bien et buvez beaucoup d'eau. Nous vous conseillons fortement de vous forcer dès votre arrivée à vivre à l'heure du pays. Restez éveillé si c'est le matin et allez dormir si c'est le soir. Votre organisme s'habituera ainsi plus rapidement.

Pour minimiser le mal des transports, évitez autant que possible les secousses et gardez les yeux sur l'horizon (par exemple, asseyez-vous au milieu d'un bateau ou à l'avant d'une voiture ou d'un autobus). Mangez peu, et des repas légers, aussi bien avant le départ que pendant le voyage. Différents accessoires et médicaments peuvent vous aider à réduire les symptômes comme la nausée. Un bon conseil: essayez de relaxer et de penser à autre chose!

Quant à l'altitude, le meilleur moyen de s'y adapter est aussi de prendre son temps. Il est essentiel de faire les ascensions au-dessus de 3 000 m par étapes, en prenant quelques heures ou quelques jours pour vous reposer à chaque étape. Et encore une fois, buvez beaucoup d'eau!

Les maladies

Il est recommandé, avant de partir, de consulter un médecin (ou de vous rendre dans une clinique des voyageurs) qui vous conseillera sur les précautions à prendre selon le pays où vous vous rendez. Il est à noter qu'il est bien plus simple de se protéger de ces maladies que de les guérir. Il est donc utile de prendre les médicaments, les vaccins et les précautions nécessaires afin d'éviter des ennuis médicaux susceptibles de s'aggraver. Pensez aussi à recevoir un examen dentaire avant le départ. Il n'est pas nécessaire de subir un examen médical à votre retour,

Chichén Itzá inspire le respect, tant par la grâce de sa majesté que par les détails d'architecture suffisamment conservés pour nous en apprendre un peu sur la vie au temps de cette grande cité. - *T. B.*

Les sommets de deux temples voisins se détachent sur le ciel.
On y voit un bas-relief représentant Chac. - *Alain Legault*

cependant, si vous tombez malade dans les semaines qui suivent, n'oubliez pas de mentionner à votre médecin le nom du ou des pays où vous avez voyagé.

La brève description des principales maladies qui suit n'est présentée qu'à titre informatif.

La malaria

La malaria (ou paludisme) est causée par un parasite sanguin dénommé *Plasmodium sp.* Ce parasite est transmis par un moustique (l'anophèle) qui est actif à partir de la tombée du jour jusqu'à l'aube. La maladie se caractérise par de fortes poussées de fièvre, des frissons, une fatigue extrême, des maux de tête ainsi que des douleurs abdominales et musculaires. L'infection peut parfois être grave quand elle est causée par l'espèce *P. falciparum.* La maladie peut survenir lors du séjour à l'étranger ou dans les 12 semaines après le retour. Exceptionnellement, elle se manifestera plusieurs mois plus tard. Il importe alors de consulter un médecin. Lors de séjour dans certaines zones à risque, la prise d'un médicament préventif est recommandée, voire fortement suggérée. Il est aussi indispensable dans ces régions de se protéger contre les piqûres de moustiques.

La dengue

Encore les moustiques! Dans ce cas-ci, par contre, le moustique qui transmet la dengue est actif le jour, et principalement dans les zones urbaines. Cette maladie virale a connu une forte augmentation ces dernières années. Elle se révèle toutefois bénigne la plupart du temps, bien qu'elle puisse être plus grave. Les symptômes se présentent sous la forme de fortes fièvres pouvant durer jusqu'à une semaine, avec douleurs à la tête et aux muscles, etc. Il n'existe pas de vaccin contre la dengue; pour s'en protéger, il faut se prémunir contre les piqûres de moustiques (voir p 62).

L'hépatite A

Cette infection est surtout transmise par des aliments ou de l'eau que vous ingérez et qui ont été en contact avec des matières fécales. Les principaux symptômes sont la fièvre, parfois la jaunisse, la perte d'appétit et la fatigue. Cette maladie peut se déclarer entre 15 et 50 jours après la contamination. Il existe une bonne protection contre la maladie : un vaccin administré par injection avant le départ. En plus du traitement recommandé, il est conseillé de se laver les mains avant chaque repas et de s'assurer de l'hygiène

Renseignements généraux

des lieux et des aliments consommés.

L'hépatite B

Tout comme l'hépatite A, l'hépatite B touche le foie, mais elle se transmet par contact direct ou par échange de liquides corporels. Ses symptômes s'apparentent à ceux de la grippe et se comparent à ceux de l'hépatite A. Un vaccin existe aussi, mais sachez qu'il est administré sur une certaine période, de sorte que vous devriez prendre les dispositions nécessaires auprès de votre médecin plusieurs semaines à l'avance.

La fièvre typhoïde

Cette maladie est causée par l'ingestion d'eau ou d'aliments ayant été en contact (direct ou non) avec les selles d'une personne contaminée. Les symptômes les plus communs en sont une forte fièvre, la perte d'appétit, les maux de tête, la constipation et, à l'occasion, la diarrhée ainsi que l'apparition de rougeurs sur le corps. Ils apparaissent de une à trois semaines après l'infection initiale. L'indication thérapeutique du vaccin (qui existe sous deux formes différentes, soit intramusculaire ou en pilule) dépendra de votre itinéraire. Encore une fois, il est toujours plus prudent de se rendre dans une clinique

quelques semaines avant votre départ afin de bien planifier la série d'injections du vaccin.

La diphtérie et le tétanos

Ces deux maladies, contre lesquelles la plupart des gens ont été vaccinés dans leur enfance, ont des conséquences graves. Donc, avant de partir, vérifiez si vous êtes bel et bien protégé contre elles; un rappel s'impose parfois. La diphtérie est une infection bactérienne qui se transmet par les sécrétions provenant du nez ou de la gorge, ou encore par une lésion de la peau d'une personne infectée. Elle se manifeste par un mal de gorge, une fièvre élevée, des malaises généraux et parfois des infections de la peau. Le tétanos est causé par une bactérie. Elle pénètre dans l'organisme lorsque vous vous blessez et que cette blessure entre en contact avec de la terre ou de la poussière contaminée.

La poliomyélite

La polio, comme on l'appelle généralement, est causée par un virus. Elle se transmet parfois par de l'eau ou des aliments contaminés et se manifeste par de la fièvre, des nausées et vomissements, et peut aller jusqu'à atteindre le système nerveux et causer la paralysie. Si vous recevez le vaccin à l'âge adulte, il sera normalement efficace pour toute votre vie.

Les autres maladies

Il est toujours sage d'être prudent quant aux maladies vénériennes et au sida. Apportez des préservatifs, car ce n'est pas toujours facile d'en trouver.

La trousse de santé

Une petite trousse de santé permet d'éviter bien des désagréments. Il est bon de la préparer avec soin avant de quitter la maison. Il peut être malaisé de trouver certains médicaments dans les petites villes. Veillez à emporter une quantité suffisante de tous les médicaments que vous prenez habituellement, ainsi qu'une ordonnance valide. De même, n'oubliez pas l'ordonnance pour vos lunettes ou vos verres de contact. Les autres médicaments tels que ceux contre la malaria et l'Imodium (ou un équivalent) devraient également être achetés avant le départ.

De plus, vous pourriez apporter:

• pansements adhésifs
• désinfectants
• analgésiques
• antihistaminiques
• comprimés contre les maux d'estomac et le mal des transports

• serviettes sanitaires et tampons
• préservatifs

Vous pourriez aussi inclure du liquide pour verres de contact et une paire de lunettes supplémentaire si vous en portez.

Ceux qui doivent voyager avec des médicaments ou des accessoires tels que des seringues, doivent posséder une ordonnance ou un certificat médical justifiant leur utilisation. Ceci vous évitera d'abord d'avoir à vous justifier devant les douaniers et vous aidera à les remplacer en cas de perte.

Par grande chaleur, pour éviter les infections vaginales, maintenez une bonne hygiène corporelle et portez des sous-vêtements de coton. Il demeure sans doute plus simple d'apporter le type de serviettes et tampons hygiéniques que vous utilisez habituellement. Sachez aussi que les changements dus à un voyage entraînent souvent des perturbations du cycle menstruel.

Sécurité

Le Mexique n'est pas un pays dangereux, mais il y a des risques de vol, comme partout. N'oubliez pas qu'aux yeux de la majorité des habitants, dont le revenu est plutôt bas, vous dé-

Renseignements généraux

tenez des biens (appareil photo, valises de cuir, caméscope, bijoux...) qui représentent beaucoup d'argent. La prudence peut donc éviter bien des problèmes. Quand vous quittez votre chambre, assurez-vous de ne pas laisser traîner d'objets de valeur ou d'argent. Fermez la serrure de votre valise, même si vous ne partez que quelques heures. Vous avez intérêt à ne porter que peu ou pas de bijoux, à garder vos appareils électroniques dans un sac discret que vous garderez en bandoulière et à ne pas sortir tous vos billets de banque quand vous achetez quelque chose. Le soir, ne vous aventurez pas dans des rues peu éclairées, particulièrement si vous êtes accompagné d'inconnus. Ne partez pas à l'aventure sans vous être renseigné au préalable.

Une ceinture de voyage vous permettra de dissimuler une partie de votre argent, vos chèques de voyage et votre passeport. Dans l'éventualité où vos valises seraient volées, vous conserverez ainsi les documents et l'argent nécessaire pour vous dépanner. N'oubliez pas que moins vous attirez l'attention, moins vous courez le risque de vous faire voler.

Si vous apportez des objets de valeur à la plage, il vous faudra les garder à l'œil, ce qui ne sera pas de tout repos. Il vaudrait mieux garder ces objets dans le coffret de sûreté que votre hôtel met à votre disposition.

Assurances

Avant de partir, il serait sage de se renseigner sur les diverses assurances à prendre. Prenez le temps de comparer les prix et les conditions auprès des différentes entreprises proposant de telles assurances.

Annulation

Cette assurance est normalement suggérée par l'agent de voyages au moment de l'achat du billet d'avion ou du forfait. Elle permet le remboursement du billet ou forfait, dans le cas où le voyage devrait être annulé en raison d'une maladie grave ou d'un décès. Les gens n'ayant pas de problèmes de santé peuvent se passer d'une telle protection. Elle demeure par conséquent d'une utilité relative.

Vol

La plupart des assurances-habitation au Canada protègent une partie des biens contre le vol, même si celui-ci a lieu à l'étranger.

Pour réclamer, il faut avoir une copie du rapport de police. En général, la couverture pour le vol en voyage correspond à 10% de la couverture totale. Selon les montants couverts par votre police d'assurance-habitation, il n'est pas toujours utile de prendre une assurance supplémentaire. Pour les voyageurs européens, il est recommandé de prendre une assurance-bagages.

Maladie

Sans doute la plus utile, l'assurance-maladie s'achète avant de partir en voyage. Cette police d'assurance doit être la plus complète possible. Au moment de l'achat de la police, il faudrait veiller à ce qu'elle couvre bien les frais médicaux de tout ordre, comme l'hospitalisation, les services infirmiers et les honoraires des médecins (jusqu'à concurrence d'un montant assez élevé). Une clause de rapatriement, pour le cas où les soins requis ne peuvent être administrés sur place, est précieuse. En outre, vous aurez peut-être à débourser le coût des soins en quittant la clinique. Prenez le temps de vérifier ce que prévoit votre police en pareil cas. Durant votre séjour, vous devriez toujours garder sur vous la preuve que vous avez contracté une assurance-maladie, ce qui vous évitera bien des ennuis si par malheur vous en avez besoin.

Poste et télécommunications

Voici les indicatifs régionaux des principales villes touristiques de la péninsule yucatèque.

Campeche **981**
Cancún **9**
Chetumal **983**
Cozumel, Playa del Carmen et Isla Mujeres **987**
Mérida **99**
México **5**
Valladolid **985**

Téléphone

En règle générale, il est plus avantageux d'appeler à frais virés (PCV). Pour les citoyens canadiens ou français désirant appeler dans leur pays, le service d'appel à frais virés direct (Canada Direct ou France Direct) représente la formule la plus avantageuse. Il est déconseillé d'appeler à l'étranger en passant par les hôtels car, même en cas d'appels à frais virés ou sans frais, l'hôtel vous chargera des frais pouvant aller jusqu'à 4$US par appel. Il en est de même en ce qui concerne les appels locaux puisque les hôtels vous

Vocabulaire de base du téléphone

Téléphone	*Teléfono*
Interurbain	*Larga distancia*
Appel à frais virés	*Una llamada por cobrar*
Y a-t-il des frais de services?	*¿Cobra un cargo de servicio?*
Allô	*Bueno*

factureront jusqu'à trois pesos par appel, alors que, d'une cabine téléphonique, ceux-ci ne coûtent que 50 centavos.

Pour téléphoner dans votre pays

Pour téléphoner vers l'étranger, il faut composer le 00 + l'indicatif du pays + le numéro du correspondant. Pour les appels interurbains à l'intérieur du pays, il faut composer le 0 + le numéro du correspondant.

D'autre part, il est à noter que les numéros sans frais 1-800 ou 1-888 mentionnés dans ce guide ne sont accessibles que de l'Amérique du Nord.

Méfiez-vous du service «Larga Distancia, To call the USA collect or with credit card Simply dial 0», visible un peu partout. Cette entreprise, qui s'identifie également par un logo représentant une feuille d'érable rouge, sème la confusion auprès des visiteurs canadiens, qui croient avoir affaire au service Canada Direct. En réalité, il s'agit d'une tout autre entreprise qui exige des frais élevés pour tout appel. En utilisant ses services, il vous en coûtera pas moins de 23 pesos la minute en Europe, et ce, en payant comptant. Avec la carte de crédit, ce sera encore plus cher.

Pour les appels locaux, achetez une carte de débit Ladatel. Ces cartes sont acceptées dans les téléphones publics Ladatel, que l'on trouve partout. On peut se les procurer, au coût de 50 pesos, dans les aéroports et les centres commerciaux.

Vous trouverez, dans le hall des grands hôtels de luxe,

des cabines téléphoniques isolées et tranquilles, et même fermantes à l'occasion.

Pour joindre un téléphoniste:

appels internationaux faites le 090;
appels nationaux, faites le 01;
information, faites le 040.

Pour le Québec et le Canada:
composez le 00-1 + l'indicatif régional + le numéro du correspondant, ou, pour Canada Direct, faites le 01-800-123-0200 + l'indicatif régional + le numéro du correspondant, ou attendez qu'un téléphoniste vous réponde. Cette personne pourra vous répondre en français ou en anglais, et les frais seront reportés sur votre compte mensuel habituel en dollars canadiens.

Pour la France:
composez le 00-33 + l'indicatif régional + l'indicatif de la ville si nécessaire + le numéro du correspondant, ou, pour France Direct, faites le 01-800-123-0233.

Pour la Belgique:
composez le 00-32 + le préfixe de la ville si nécessaire + le numéro du correspondant.

Pour la Suisse:
faites le 00-41, puis l'indicatif régional et le numéro de votre correspondant.

Numéros de téléphones importants

Téléphoniste
(appels locaux) *9*

Téléphoniste
(appels au Mexique) *01*

Téléphoniste
(appels interurbains) *020*

Horloge parlante *030*

Téléphoniste anglophone
(appels internationaux) *09*

Télécopie

On peut aisément envoyer des télécopies à partir d'un bureau de poste au coût d'environ 1,75$US par page, plus des frais d'interurbain le cas échéant, au tarif de 3$US la minute.

Internet

Il est possible de se brancher au réseau Internet un peu partout dans les grandes villes.

Poste

Poster une lettre de format standard ou une carte postale pour l'Amérique du Nord ou l'Europe coûte approximativement cinq pesos. Il faut compter une dizaine de jours avant

Renseignements généraux

qu'elle ne parvienne à destination.

Les bureaux de poste sont généralement ouverts de 9h à 18h du lundi au vendredi et le samedi en avant-midi. Il est de plus possible de poster du courrier à partir de la réception de la plupart des hôtels. Des timbres sont habituellement proposés partout où l'on vend des cartes postales.

Médias

Presse écrite et magazines

Parmi les publications incontournables du Yucatán, on retrouve plusieurs magazines petit format où l'information est distillée à travers la publicité. Le contenu, aux apparences journalistiques, n'est en fait que du publireportage. Les mises à jour ne servent qu'à changer la photo de la couverture... Ces magazines ne valent que pour les cartes et plans qu'ils renferment.

Le plus populaire de tous ces magazines est sans contredit le *Cancún Tips*, qui aborde brièvement tous les sujets qu'on retrouve dans les guides de voyage traditionnels. Les offices de tourisme présentent ce guide comme s'il s'agissait d'un document officiel émis par le gouvernement. Offert en anglais et en espagnol, le *Cancún Tips*, gratuit et publié quatre fois l'an, a l'avantage d'être agréable à consulter. Notez qu'il existe une version plus substantielle de ce magazine, truffée d'articles plus profonds, distribuée dans les chambres d'hôtel (au même titre que la *Bible* et le bottin).

Parmi les autres magazines du même type, figurent *Cancún Nights, Mexican Carribean, La Iguana* de Cozumel et *Destination Riviera Maya*. Si chacune de ces publications vise une clientèle différente, elles ont toutes un point commun: elles sont gratuites et truffées de coupons-rabais pouvant alléger quelque peu les coûts élevés du secteur Cancún-Cozumel.

Besoin de plus de substance et d'information sur l'actualité ? Le quotidien *Por Esto* est, à condition de lire l'espagnol, un journal très intéressant vendu partout (3 pesos). Vivant du tourisme, *Por Esto* aborde en détail les sujets relatifs à ce secteur économique (crise syndicale dans un hôtel, ouverture d'une attraction majeure...). La *Chronica* de Cancún, plus intello, publie un encart culturel intéressant le samedi, intitulé *Cada siete*, où l'on trouve de l'information sur les célébrités et artistes locaux.

Enfin, *Novedades de Quintana Roo*, de grand format, donc moins facile à consulter, aborde plus en profondeur les questions politiques et nationales.

Décalage horaire

Le Mexique est divisé en trois fuseaux horaires. Le pays adopte l'heure avancée du premier dimanche d'avril au dernier dimanche d'octobre. Le Yucatán a une heure de décalage avec le Québec (une heure de moins) et sept heures de décalage avec la France (sept heures de moins).

Jours fériés

Les jours fériés, toutes les banques et plusieurs commerces sont fermés. Prévoyez donc vous munir d'assez d'argent. Durant ces festivités, le pays semble fonctionner au ralenti.

1er janvier
Año Nuevo (jour de l'An)

6 janvier
Día de los Reyes Magos (Épiphanie) et fondation de Mérida

5 février
Día de la Constitución (jour de la Constitution)

24 février
Día de la Bandera (jour du Drapeau)

21 mars
Día de Nacimiento de Benito Juárez (anniversaire de naissance de Benito Juárez)

1er mai
Día del Trabajo (fête du Travail)

2e dimanche de mai
Día de la Madre (fête des Mères)

5 mai
Cinco de Mayo (anniversaire de la Bataille de Puebla)

1er septembre
Ouverture du Congrès

16 septembre
Día de la Independencia (fête de l'Indépendance)

12 octobre
Día de Columbus (jour de Christophe Colomb)

1er novembre
Día de Todos Santos (Toussaint), qui coïncide avec le discours du président sur l'état de la nation (*Informe Presidencial*)

1er et 2 novembre
Día de los Muertos (fête des Morts)

20 novembre
Día de la Revolución (jour de la Révolution)

Températures moyennes en °C

janvier	25,55
février	25,55
mars	25,55
avril	25,55
mai	25,55
juin	27,22
juillet	27,22
août	27,22
septembre	27,22
octobre	25,55
novembre	25,55
décembre	24,44

12 décembre
Día de Nuestra Señora de Guadalupe (fête de la Vierge de la Guadalupe)

25 décembre
Día de Navidad (Noël)

Les banques et les bureaux du gouvernement sont aussi fermés durant la Semaine sainte, spécialement le jeudi et le vendredi avant Pâques (la Semaine sainte débute le dimanche des Rameaux). Durant la semaine de Noël, du 25 décembre au 2 janvier, plusieurs bureaux et commerces sont fermés.

Climat

Comme la plupart des pays tropicaux, le Mexique connaît deux saisons prédominantes, une pluvieuse et une sèche. De façon générale, les précipitations augmentent avec la température, de juin à octobre, alors que, de novembre à mai, il fait moins chaud et il pleut moins. C'est la saison sèche.

Au Yucatán, la proximité des côtes a une influence déterminante sur la température et le degré d'humidité. En été, les régions qui bordent le golfe du Mexique et la mer des Caraïbes restent fraîches en raison des alizés, tandis que, dans la jungle située à l'intérieur des terres, l'air est chaud et lourd. Les chutes de pluie sont abondantes en avril et en mai, et de septembre à janvier, où la température oscille autour de 30°C. Le risque d'ouragan y est élevé en septembre et en octobre, et l'on observe alors une forte nébulosité. L'hiver est la saison la plus agréable.

Préparation des valises

Le choix des sacs et valises

Le bagage à main auquel vous avez droit dans l'avion devrait être à bandoulière, comporter des poches se fermant bien et s'avérer assez grand pour contenir une petite trousse de cosmétiques, un livre et une bouteille d'eau. Muni d'une poche de côté, il sera très pratique à l'aéroport quand viendra le moment de sortir toute votre paperasserie (passeport, billet, etc.). Choisissez-le pour qu'il vous serve aussi sur place.

Comme vous reviendrez sans doute les valises pleines de trouvailles, poteries, bijoux, couvertures et autres merveilles, voyagez léger. Un bon truc est d'amener dans vos valises un grand sac de voyage vide dans lequel vous mettrez les vêtements au retour, vos valises rigides protégeant mieux les objets fragiles que vous aurez dénichés. Les valises rigides idéales sont munies d'une serrure à combinaison, de roulettes et d'une courroie. Choisissez des sacs de toile de bonne qualité, faits de nylon indéchirable et imperméable.

Les vêtements

La première chose à faire avant d'empiler pêle-mêle les vêtements dans la valise est de penser aux diverses activités qui vous attendent, comme visiter une église, aller dans un restaurant chic, aller danser ou bien escalader à genoux le temple de Chichén Itzá... Choisissez des vêtements infroissables séchant rapidement qui pourront tous se coordonner entre eux et, en premier lieu, l'essentiel de votre garde-robe de voyage, préférablement de couleur neutre.

Le type de vêtements à emporter à Cancún ou Cozumel varie peu d'une saison à l'autre. Les vêtements de coton et de lin, amples et confortables, sont les plus appréciés. Pour les balades en ville, il est préférable de porter des chaussures fermées couvrant bien les pieds, car elles protègent mieux des blessures qui risqueraient de s'infecter. Pour les soirées fraîches, un chemisier ou une veste à manches longues peuvent être utiles. N'oubliez pas d'emporter des sandales de caoutchouc pour la plage. Pour visiter certains sites, il est nécessaire de porter une jupe couvrant les genoux ou un pantalon. Si vous prévoyez faire une randonnée dans l'arrière-pays,

Renseignements généraux

Votre valise

- appareil photo et pellicule (vérifiez la pile de l'appareil)
- Réveille-matin
- Chapeau ou casquette
- Parapluie télescopique ou blouson en nylon
- Sac-ceinture contre les pickpockets
- Lunettes de soleil
- Lotion solaire
- Maillot de bain
- Carnet d'adresses pour l'envoi de cartes postales
- Cosmétiques en format échantillon
- Brosse à dents et dentifrice de voyage
- Médicaments et trousse de premiers soins

emportez de bonnes chaussures de marche et un chandail chaud.

Attraits touristiques

Cancún étant le point de départ le plus important à destination de Chichén Itzá et Tulum, les autocaristes et organisateurs d'excursions pullulent. Il est habituel de trouver un comptoir de vente à la réception des hôtels. Voici quelques-unes des entreprises les plus importantes à Cancún:

All World Travel
☎884-7172

All World Travel organise des excursions à l'Isla Mujeres, Chichén Itzá, Tulum, Xcaret et Cozumel, des promenades à cheval, des visites en sous-marin, etc. ExpoCancún peut aussi vous amener à l'Isla Contoy, Mérida et Akumal.

Mayaland Tours
☎883-0679

Mayaland Tours se veut plus spécialisée, pour répondre aux besoins des voyageurs audacieux qui ne s'évanouiront pas à la vue de la première bestiole poilue. Service personnalisé et connaissance approfondie de chaque destination garantis.

Hébergement

Plusieurs types d'hébergement sont proposés aux voyageurs dans cette région, de la modeste *palapa* au grand hôtel de standard international. Généralement, si vous ne parlez pas l'espagnol, vous pourrez au moins vous débrouiller en anglais avec les employés de la réception. Il est d'usage de laisser 1$ au porteur par valise et de 1$ à 2$ par jour à la femme de chambre. Vous pouvez les lui laisser à la fin de votre séjour ou chaque jour, avant qu'elle ne vienne faire le ménage, bien en vue sur la commode. Lui donner quelque chose dès votre arrivée vous garantira un supplément d'attention.

Étant donné que les formalités de départ sont habituellement longues, vous devez prévoir quelques minutes d'attente au comptoir de la réception. Si vous prévoyez un départ tardif (après 13h), informez-vous à la réception de votre hôtel. Les établissements acceptent généralement de reporter le départ d'une heure ou deux si on les avise à l'avance. Lorsque la note est réglée, on remet un laissez-passer (*pase de salida*), que vous devrez remettre au chasseur en quittant l'hôtel.

La plupart des grands hôtels acceptent les cartes de crédit; les petits hôtels, quant à eux, les prennent rarement.

Nous avons indiqué, à l'aide de petits symboles, différents services offerts par chaque établissement. Il ne s'agit en aucun cas d'une liste exhaustive de ce que propose l'établissement, mais bien des services que nous considérons les plus importants. Attention, la présence d'un symbole ne signifie pas que toutes les chambres sont pourvues de ce service; il vous faudra parfois débourser un supplément au prix indiqué pour obtenir par exemple un foyer ou une baignoire à remous. Par contre, si le petit symbole n'est pas apposé à un établissement, c'est probablement que l'établissement ne peut vous offrir ce service. Pour connaître la signification des symboles utilisés, référez-vous au tableau des symboles dans les premières pages du guide.

Les prix mentionnés dans ce guide s'appliquent à une chambre standard pour deux personnes en haute saison. À ces prix s'ajoute une taxe de 17%.

Renseignements généraux

$	moins de 50$US
$$	de 50$US à 80$US
$$$	de 80$US à 130$US
$$$$	de 130$US à 180$US
$$$$$	plus de 180$US

Les hôtels

Il y a trois catégories d'hôtels. Près des centres-villes, on trouve des hôtels pour petit budget au confort minimal. Leurs chambres comportent généralement une salle de bain et un ventilateur de plafond. La deuxième catégorie, soit les hôtels de catégorie moyenne, dispose normalement de chambres climatisées au décor simple. On les trouve dans les centres touristiques et dans les grandes villes. Enfin, plusieurs hôtels de catégorie supérieure sont établis dans la zone hôtelière de Cancún, ainsi qu'à Playa del Carmen, Cozumel et à Isla Mujeres. Ils se surpassent tous en luxe et en confort. Parmi les hôtels de cette catégorie, vous avez le choix entre plusieurs grandes chaînes hôtelières internationales, notamment Jack Tar Village, Camino Real, Hyatt Regency et Sheraton.

La plupart des établissements touristiques ont leur propre installation d'épuration de l'eau. Un autocollant fixé au miroir de votre salle de bain vous le confirmera; si vous n'en trouvez pas, informez-vous au comptoir de la réception. Les établissements placent souvent des bouteilles d'eau purifiée dans les salles de bain (ce service est gratuit). S'il y en a, cela veut dire que l'eau du robinet n'est pas potable.

La plupart des hôtels de la région disposent d'une antenne parabolique. Vous pourrez donc capter une foule de chaînes de télé. À votre arrivée, on vous remettra une télécommande. N'oubliez pas de la rendre à la réception en quittant l'hôtel. Des modalités d'enregistrement très serrées entourent aussi la location d'une serviette de plage. Des frais élevés vous attendent si vous oubliez de remettre la vôtre chaque jour.

Enfin, certains hôtels proposent des forfaits tout inclus, si bien qu'à votre billet d'avion s'ajoutent deux ou trois repas par jour, toutes les boissons locales, les taxes et le service.

Les *apart-hotels*

Les *apart-hotels* sont conçus comme des hôtels et en offrent tous les services, mais proposent en plus une cuisinette équipée. Pour les longs séjours au Mexique, il s'agit d'une formule économique. Pour les séjours avec des enfants, cette formule est probablement la plus pratique puisqu'on peut les faire manger à l'heure qui leur convient et qu'on n'a pas à leur faire supporter le long repas au restaurant des parents.

Appartements en multipropriété (time-sharing)

Les ventes d'appartements en multipropriété sont en plein essor au Mexique. Ce pays occupe la deuxième place au monde après les États-Unis pour le nombre total de logements à temps partagé.

Ce type de vacances vendues sur le principe d'achats de séjour dans un hôtel pour un nombre de semaines fixes par année, sur un contrat s'étendant sur plusieurs années, fait couler beaucoup d'encre.

Les vacanciers se sentent souvent harcelés par les vendeurs qui surgissent à tous les coins de rue, à Cancún, principalement. Ceux qui acceptent de les écouter se voient généralement offrir des cadeaux alléchants pour assister à une séance d'information (repas, tours en hélicoptère, logement gratuit, argent comptant). Ces offres sont toujours faites soi-disant «sans obligation» mais pas

sans pression... Si vous êtes capable d'écouter le discours mielleux d'un vendeur pendant des heures sans fléchir, profitez de ces offres pour visiter des lieux de villégiature fabuleux. Souvenez-vous qu'une proposition qui semble trop belle pour être vraie devrait éveiller votre méfiance.

Les haciendas

Les haciendas appartenaient jadis aux grands propriétaires fonciers du Mexique. Ce sont de vastes demeures magnifiquement décorées, avec cour intérieure. Aujourd'hui, certaines d'entre elles ont été reconverties en hôtels.

Les cabañas

Les cabañas ont la particularité de proposer des chambres situées dans de petits pavillons indépendants. Elles sont généralement peu chères et comportent parfois une petite cuisinette. Vous en trouverez un peu partout dans le «corridor Cancún-Tulum».

Les palapas

Ces pièces circulaires chapeautées d'un toit de palmes sont les demeures traditionnelles des Mayas. Il y en a de toutes petites, où vous pouvez simplement accrocher un hamac, et de plus grandes, avec lit à deux places et penderie.

Les logements chez l'habitant
(bed and breakfasts)

Ici et là, quelques personnes ont aménagé leur maison afin de recevoir des visiteurs. Le confort offert peut varier grandement d'un endroit à l'autre. Ces chambres ne disposent généralement pas de salle de bain privée.

Les auberges de jeunesse

Vous trouverez ce type d'hébergement dans la région. Ces auberges proposent des dortoirs avec lits à une place, et les repas se prennent à la cafétéria.

Le camping

Les sites où camper à Cancún et Cozumel sont rares. Le meilleur endroit reste le «corridor Cancún-Tulum», où les petits hôtels sur le bord de l'eau vous permettront de planter votre tente ou de suspendre votre hamac pour 5$US. Tout cela se négocie de façon informelle. On trouve quand même un tout petit camping plus organisé à Playa del Carmen. Les véhicules récréatifs bénéficient de terrains aménagés.

Les «tout compris» à Cancún

Depuis quelques années, on assiste à la croissance de la formule «tout compris»: vous payez une somme fixe pour une ou deux semaines et l'hôtel où vous logez vous fournit les trois repas par jour, ainsi que les boissons nationales. Cette formule «tout compris» semble être ainsi financièrement une bonne affaire pour le client.

Cependant, cette formule présente plusieurs désavantages. Qui imaginerait en effet prendre les 21 repas de la semaine au même restaurant? En général, les hôtels à formule «tout compris» proposent deux ou trois restaurants, mais, dans les faits, vous prendrez la majorité de vos repas dans une cafétéria qui offre un buffet, toujours le même.

Les prix des restaurants étant relativement peu élevés au Mexique, nous avons établi un budget type pour trois repas par jour à l'extérieur ainsi qu'un budget pour les consommations en dollars américains:

Petit déjeuner	*4$US*
Déjeuner	*8$US*
Dîner	*12$US*
Consommations	*5$US*
Total	*30$US*

La formule «tout compris» vous fait donc économiser 140$US par semaine. C'est bien peu pour vous priver de l'agrément de la variété des restaurants, du plaisir de choisir chaque jour où aller manger et du plaisir de la découverte. N'est-ce pas là pourquoi nous voyageons? En fait, la majorité des clients des hôtels à formule «tout compris» vont faire des sorties et donc dépenser une partie de ces 140$US qu'ils pensaient économiser.

Pour certaines personnes, un autre inconvénient majeur des formules «tout compris» est que la majorité des clients de l'hôtel auront tendance à y demeurer en permanence en raison de la «gratuité». En conséquence, les hôteliers organisent des animations qui s'avèrent souvent bruyantes, comme l'aérobic en piscine... pendant que vous lisez sur votre balcon, ou une partie de volley-ball, voire encore un concours de danse avec musique américaine. La plupart du temps, ces activités n'auront aucun rapport avec le Mexique, que vous auriez pourtant aimé découvrir.

Restaurants

On trouve quantité de bons restaurants dans la région, certains spécialisés dans la cuisine mexicaine et d'autres dans les cuisines internationales, notamment italienne et française. Il existe aussi des restaurants végétariens en petit nombre. Dans les villages situés à l'extérieur des zones touristiques, on ne trouve que des endroits spécialisés dans la cuisine locale.

Pour le choix d'un restaurant, fiez-vous à votre bon sens. S'il est bondé, il y a probablement une bonne raison à cela. N'ayez pas peur de vous aventurer à l'extérieur de votre hôtel, car vous ferez des découvertes merveilleuses. Nous vous proposons dans ce guide une importante sélection des meilleures adresses.

Les repas durent plus longtemps au Mexique, car le service est souvent plus lent et les Mexicains aiment prendre leur temps à table. On ne vous apportera l'addition que lorsque vous la demanderez (*la cuenta, por favor!*), et vous devrez sans doute attendre un peu avant de recevoir votre monnaie. C'est une façon d'agir qui se veut polie. Inutile de s'impatienter.

Renseignements généraux

En règle générale, le service est toujours très courtois et attentionné, quoique lent, qu'il s'agisse d'un petit ou d'un grand établissement. Quand l'expression *propina incluida* n'est pas inscrite sur l'addition, il faut laisser de 10% à 15% du total avant taxes pour le pourboire.

Les prix mentionnés dans ce guide s'appliquent à un repas pour une personne.

$	moins de 10 $US
$$	de 10 $US à 20 $US
$$$	de 20 $US à 30 $US
$$$$	plus de 30 $US

Lexique gastronomique de la cuisine mexicaine

Tortillas, tacos, empanadas, enchiladas, autant de mots prêtant à confusion pour qui est confronté la première fois à la cuisine mexicaine. Les préjugés ayant la vie dure (plats trop pimentés) face à l'inconnu, trop souvent le visiteur opte pour la cuisine internationale. Toutefois, s'il est vrai que les Mexicains aiment manger une cuisine forte en piments, la cuisine mexicaine offre une variété infinie de plats, allant du plus doux au plus épicé. Elle peut être diversifiée et raffinée. Afin d'aider le voyageur à naviguer dans ses délicieux méandres, nous vous proposons ci-dessous un lexique gastronomique.

Sachez que, la plupart du temps, les mets sont servis accompagnés de riz (*arroz*) et de fèves (*frijoles*) noires ou rouges. Souvent on déposera sur votre table une corbeille de pain garnie ici de *tortillas* chaudes. Bien sûr, la sauce (*salsa*) piquante ne sera jamais loin et vous pourrez remarquer qu'il en existe une impressionnante panoplie! Traditionnellement, on la prépare au mortier avec de la tomate, de l'oignon, de la coriandre et différents piments doux et forts.

Notez aussi que le *desayuno* est le petit déjeuner, l'*almuerzo* le déjeuner et la *cena* le dîner. La *comida corrida* est servie l'après-midi, jusque vers 17h ou 18h, et il s'agit en fait d'un menu du jour, souvent à bon prix. Les Mexicains n'ont pas l'habitude de manger beaucoup le soir. Alors, surtout dans les villages, faites attention pour ne pas vous retrouver devant des portes de restaurants fermées après 18h.

Ceviche
Plat de poisson blanc ou fruits de mer, «cuits» seulement dans le jus de citron; au Mexique, on y ajoute de l'oignon, des tomates, des piments forts et de la coriandre.

Vocabulaire de base au restaurant

Restaurant	*restaurante*
Une table	*una mesa*
Menu	*menú*
Une portion de	*una orden de*
Plat	*un plato*
Repas	*comida*
Casse-croûte, hors d'œuvre	*botana ou antojito*
Petit déjeuner	*desayuno*
Déjeuner	*comida*
Dîner	*cena*
Boisson	*bebida*
Dessert	*postre*
Fourchette	*tenedor*
Couteau	*cuchillo*
Cuillère	*cuchara*
Serviette	*servilleta*
Tasse	*taza*
Verre	*vaso*
Le menu s'il-vous-plaît	*¿Puedo ver el menú por favor?*
Garçon!	*¡Joven!*
L'addition, s'il-vous-plaît	*La cuenta, por favor*
Où sont les toilettes?	*¿Dónde están los sanitarios?*
Je voudrais...	*Quisiera...*

Renseignements généraux

Chicharrón
Couenne de porc frite, servie la plupart du temps avec l'apéritif.

Chile
Piments (il en existe plus de 100 variétés) frais ou séchés qui peuvent être préparés de mille et une manières: farcis (*relleno*) ou servant eux-mêmes de farce, en sauce, bouillis, cuits dans l'huile, etc.

Empanada
Chausson farci avec de la viande, de la volaille, du poisson, etc.

Enchilada
Tortilla (voir plus bas) enroulées et fourrées, souvent avec du boeuf, recouvertes d'une sauce pimentée, de crème, et parsemé de fromage, parfois gratiné.

Fajitas
Lamelles de poulet marinées et grillées avec des oignons, de l'ail et des piments doux. On sert généralement ce mélange accompagné de sauce tomate, de crème et de légumes, que l'on peut mettre dans une *tortilla* que l'on enroule.

Guacamole
Purée d'avocats salée et poivrée à laquelle on a ajouté de petits dés de tomates, d'oignons et de piments frais, le tout mélangé avec un peu de jus de lime. Même si souvent ce plat ne figure pas au menu en tant que tel, n'hésitez pas à demander le *guacamole con totopos* (avec chips au maïs), un mets très connu constituant une rafraîchissante entrée ou un bon amuse-bouche.

Huevos
Œufs frits dans une sauce tomate et servis sur une *tortilla*.

Rancheros
Œufs frits généralement relevés d'une sauce piquante.

Mole
Ce terme désigne des sauces onctueuses composées de plusieurs sortes de piments et d'un mélange de nombreuses épices dont du cacao, parfois de noix et de bien d'autres aliments encore. Chaque région du pays ou presque possède sa propre recette. Les sauces les plus connues sont la Mole Poblano et la Mole Negro Oaxaqueno. Ces sauces accompagnent les plats de volaille et de viande.

Nopal
Feuilles de cactus (sans les épines bien sûr!) frites ou cuites dans l'eau ou servies dans une soupe ou en salade.

Pozole
Ragoût consistant à base de grains de maïs et de porc accompagné de radis, d'oignons, de coriandre et de jus de lime. Il existe en deux versions: le ragoût vert et le ragoût rouge, ce dernier étant le plus pimenté.

Quesadilla
Tortilla fourrée, repliée et réchauffée dans la poêle, généralement au fromage.

Quelques recettes

Guacamole (purée d'avocats)

deux gros avocats
1 c. à soupe d'oignon finement haché
1 à 2 piments tranchés
1 grosse tomate pelée et hachée
coriandre fraîche ou séchée
jus de lime
sel

Le *guacamole* ne doit pas se faire au mélangeur, car sa texture ne doit pas être homogène. Dans un bol, écrasez la chair des avocats avec une fourchette et arrosez-les de jus de lime. Mélangez l'avocat, l'oignon, les piments, la tomate et la coriandre avec soin. Saupoudrez un peu de sel, et servez immédiatement avec des *tacos*. Cette recette est pour six personnes.

Cruda (sauce mexicaine)

1 tomate moyenne non pelée
4 c. à soupe d'oignon finement haché
2 c. à soupe de coriandre hachée grossièrement
3 piments hachés finement
1/2 c. à thé de jus de bigarade ou orange amère
75 ml d'eau froide

La *cruda* est une sauce grumeleuse et rafraîchissante à déguster avec des *tortillas*. Elle accompagne souvent les œufs du petit déjeuner, les viandes rôties et les *tacos* du soir. Hachez la tomate non pelée, et mélangez-la aux autres ingrédients. Cette sauce peut être préparée jusqu'à trois heures à l'avance, mais il vaut mieux la faire à la dernière minute car elle perd rapidement sa texture croquante. Cette recette donne environ 1 tasse et demie de *cruda* (350 ml).

Renseignements
généraux

Sopa de Lima

Soupe à base de poulet et de citron ou lime mélangée avec des morceaux de *tortilla*.

Taco

Tortilla garnie de divers ingrédients que l'on mange enroulée. Dans la rue, des stands préparent de la viande marinée et grillée que l'on sert sur une *tortilla* et que vous pouvez garnir vous-même de divers légumes et bien sûr de sauce piquante.

Tamale

Petit pâté à base de purée de maïs, de viande, de volaille ou de poisson. Plusieurs légumes et épices sont également ajoutés à la farce, chacun variant selon la région. Le tout est cuit enroulé dans des feuilles de bananier.

Topos ou totopos

Morceaux de *tortilla* frits dans l'huile. Il s'agit de l'équivalent des chips de pommes de terre, mais faites avec du maïs. Ils peuvent se présenter sous une forme ronde ou triangulaire.

Tortilla

Il s'agit littéralement du pain de l'Amérique latine. Ce sont des galettes minces et rondes, faites à base de farine de maïs et cuites dans la poêle. Traditionnellement cuisinées à la main sur un four à bois, elles sont aujourd'hui préparées dans des fabriques. On trouve aussi de plus en plus de *tortillas* faites avec de la farine blanche. À ne pas confondre avec les *tortillas* espagnoles (plat confectionné avec des œufs et des pommes de terre).

Vins, bières et alcools

Le vin

Les vins du pays sont peu coûteux et généralement bons. Essayez les marques Calafia, L.A. Cetto ou Los Reyes.

La bière

Quelques entreprises fabriquent des bières au Mexique, entre autres la fameuse Corona, la Dos Equis (XX) et la Superior. Toutes trois sont de bonne qualité, mais la plus prisée est la Corona. Bon nombre d'hôtels et de restaurants proposent également des bières importées.

La tequila

La boisson nationale du Mexique est extraite de l'agave (un cactus qui ressemble à un ananas), dont on écrase la base pour en tirer le jus que l'on fait fermenter et que l'on distille. C'est dans l'État de Jalisco qu'a été inventée la recette de la tequila, probablement au XVIIIᵉ siècle. Comme n'importe quel Mexicain vous le dira, toutes les marques de tequila ne se ressemblent pas: les goûts varient des tequilas blanches plus âpres aux *añejos* de couleur ambrée au goût moelleux, proche du brandy. Les meilleurs marques sont Orendain, Hornitos, Herradura Reposado et Tres Generaciones.

Le Kahlúa

Le Kahlúa est une liqueur de café fabriquée à l'origine uniquement au Mexique, mais les Européens en produisent maintenant à leur tour.

Margarita et *sangrita*

La *margarita* du Mexique est plus forte que celle à laquelle vous êtes sans doute habitué. Ce cocktail contient de la tequila, du Cointreau, de la lime, du citron ainsi que du sel. Essayez une *sangrita*, un jus de fruits extrait d'oranges amères et de grenades que l'on sirote avec de petites gorgées de tequila.

Le Xtabentún

Plusieurs régions produisent leurs propres boissons alcoolisées. Au Yucatán, on produit le Xtabentún (prononcer *shta-ben-toun*), une liqueur subtile à base de miel et au goût d'anis.

Achats

Quoi rapporter?

Comme dans tout voyage, il est bien plus intéressant de ramener des spécialités locales. La tequila et le Xtabentún sont des produits authentiques. La vanille produite au Mexique est excellente. L'artisanat mexicain est coloré et original. Dans toutes les régions, vous trouverez de la poterie peinte à la main, des étoffes tissées et brodées à la main, des céramiques, des articles de cuir fin et d'autres en argent (bijoux, objets divers). La teneur en argent d'un produit est indiquée par l'estampille «.925», ce qui signifie que le métal est pur à 92,5%. Les *huipiles* (des robes), les *guayaberas* (des chemises), les hamacs et les paniers tressés sont aussi de bonnes idées de cadeaux. Vous pourrez aussi facilement trouver de jolies *piñatas* (étoiles ou animaux en papier mâché remplies de bonbons que les enfants crèvent à Noël). Les figurines de crèche de Noël en terre cuite (*nacimientos*) ont aussi beaucoup de succès.

Sur les plages plus sauvages entre Cancún et Tulum, vous déterrerez facilement d'énormes coquillages (inutile de vous faire arnaquer

Renseignements généraux

dans les boutiques chics de Cancún). N'oubliez pas de bien les nettoyer avant de les mettre dans vos valises. Un poissonnier peut s'en charger pour vous.

Il est interdit de faire sortir du pays des objets d'art antiques. Ces objets sont considérés comme des biens nationaux. Quand vous achetez des reproductions, veillez à ce que ce soit bien indiqué pour ne pas avoir d'ennuis à la douane.

Les boutiques hors taxes

On trouve des boutiques hors taxes dans les aéroports. On y vend essentiellement des produits étrangers, des parfums, des cigarettes et de l'alcool. Tous les achats doivent être payés en dollars américains. Les prix ne sont en général pas avantageux, les commerçants tirant profit de la quasi-totalité de la détaxe.

Au Mexique, il est courant de ne pas payer à la première offre de prix mais de marchander. Il faut cependant faire la distinction entre une prospère boutique et un pauvre artisan qui vend sa marchandise sur le trottoir à un prix ridicule. Dans ce dernier cas, marchander équivaut presque à une insulte. Le

marchandage n'a cours que dans les boutiques à l'extérieur des centres commerciaux. Les magasins sont ouverts de 9h ou 10h à 13h ou 14h l'après-midi, puis de 16h ou 17h à 21h ou 22h, sept jours par semaine. Dans les grands centres commerciaux où fourmillent les touristes, rares sont les établissements qui seront fermés à l'heure du déjeuner.

L'obstination des vendeurs itinérants mexicains est légendaire. Si vous manifestez le moindre intérêt pour un vendeur, attendez-vous à ce qu'il ne vous lâche plus. La meilleure façon de ne pas se faire importuner est de démontrer une totale indifférence et de répondre fermement et poliment «*no, gracias*».

Vous devez faire attention, en faisant vos achats, à ne pas dépasser le maximum permis à la douane. Pensez aussi au poids de vos valises. Si certains objets sont vraiment trop encombrants, certaines boutiques peuvent se charger de vous les faire parvenir.

L'autre culture

Le choc culturel

Vous allez visiter un nouveau pays, faire connaissance avec des gens, goûter des saveurs nouvelles, sentir des odeurs inconnues, voir des choses surprenantes, bref, découvrir une culture qui n'est pas la vôtre. Cette rencontre vous apportera beaucoup, mais elle pourrait aussi vous secouer plus que vous ne le pensez. Le choc culturel peut frapper n'importe qui et n'importe où, même, parfois, pas si loin de chez soi!

Raison de plus alors, si vous vous rendez en pays étranger, de demeurer sensible aux symptômes du choc culturel. Face à la façon de fonctionner différente de la culture que vous abordez, vos repères habituels se révéleront sans doute inutiles. La langue et le langage vous seront peut-être inaccessibles, les croyances vous sembleront peut-être insondables, les habitudes incompréhensibles, les gens inabordables, et certaines choses vous paraîtront peut-être inacceptables au premier abord. Pas de panique, l'être humain peut faire preuve d'une grande adaptation. Mais il faut pour cela lui en donner les moyens.

N'oubliez pas que la diversité culturelle est une richesse! N'essayez pas nécessairement de retrouver vos repères habituels, mais tâchez plutôt de vous mettre dans la peau des gens qui vous entourent et de comprendre leur façon de vivre. Si vous demeurez courtois, modeste et sensible, les gens pourront sans doute vous être d'une grande aide. Le respect est une simple clé qui peut embellir beaucoup de situations. Souvenez-vous qu'il ne s'agit pas seulement de tolérer ce qui vous semble différent. Respecter veut dire beaucoup plus que cela. Qui sait, essayer de comprendre le pourquoi et le comment de tel ou tel aspect culturel pourrait bien devenir l'un de vos plus grands plaisirs de voyage!

Le tourisme responsable

L'aventure du voyage risque d'être fort enrichissante pour vous. En sera-t-il autant pour vos hôtes? La question de savoir si le tourisme est bon ou mauvais pour la terre qui l'accueille soulève bien des débats. On peut facilement dénombrer plusieurs avantages (développement d'une région, mise en valeur d'une culture, échanges, etc.), mais aussi plusieurs inconvénients (aggravation de la criminalité, accroissement des inégalités, destruction de l'environnement, etc.) à l'industrie touristique. Une chose est sûre : votre passage ne restera pas sans conséquence, même si vous voyagez seul.

Renseignements généraux

Bien sûr, cela est évident quand on parle d'environnement. Vous devriez être aussi attentif à ne pas polluer en voyage qu'à la maison. On nous le répète assez : nous vivons tous sur la même planète! Mais lorsqu'il s'agit des aspects sociaux, culturels ou même économiques, il est difficile parfois d'en évaluer l'impact. Sachez rester sensible à la réalité qui vous entoure. Interrogez-vous sur les répercussions possibles avant de commettre une action. Souvenez-vous que l'on risque d'avoir de vous une perception fort différente de celle que vous désirez projeter.

Bref, il appartient à chaque voyageur, peu importe le type de voyage qu'il choisit, de développer une conscience sociale, de se sentir responsable par rapport aux gestes qu'il fait en pays étranger. Une bonne dose de bon sens, suffisamment d'altruisme et une touche de modestie devraient être des outils utiles pour vous mener à un tourisme responsable. C'est aussi ça, le plaisir de mieux voyager!...

Lois et coutumes à l'étranger

Il n'est pas nécessaire d'apprendre par cœur le code des lois du pays que vous allez visiter. Cependant, sachez que, sur le territoire d'un État, vous êtes assujetti à ses lois même si vous n'êtes pas citoyen de cet État. Ainsi, ne tenez jamais pour acquis que quelque chose qui est permis par la loi chez vous l'est automatiquement ailleurs. De plus, n'oubliez jamais de tenir compte des différences culturelles. Certains gestes ou attitudes qui vous semblent insignifiants pourraient, dans d'autres pays, vous attirer des ennuis. Rester sensible aux coutumes de vos hôtes est sans doute le meilleur atout pour éviter les problèmes.

Voyager en famille

Il est peut être aisé de voyager avec des enfants, aussi petits soient-ils. Bien sûr, quelques précautions et une bonne préparation rendront le séjour plus agréable.

En avion

Une bonne poussette, avec dossier inclinable, permet d'amener le bébé partout, qui pourra même faire un somme. À l'aéroport, il sera plus facile de le transporter, surtout qu'il est possible de conserver la poussette jusqu'aux portes de l'avion.

Les personnes avec un enfant ont l'avantage de pouvoir monter dans l'avion les premiers, évitant ainsi les longues files d'attente. En outre, si vous avez un bébé de moins de deux ans, au moment de la réservation du billet d'avion, pensez à demander les sièges à l'avant de l'appareil, qui disposent de plus d'espace et qui sont mieux adaptés aux longs vols, surtout avec un bébé sur les genoux. Certains avions disposent même de petits lits de bébé et certaines compagnies peuvent vous fournir une poussette à votre descente d'avion.

Quant aux bébés, avant de partir, vous devez leur préparer la nourriture nécessaire pour la durée du vol et prévoir un repas de plus, au cas où l'avion aurait du retard. Prévoyez également des couches et des serviettes humides. Quelques jouets pourront également être d'une grande utilité!

Pour les plus grands, qui risquent de trouver le temps long une fois passée l'excitation du départ, des livres et des activités (dessin, coloriage, jeux) seront d'un grand secours.

Au moment du décollage et de l'atterrissage, la pression peut être incommodante; si c'était le cas, certains affirment que la tétée d'un biberon pourra aider les bébés. Pour les plus vieux, la gomme à mâcher aura le même effet de soulagement.

Les établissements hôteliers

Nombre d'établissements hôteliers sont équipés pour recevoir adéquatement les enfants. Généralement, pour garder un tout-petit dans sa chambre, il n'y a pas de frais supplémentaires. Plusieurs hôtels et gîtes disposent de lits de bébé; demandez le vôtre au moment de faire la réservation. Il se peut que vous ayez à payer un supplément pour les enfants, lequel est rarement élevé.

La voiture

La grande majorité des entreprises de location de voitures loue des sièges de sécurité pour enfant. La location de ces sièges n'est pas très coûteuse.

Le soleil

Faut-il préciser que la peau fragile de bébé a besoin d'une protection bien particulière, et ce, même s'il est préférable de ne jamais l'exposer aux chauds rayons du soleil. Avant d'aller à la plage, enduisez-le d'une crème solaire assurant un écran total (protection 25 pour les enfants, 35 pour les bébés). Dans les cas où l'on craindrait une trop longue exposition, il existe sur le marché des crèmes offrant une protection allant jusqu'à 60.

À tout âge, un chapeau couvrant bien la tête est nécessaire tout au long de la journée.

La baignade

L'attrait des vagues est très fort pour les enfants qui peuvent s'y amuser pendant des heures. Il faut toutefois faire preuve de beaucoup de prudence et exercer une surveillance constante : un accident est bien vite arrivé. Le mieux qu'on puisse faire, c'est qu'un adulte accompagne les enfants dans l'eau, surtout les plus jeunes, et qu'il se tienne plus loin dans la mer de manière à ce que les enfants s'ébattent entre lui et la plage. Il pourra ainsi intervenir rapidement en cas de pépin.

Pour les tout-petits, il existe des couches prévues pour aller dans l'eau (Little Swimmers, de marque Huggies); elles s'avèrent bien pratiques si l'on désire baigner bébé dans une piscine.

Femme voyageant seule

Une femme voyageant seule au Yucatán ne devrait pas éprouver de problèmes. Dans l'ensemble, les gens sont gentils. En général, les hommes respectent les femmes et le harcèlement est relativement peu fréquent, même si les Mexicains s'amuseront à draguer les femmes seules. Quant à la tenue vestimentaire, on peut porter tout ce qu'on veut à Cancún en dehors des restaurants et des églises. Dans les petits villages, on se fait par contre facilement remarquer, dès qu'on est blonde ou qu'on porte une jupe courte. Bien sûr, un minimum de prudence s'impose; par exemple, évitez de vous promener seule, dans des endroits mal éclairés, tard la nuit. Si vous êtes importunée, vous n'avez qu'à vous rapprocher d'autres femmes qui vous semblent sympathiques, en leur expliquant votre problème.

Divers

Mineurs

Toute personne âgée de moins de 18 ans est considérée comme mineure au Mexique. Les mineurs doivent, s'ils voyagent seuls, détenir un formulaire de consentement notarié ou certifié par un commissaire à l'assermentation ou un juge de paix, signé par leurs deux parents.

Si la personne mineure voyage en compagnie d'un seul de ses parents, elle doit détenir une lettre de consentement notariée ou certifiée signée par l'autre parent. Si ce parent est décédé, elle doit en fournir la preuve par une déclaration notariée ou certifiée.

À l'arrivée au Mexique, les transporteurs aériens exigeront le nom, l'adresse et le numéro de téléphone de la personne venue à la rencontre du mineur non accompagné.

Guides

Près des centres touristiques, bon nombre de personnes se débrouillant en anglais ou en français se prétendent guides touristiques. Certains d'entre eux sont peu compétents, méfiez-vous donc. Si vous désirez retenir les services d'une telle personne, renseignez-vous bien sur ses compétences, auprès de l'office de tourisme par exemple. Ces guides ne travaillent pas gratuitement et exigent parfois des sommes d'argent importantes. Avant de partir, entendez-vous clairement sur les services correspondant au montant d'argent réclamé et ne payez qu'à la toute fin.

Alcool

L'âge légal pour boire de l'alcool est de 18 ans. Après 3h du matin, l'alcool est interdit à la vente, ainsi que le dimanche et les jours fériés.

Fumeurs

Les restrictions à l'égard des fumeurs sont de plus en plus présentes. Ainsi, dans les autocars, il est maintenant interdit de fumer. Cette règle n'est cependant pas respectée à la lettre et l'on est très tolérant.

Drogues

Absolument interdites (même les drogues dites «douces»). Aussi bien les consommateurs que les distributeurs risquent de très gros ennuis s'ils sont trouvés en possession de drogues.

Électricité

Tout comme en Amérique du Nord, les prises électriques sont plates et donnent un courant alternatif à une tension de 110 volts (60 cycles). Les Européens désirant utiliser leurs appareils électriques devront donc se munir d'un adaptateur et d'un convertisseur de tension.

Plein air

Paradis des plongeurs et des amateurs de sports nautiques, les côtes de la péninsule yucatèque regorgent également d'activités que les visiteurs découvriront dès leur arrivée, car celles-ci sont la plupart du temps proposées dans le site même de leur hôtel: golf, vélo sur piste cyclable, observation d'oiseaux, randonnées dans différents parcs nationaux, tennis...

Avec ses importants complexes de loisirs (Xel-Há et Xcaret) et ses îles réputées mondialement pour la plongée (Isla Mujeres et Cozumel), la région a beaucoup à offrir.

Nous dressons dans le présent chapitre une liste des activités les plus prisées qui vous donnera une vue d'ensemble des sports de plein air dans la région. Dans les chapitres ultérieurs consacrés à une région définie, les sections «Parcs et plages» ainsi que «Activités de plein air» renferment des adresses détaillées, ce qui permet de préciser davantage les renseignements mis à la disposition du lecteur.

Parcs

Les beautés naturelles de la région sont protégées grâce à l'établissement de plusieurs parcs nationaux. L'Isla Contoy, située au nord de l'Isla Mujeres, abrite de nombreuses espèces d'oiseaux marins. Une tour d'observation et un centre d'interprétation ont été construits dans l'île pour mieux les admirer.

Le parc national de Tulum recèle, dans ses 672 ha, de fabuleuses ruines mayas. La zone est couverte de palétuviers et d'une végétation de dune côtière; ses eaux turquoise offrent la possibilité de faire de la baignade ou de la plongée sous-marine.

La Reserva de la Biosfera Sian Ka'an est située à quelques kilomètres au sud des de Tulum et couvre près de 100 km de côtes. Elle comprend une multitude de baies, de lagunes et de récifs coralliens qui font partie de la deuxième barrière de corail en importance au monde, et de nombreuses espèces marines peuplent la zone. Vingt-trois sites mayas ont été mis au jour dans cette réserve. Des espèces animales comme le puma, l'ocelot, le singe-araignée et le toucan y abondent. Une excursion d'une journée dans la réserve est possible avec les **Amigos de Sian Ka'an**, un organisme privé sans but lucratif.

Río Lagartos est une réserve écologique bien spéciale, puisqu'elle est le principal lieu de nidification des flamants roses au Mexique, où ils forment d'importantes colonies, ainsi que des hérons. Cette réserve est située sur la côte nord du Yucatán.

Activités de plein air

Baignade

La côte est du Yucatán (Cancún, Tulum, Cozumel) est l'un des endroits du Mexique les plus calmes pour la baignade, bien que des lames de fond puissent parfois se produire. Le public a libre accès à toutes ces plages aux eaux couvrant la palette des verts et des bleus, et au sable blanc qui reste frais sous le pied. Ces eaux cristallines, parsemées de récifs de corail,

Un écosystème fragile

Les récifs de corail se développent grâce à des organismes minuscules, les cœlentérés, sensibles à la pollution de l'eau. En effet, l'eau polluée (à forte teneur en nitrate) accélère le développement des algues, et celles-ci, lorsqu'elles sont en trop grand nombre, envahissent les récifs et les étouffent littéralement. Le diadema, un oursin noir pourvu de longues aiguilles qui vit sur les récifs (et qui peut provoquer des blessures), se nourrit d'algues et joue un rôle majeur dans le contrôle de leur proliféra-tion; cependant, il n'y en a pas en quantité suffisante. En 1983, une épidémie aurait décimé bon nombre de ces oursins peuplant les fonds marins des Caraïbes; la pollution des eaux n'ayant pas cessé et les algues ayant proliféré, la survie de certains récifs est menacée. Depuis lors, des études scientifiques ont permis de comprendre l'importance des diade-mas pour l'équilibre écologique, et l'on a rétabli cette espèce sur certains récifs. Il demeure que ces petits oursins, bien que fort utiles, ne peuvent suffire à la tâche. Un contrôle rigide de la pollution demeure essentiel pour sauvegar-der ces récifs de corail dont près de 400 000 organismes très fragiles dépendent. La crème solaire, par exemple, contient des produits chimiques qui peuvent affecter les coraux.

Plein air

abritent une faune marine abondante.

Comme la côte de l'État de Quintana Roo est une longue plage, vous pourrez y marcher pendant de longs moments sans rencontrer personne. À Cancún, attendez-vous à une tout autre affaire: la ville est littéralement envahie en haute saison.

En général, à Cancún, les eaux des plages situées au

nord sont plus calmes que celles du côté est. Les eaux paisibles de la côte ouest de Cozumel (protégées du vent) sont idéales pour la baignade, alors que la côte est, plutôt dénudée, est battue par les vagues et des vents constants. On peut toutefois y découvrir de ravissants escarpements et des baies où l'on peut se baigner sans danger.

En cas de vagues très fortes, où que vous soyez, évitez de vous baigner ou faites-le très prudemment. Rappelez-vous que peu d'établissements assurent un service de surveillance et de sauvetage. Un système de drapeaux a été instauré sur les plages, indiquant le niveau de risque, un peu à la manière des feux de circulation. Un drapeau rouge ou noir indique un danger; un drapeau jaune vous dit de faire attention; un drapeau bleu ou vert signale que la situation est normale, tandis que des conditions idéales pour la baignade sont symbolisées par un drapeau blanc.

La plupart du temps, il vous est strictement interdit de prendre des bains de soleil complètement nu ou les seins nus, bien que cette pratique semble tolérée à Cancún et à Playa del Carmen. Cela choque cependant sans contredit les mœurs des résidents et des employés d'hôtels.

Plongée sous-marine

Plusieurs centres de plongée proposent aux visiteurs d'explorer les fonds marins. Les récifs sont nombreux et l'on trouve ces centres principalement à Cancún, Playa del Carmen et Cozumel.

Les personnes possédant leur permis de plongée pourront s'en donner à cœur joie et découvrir les secrets des côtes yucatèques. Les autres peuvent aussi descendre sous l'eau, mais doivent le faire accompagnés d'un moniteur qualifié qui supervisera la descente (à un maximum de 5 m). Les risques sont minimes; cependant, assurez-vous, si possible, de la qualité de la supervision. Certains moniteurs descendent avec plus d'un débutant, ce qui va à l'encontre des règles de sécurité préconisées en pareil cas.

Vous pourrez facilement louer du matériel dans les centres de plongée, mais cela peut coûter cher. Si vous pouvez amener le vôtre, vous ferez des économies, surtout si vous prévoyez plusieurs jours de plongée.

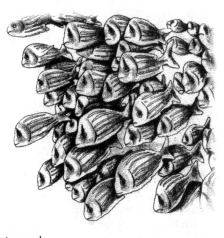

Par ailleurs, Cozumel est réputée dans le monde entier pour la clarté de ses eaux, la richesse de sa vie marine et ses installations exceptionnelles. Plus de la moitié des visiteurs de l'île y vont pour une seule et unique raison: la plongée. L'Isla Mujeres est également très cotée. Les nombreuses boutiques de plongée sous-marine de Cancún organisent des visites guidées aux endroits de la ville les plus propices à la plongée.

La plongée vous fera découvrir des récifs de corail magnifiques, des bancs de poissons multicolores et de surprenantes plantes aquatiques. Souvenez-vous que ces écosystèmes sont fragiles et qu'il faut éviter de toucher ou de ramener ces merveilles à la surface. Éviter de nourrir les poissons, bouger ses palmes calmement, ne pas laisser de déchets derrière soi sont des règles élémentaires. Les plus beaux souvenirs que vous ramènerez seront vos souvenirs et les photos sous-marines que vous pouvez prendre avec un appareil jetable utilisable dans l'eau.

Plongée-tuba

L'équipement de plongée-tuba se résume à peu de chose: un masque, un tuba et des palmes. Accessible à tous, la plongée-tuba constitue une bonne façon de prendre conscience de la richesse et de la beauté des fonds marins. On peut pratiquer cette activité un peu partout dans la région. N'oubliez pas que les règles fondamentales pour protéger l'environnement (voir Plongée sous-marine», ci-dessus) s'appliquent également à la plongée-tuba.

Planche à voile, motomarine et ski nautique

Navigation de plaisance

Ces activités nécessitant des eaux plus calmes que celles qui baignent la côte de Cancún, ou celles de la mer agitée qui borde Cozumel, il est recommandé de choisir les eaux tranquilles de la lagune Nachupté, de Cancún ou de la Bahía Mujeres, sur la côte nord.

Si vous n'en avez jamais fait, quelques consignes de sécurité doivent cependant être suivies avant de vous lancer à l'assaut des eaux miroitantes: choisissez une plage dont les flots ne sont pas trop agités; assurez-vous de ne pas pratiquer ces sports trop près des baigneurs; ne vous éloignez pas trop du bord (n'hésitez pas à faire des signes de détresse si vous en sentez le besoin); portez des chaussures pour éviter de vous blesser les pieds sur les rochers.

Des escapades en voilier sur des eaux peu agitées sont un plaisir dans cette région. Quelques centres organisent des excursions; d'autres pourront vous louer une embarcation. Vous trouverez quelques adresses dans les sections «Activités de plein air».

Si vous ne plongez pas, vous pourrez tout de même admirer les merveilleux fonds marins de la région grâce aux sous-marins d'observation, qui peuvent vous emmener à la découverte de la faune marine et des récifs de corail tout en vous gardant bien au sec.

Pêche

À condition de réserver quelques jours à l'avance auprès de certains organisateurs d'excursions, il est possible de prendre part à un tournoi de pêche sportive d'une journée ou d'une demi-journée à partir de Cancún, Cozumel, Isla Mujeres ou Playa del Carmen. Le macaire, l'espadon, le thon et la dorade abondent dans le secteur. Les prix vont de 240$US à 300$US par bateau et par jour.

Golf

L'État de Quintana Roo compte quelques terrains de golf. Parmi ceux-ci, figure le Pok-Ta-Pok de Cancún, qui a été dessiné par l'architecte paysagiste de réputation mondiale Robert Trent Jones Jr.

L'espace vallonné du golf de Playacar (à Playa del Carmen), l'un des mieux cotés au pays, et aménagé par Robert von Hagge, mérite également que l'on y frappe quelques balles. On trouvera d'autres parcours de golf à Cancún, à l'hôtel Cancun Hilton, au Melia Cancún et au Resort Course de Puerto Aventuras. Le Cancún Palace Hotel dispose, quant à lui, d'un minigolf de 36 trous original.

Observation d'oiseaux

Les parcs nationaux ainsi que les abords des grands sites archéologiques du Yucatán constituent des endroits de prédilection pour l'observation de la faune ailée. Une grande variété d'oiseaux peut être admirée dans la forêt tropicale de Sian Ka'an, dans l'Isla Contoy (où 97 espèces sont protégées), ainsi qu'à Xaman-Ha, une réserve ornithologique située à Playacar qui abrite une trentaine d'espèces d'oiseaux parmi lesquels on retrouve toucans et perroquets.

Frégate

C'est souvent lors de rencontres inattendues que les passionnés d'ornithologie feront d'étonnantes découvertes. Alors qu'elle se fond dans

Plein air

le paysage, une frégate mâle perchée gonfle tout à coup sa gorge écarlate pour séduire une femelle et attirer le regard des badauds.

Pour assurer le succès de votre expédition, il est important d'amener des jumelles, un insectifuge et un appareil photo muni d'un téléobjectif.

Vélo

À Cancún, il est pratiquement impossible de pratiquer le vélo ailleurs que sur la piste cyclable de 14 km qui est aménagée du côté ouest de la zone hôtelière et qui va de Punta Cancún jusqu'au centre-ville. Cette piste, située juste à côté d'une route à deux voies où il y a beaucoup de circulation, est également fréquentée par les amateurs de patin à roues alignées et les joggeurs; elle est faiblement éclairée en soirée. À Cozumel et à l'Isla Mujeres, vous pourrez louer une bicyclette entre 5$US et 8$US par jour, mais ne surestimez pas vos forces. Le soleil tape dur dans cette région et les routes ne sont guère faciles. Le meilleur moment pour faire du vélo est le matin très tôt, avant les grosses chaleurs. Évitez la tombée de la nuit, car plusieurs routes ne sont pas éclairées.

Équitation

Il y a plusieurs endroits où vous pourrez louer un cheval pour une randonnée, entre autres, au Rancho Buenavista de Cozumel et au Rancho Loma Bonita de Cancún. On peut également pratiquer l'équitation à Xcaret pour 30$US l'heure.

Tennis

Certains hôtels mettent des courts de tennis à la disposition de leur clientèle. Plusieurs sont dotés d'un système d'éclairage vous permettant de jouer pendant la soirée.

Cancún

Avant que le gouvernement mexicain n'arrête son choix sur une bande de sable habitée par une centaine de pêcheurs mayas pour développer un site touristique majeur, Cancún était un paradis calme et isolé.

Ces pêcheurs étaient sans doute loin de se douter que, pendant qu'ils vaquaient à leurs tâches traditionnelles, de nombreux fonctionnaires se penchaient sur les données compilées dans un ordinateur: il n'y avait pas de doute, Cancún était le coin du Mexique le plus susceptible d'attirer le maximum de touristes saison après saison!

En un peu plus de 25 ans, Cancún a vu grandir une ville champignon de 400 000 habitants et s'établir 130 hôtels d'une capacité totale de plus de 25 000 chambres pouvant loger 3 millions de touristes à longueur d'année, des

centaines de restaurants et de boutiques...

Tout a commencé dans les années soixante, alors que le Mexique prend conscience de son potentiel touristique. En 1967, le site est officiellement choisi pour y développer les in-

frastructures d'un mégapro-
jet, en raison de sa longue
plage de sable blanc, de
son climat subtropical, des
eaux turquoise de la mer
des Caraïbes et de la proximité des États-Unis.

La construction des rou-
tes, des aqueducs et des
hôtels débute en 1974, et
l'endroit restera relativement peu connu jusqu'au
milieu des années quatre-
vingt. À partir de là, l'activité devient frénétique: les
hôtels poussent comme des
champignons et Cancún
devient une ville éminem-
ment touristique.

Cancún est conçue pour
plaire à sa clientèle
principale, soit les touristes
étasuniens. Ceux-ci représentent 80% de l'ensemble
des visiteurs étrangers. Ils
s'y retrouvent comme chez
eux, avec les mêmes gran-
des chaînes de restaurants,
d'hôtels, les mêmes super-
marchés, la même musique
qui joue dans les discothèques. Tout est conçu pour
répondre à leurs goûts.
D'ailleurs, l'anglais l'emporte souvent sur l'espagnol
dans la conversation. Cela

enlève beaucoup de charme
exotique à l'endroit, mais
plaît à bien du monde,
puisque Cancún est l'une
des villes mexicaines les
plus visitées par les touristes étrangers.

Cancún est formée de la
Ciudad Cancún (la ville
de Cancún) et de la *zona
hotelera* (la zone hôtelière-
voir p 4). C'est l'une des
seules villes du monde où
les habitants et les touristes
sont séparés à ce point. La
zone hôtelière, longue de
22,5 km, est couverte
d'hôtels gigantesques de
classe internationale. Ces
hôtels sont placés côte à
côte, bordés d'un côté par
la mer et de l'autre par une
route réservée à la circulation automobile.

La ville de Cancún est
habitée en majeure par-
tie par des gens qui travaillent dans les hôtels, les bars
et les restaurants; ils sont
pour la plupart nés ailleurs.

Cancún est un port
d'entrée très commode
pour les voyageurs qui sou-
haitent découvrir les sites
archéologiques mayas de
Chichén Itzá et de Tulum,

et s'imprégner du mode de vie traditionnel yucatèque.

Pour s'y retrouver sans mal

En ce qui concerne la zone hôtelière, il peut sembler facile de s'orienter puisqu'il s'agit d'une simple bande de terre, mais il est parfois malaisé de savoir s'il faut aller à gauche ou à droite, car on peut confondre la lagune de Nichupté avec la mer des Caraïbes! Comme vous utiliserez probablement l'autobus pour vous déplacer, demandez votre chemin au chauffeur en cas de doute.

Quant au centre-ville de Cancún, les noms de rues et les adresses sont généralement indiqués, mais il est préférable de toujours se munir d'une carte pour ses excursions, même si le centre-ville n'est pas très grand. Se fixer des points de repère est un bon truc.

La ville est divisée en plusieurs immenses *super manzanas* (pâtés de maison). Les adresses sont donc précédées de la mention *SM*. Chaque secteur *SM* possède un code postal distinct.

Le centre-ville de Cancún comprend quatre avenues principales: Cobá et Uxmal (est-ouest) ainsi que Tulum et Yaxchilán (nord-sud). Ces deux dernières avenues sont les plus développées au point de vue du commerce. Boutiques, restaurants, hôtels et bureaux de change s'y retrouvent en grand nombre.

Pour prendre l'autobus (Ruta 1 ou Ruta 2) vers la zone hôtelière il est préférable de se rapprocher du rond-point situé à l'angle des avenues Cobá et Tulum. Les autobus y sont plus fréquents qu'ailleurs.

L'aéroport international de Cancún

L'aéroport international de Cancún (☎886-0028) est situé à environ 20 km au sud-ouest du centre-ville. Il s'agit d'un des aéroports les plus modernes du Mexique depuis les derniers travaux de rénovation. En plus d'un bureau de change et d'une boutique hors taxes, on y trouve quelques magasins, restaurants et bars où les prix, comme ailleurs, sont un peu plus élevés qu'à la ville.

Plusieurs agences de location de voitures ont un comptoir à l'aéroport. Pour éviter des frais excessifs, il

Cancún

est préférable de réserver une voiture avant le départ et de comparer les prix. Demandez qu'on vous transmette par télécopieur une confirmation de la réservation et du tarif. La plupart des grandes firmes de location peuvent être jointes grâce à des numéros sans frais *1-800* de partout en Amérique du Nord. Quand vous comparerez les prix des différentes agences de location, tenez compte des taxes, du kilométrage gratuit et de l'assurance. Voici les noms et numéros des firmes présentes à l'aéroport de Cancún:

Avis
☎*883-0803 ou 800-321-3652*

Budget
☎*884-6955 ou 800-268-8970*

Hertz
☎*884-1326 ou 800-263-0678*

National/Tilden
☎*886-0152 ou 800-361-5334*

Dollar
☎*886-0179 ou 800-800-4000*

Pour entrer et sortir de la ville

Si vous louez une voiture à l'aéroport, le trajet jusqu'au centre-ville ne vous prendra qu'une quinzaine de minutes à effectuer, l'aéroport étant situé à 20 km au sud de la ville. Si vous allez plutôt vers la zone hôtelière, empruntez le Paseo Kukulcán (boulevard Kukulcán), que vous croiserez quelques instants après vous être engagé sur l'Avenida Tulum. En quelques minutes seulement, vous aurez atteint la queue du «7» que forme la zone hôtelière de Cancún.

Une navette assure la liaison pour environ 8$US entre l'aéroport et le centre-ville de Cancún. Ce service aller-retour est parfois inclus dans le prix des voyages à forfait. Les autocars sont spacieux et respectent les horaires avec un zèle surprenant. Au retour, faites attention, car le chauffeur de la navette pourrait arriver à l'hôtel avant l'heure prévue, et repartir aussitôt pour l'aéroport sans vous attendre. Pour éviter cette catastrophe, précédez l'arrivée de la navette de 30 min et attendez-la à l'extérieur.

Notez qu'un taxi de l'aéroport jusqu'à la *zona hotelera* coûte environ 32$. Si vous êtes plusieurs, il s'agit d'un moyen de transport à considérer.

Pour aller à Tulum (ou plus au sud) en voiture à partir de la *zona hotelera*, le trajet se fera beaucoup plus rapidement si vous évitez de traverser le centre-ville. Il suffit de rouler jusqu'à l'ex-

trémité sud de la zone hôtelière, en direction de Punta Nizuc. Vous n'aurez alors
qu'à continuer jusqu'à la
route MEX 307, où une en-
seigne indique le chemin à
prendre.

Pour vous rendre à Valladolid, Chichén Itzá ou Mérida,
empruntez l'Avenida Uxmal
(route 180) à partir du
centre-ville de Cancún.

Une autoroute payante se
trouve au sud de l'aéroport.

Si vous désirez rejoindre
l'Isla Mujeres, vous devrez
prendre une navette à Puerto Juárez, situé à 3 km au
nord de Cancún. En auto-
car, vous devrez d'abord
vous rendre à la gare
rou- tière se trouvant à
l'intersection de l'Avenida
Tulum et de l'Avenida Ux-
mal. Là, les autobus (Ruta
1) sont très fréquents et le
trajet est de 3 km. Une
autre possibilité est
d'utiliser les navettes,
beaucoup plus chères mais
plus pratiques;
ces bateaux
partent de la
Playa Linda ou de
la Playa Tortugas,
situées dans la
partie nord de la
zone hôtelière.

Une navette (le *Mexi-
cano V*) fait la traversée
Cancún-Isla Mujeres à
partir de Playa Linda,
(el Embarcado
dans la Zone

Hôtelière de Cancún) lorsqu'il y a demande impor-
tante. Le prix (15$US) est
deux fois plus élevé que
celui de Puerto Juarez mais
tout compte fait, si vous
habitez la Zone Hôtelière,
vous favoriserez cette option. Les départs sont à
9h30, 10h45, 11h45 et
14h15; les retours à 12h30,
15h30, 17h30 et 18h30.

D'autres bateaux taxis ou
de croisières quittent la
Playa Caracol (*située entre les
hôtels Fiesta Americana et
Coral Beach ☎886-4270 ou
886-4847*), la Playa Langosta
ou la Playa Tortugas, des
plages situées dans la zone
hôtelière de Cancún. Isla
Mujeres est
située à
11 km

Cancún

de la Zone Hôtelière et la traversée dure environ 45 min.

Plusieurs entreprises organisent des croisières à l'Isla Mujeres en provenance de Cancún. Certaines ont même transformé cette courte traversée en excursions élaborées avec repas, boissons à volonté, plongée-tuba et orchestre. Une telle croisière coûte bien sûr beaucoup plus cher que le simple transport d'un point à un autre, mais ça peut être amusant. Avant de monter à bord de l'un de ces bateaux, assurez-vous qu'il abordera dans l'île, car certains se contentent d'en faire le tour. Présentez-vous au moins une demi-heure avant le départ pour avoir une bonne place à bord.

Les entreprises suivantes organisent des croisières à l'Isla Mujeres depuis Cancún.

The Shuttle
☎884-6333

En voiture

Louer une voiture pour faire la navette entre votre hôtel et le centre-ville est certainement une dépense inutile qui ne peut que vous causer des maux de tête, à moins que vous soyez vraiment allergique aux transports en commun. Les autobus sont fréquents et bon marché, et le centre-ville n'est pas si grand. Vous perdrez beaucoup de temps à chercher un stationnement... et votre chemin! De plus, le coût de location des voitures à Cancún est plutôt élevé. Toutefois, si vous louez un véhicule pour partir en expédition, vous aurez sans doute à traverser la ville. La vitesse maximale permise y est de 40 km/h. Une station-service se trouve sur la route 307 entre Cancún et l'aéroport. Faites le plein, car trouver une pompe à essence est chose difficile dans cette région.

Les principales firmes de location ont des représentants à l'aéroport et au centre-ville, mais il s'en trouve aussi dans plusieurs hôtels:

Avis
Playa Maya Fair, blvd Kukulcán, km 8,5
☎883-0803

Budget
Av. Tulum n° 231
☎884-0730

Hertz
☎884-1326

En taxi

Comme les taxis n'ont pas de compteur, le tarif dépend de la distance parcourue, du coût de l'essence et de votre talent de négociateur. À la réception de votre hôtel, on pourra vous renseigner sur les tarifs en cours. En général, une course entre la zone hôtelière et le centre-ville coûte 8$US et plus. Plus votre hôtel est éloigné du centre-ville, plus ça coûte cher, bien sûr. Entendez-vous toujours avec le chauffeur sur le tarif avant de monter. Il existe un syndicat des taxis (☎888-6958) où l'on peut s'informer ou porter plainte.

En autocar

Gare routière
24 heures sur 24
angle Av. Tulum et Av. Uxmal
☎884-1378
☎886-8610 *billets*
La gare routière affiche une foule de destinations, depuis la capitale, México, jusqu'à Chetumal, à la frontière du Belize. Le prix du billet varie peu selon qu'on choisit un autocar de première ou de seconde classe.

En autobus

Le tarif des autobus circulant à l'intérieur de la ville de Cancún et de la zone hôtelière est de 5 pesos (environ 0,50$US). Les véhicules roulent à fond de train sur le Paseo Kukulcán, qui longe la zone hôtelière.

S'ils ne sont pas déjà complets, ils s'arrêteront parfois par un simple signe de la main même si vous n'êtes pas à l'un de leurs arrêts officiels. La plupart sont en service entre 6h et 22h. Les autobus de la Ruta 1 et de la Ruta 2 font le trajet entre le centre-ville et la zone hôtelière tandis que la Ruta 8 se rend à Puerto Juarez pour la navette d'Isla Mujeres.

Renseignements pratiques

L'indicatif régional de Cancún est le **9**.

Office de tourisme

Pour obtenir certains renseignements, voici l'adresse de l'office de tourisme:

Office de tourisme du Quintana Roo
tlj 9h à 21h
Av. Tulum n° 26, entre la Multibanco Comerex et l'hôtel de ville
☎884-8073
On vous y remettra sûrement la dernière édition de la publication gratuite *Cancún Tips*, au contenu très publicitaire, mais qui contient quand même de l'information pertinente ainsi que des plans de la ville très pratiques. L'Office

Cancún

du Tourisme possède une liste des prix des hôtels de Cancún.

Bureau de poste

Av. Sunyaxchén, près de l'Av. Yaxchilán
☎**884-1418**
Le bureau de poste est ouvert en semaine de 8h à 17h et la fin de semaine de 9h à 13h. La plupart des hôtels de la zone hôtelière vendent des timbres et peuvent poster vos lettres ou cartes postales.

Téléphone

Les téléphones des cabines publiques que l'on utilise avec les cartes d'appels LADATEL se trouvent un peu partout, mais ne fonctionnent pas toujours très bien. Vous serez alors tenté d'utiliser le téléphone qui se trouve dans votre chambre, mais sachez que des frais très élevés s'appliquent à chacun de vos appels. Les appels outre-mer sont même surfacturés de 60% par les hôtels. Munissez-vous d'une carte LADATEL dès votre arrivée, au cas où vous en auriez besoin. Certains bureaux de change en vendent et vous en trouverez aussi dans de nombreux centres commerciaux.

Banques et bureaux de change

On peut changer des chèques de voyage à la réception de son hôtel, dans les banques ou dans les nombreux bureaux de change (*casas de cambio*) qui pullulent dans le centre-ville et la zone hôtelière. Ces bureaux proposent généralement de meilleurs taux que les banques et restent ouverts plus longtemps, soit jusqu'à 21h. Les banques sont ouvertes de 9h à 17h en semaine, dont celles-ci:

Banamex
Av. Tulum nº 19, à côté de l'hôtel de ville
☎**884-5411**

Bancomer
Av. Tulum nº 20
☎**884-4400**

Il y a un bureau de change à l'aéroport, mais il offre des taux moins avantageux qu'en ville, et il n'est pas ouvert tout le temps.

Vous trouverez des guichets automatiques (ATM) un peu partout dans la ville ainsi que dans la zone hôtelière.

Sécurité

Commissariat de police de Cancún
Av. Andrès Quinta Roo
☎**884-1913**

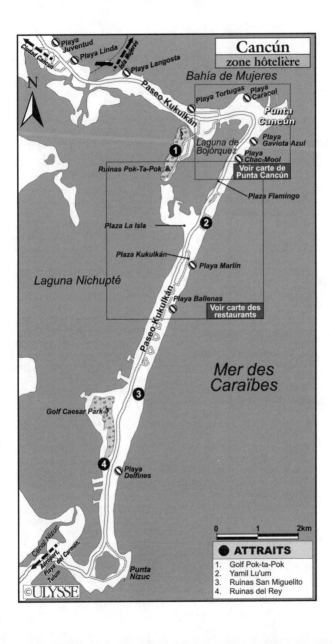

Cancún
zone hôtelière

Bahía de Mujeres

Playa Juventud
Playa Linda
Ciudad Cancún
Isla Mujeres
Playa Langosta

Paseo Kukulkán

Playa Tortugas
Playa Caracol

Punta Cancún

Laguna de Bojórquez

Playa Gaviota Azul
Playa Chac-Mool

Voir carte de Punta Cancún

Ruinas Pok-Ta-Pok

Plaza Flamingo

Plaza La Isla

Plaza Kukulkán
Playa Marlín

Laguna Nichupté

Playa Ballenas

Voir carte des restaurants

Paseo Kukulkán

Mer des Caraïbes

Golf Caesar Park

Playa Delfines

Canal Nizuc
Aéroport,
Playa del Carmen,
Tulum

Punta Nizuc

©ULYSSE

0   1   2km

● ATTRAITS

1. Golf Pok-ta-Pok
2. Yamil Lu'um
3. Ruinas San Miguelito
4. Ruinas del Rey

Le commissariat de police de Cancún se trouve loin du centre-ville. Le numéro à composer en cas d'urgence pour la police est le ☎**070**.

Urgence santé

Pour de l'assistance en anglais :

Hôpital Americano
Calle Viento 15
☎*884-6133*

Total Assis
Claveles 5, Av. Tulum
☎*884-1092*

Attraits touristiques

Bien avant de devenir la grande station balnéaire qu'elle est aujourd'hui, l'île de Cancún a été occupée par les Mayas dès le début de notre ère. La ville de Cancún comme telle fut construite dans les années 1970. Elle est très récente, plutôt fonctionnelle mais sans grand charme, sinon celui de ses habitants. Il reste que de nombreuses anciennes constructions mayas y ont été mises au jour, principalement entre Punta Cancún et Punta Nizuc, le long de la côte, dans la zone hôtelière. Les attraits principaux de Cancún pour les touristes consistent en une longue plage qui fait face à la mer des Caraïbes ainsi qu'en hôtels de luxe.

Zone hôtelière

C'est dans la zone hôtelière que se trouvent les vestiges des anciens Mayas de Cancún, les grands centres commerciaux et le Centro de Convenciones (centre des congrès). La zone forme un «7» où sont placés en enfilade tous les hôtels et bâtiments. Si vous décidez de faire le tour de la *zona hotelera* à pied, munissez-vous de pièces d'un peso pour pouvoir prendre l'autobus à tout moment, car les distances sont appréciables. Vous pouvez aussi entrer et vous reposer dans les bars et les restaurants des hôtels que vous croiserez.

Votre premier arrêt à partir du centre-ville de Cancún est le **golf Pok-Ta-Pok** ★ *(Paseo Kukulcán, entre km 6 et km 7)*, où se situent deux petites structures mayas intégrées au parcours des sportifs. Pour visiter les vestiges, vous devez demander la permission à l'entrée du golf et marcher environ 15 min. Une autre structure de moindre intérêt, **Ni Ku**, est intégrée à l'architecture de l'hôtel Camino Real, établi sur la plage de Punta

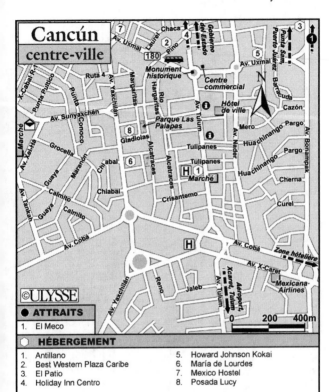

Cancún centre-ville

● ATTRAITS
1. El Meco

○ HÉBERGEMENT

1. Antillano
2. Best Western Plaza Caribe
3. El Patio
4. Holiday Inn Centro
5. Howard Johnson Kokai
6. María de Lourdes
7. Mexico Hostel
8. Posada Lucy

©ULYSSE

Cancún, dans le coude du «7» que forme la zone hôtelière. Sur la Punta Cancún, vous verrez le **Centro de Convenciones** *(Paseo Kukulcán, km 9, ☎883-0199)*, un immeuble moderne où ont lieu de nombreux événements culturels et rassemblements de toutes sortes; il comprend restaurants (2), guichets automatiques, boutiques et entreprises de services.

Au rez-de-chaussée du centre des congrès loge un musée dédié à l'histoire des Mayas et l'archéologie du Quintana Roo: le **Museo de Cancún** ★★ *(30 pesos; lun-ven 9h à 20h, sam-dim 10h à 17h; Paseo Kukulcán, km 9,5, ☎883-3671)*. À l'intérieur de ce musée sont rassemblés plus de 1 000 objets, témoins de la culture des Mayas, qui ont été recueillis un peu partout à travers le Quintana Roo, tels que va-

Cancún

ses en terre cuite ornementés, bijoux et masques de jade, ainsi que le buste du Roi qui à donné son nom à la ville «Ruinas del Rey».

Les deux structures de **Yamil Lu'um** *(Paseo Kukulcán, km 12, sur les terrains de l'hôtel Sheraton)*, datent probablement du XIIIe ou XIVe siècle. Elles se dressent sur le point le plus haut de toute la zone hôtelière de Cancún. La petite structure carrée servait sans doute de poste d'observation. Ces vestiges sont faciles à atteindre. Comme ce site est en plein soleil, il est recommandé de se munir d'un chapeau et de lunettes de soleil.

En continuant vos pérégrinations vers le sud, vous verrez, au km 16,5, les vestiges de **San Miguelito**, une toute petite structure constituée de colonnes de pierre.

Juste de l'autre côté du Paseo Kukulcán, en face de l'hôtel El Pueblito, s'étendent les **Ruinas del Rey** ★ *(3$, dim entrée libre, tlj; 8h à 17h)*, le plus important site maya de Cancún. Principalement composé de deux grandes Plazas entourées de palais et de temples, pyramides et autres structures qui datent de 1300-1400 de notre ère. Ce site a été mis en valeur au milieu des années 1970, mais certains archéo-

logues l'avaient déjà visité au XIXe siècle. Son nom «El Rey» provient d'une sculpture trouvée dans le site et qui est en montre dans le Musée de Cancún.

Excursions aux alentours de Cancún

★
El Meco

La zone archéologique d'**El Meco** est située entre Puerto Juárez et Punta Sam, du côté gauche de la route 307, au nord de Cancún. Construit entre 1200 et 1500 ap. J.-C., cette grande ville, probablement un village de pêcheurs à l'origine, se compose du temple principal, El Castillo, et de différents bâtiments de pierre et sculptures diverses, entre autres des têtes de serpent. La pyramide principale est la plus haute structure de la région.

★
Isla Contoy

Voir Isla Mujeres, p 172.

Barco Asterix Ecoadventures
Marina Carlos'n Charlies
☎*886-4755 ou 886-4270*

Croisières

Enfin, comme Cancún est une importante station balnéaire, l'une des choses les plus agréables qu'on puisse y faire est une excursion en bateau. La majorité des bateaux d'excursion se dirigent vers l'Isla Mujeres, située un peu plus au nord. Ces croisières sont la plupart du temps accompagnées de musique, de danse, de jeux et d'un repas bien arrosé. Tous les bateaux n'accostent pas à l'Isla Mujeres, certains se contentent d'en faire le tour. Il est important de le faire confirmer avant d'y embarquer. Les départs se font généralement à la Playa Tortugas, boulevard Kukulcán. Les quelques entreprises suivantes proposent différents types d'excursions:

Le *Mexicano V* (☎*884-6433*) fait la traversée quatre fois par jour entre Cancún et l'Isla Mujeres. On le prend à la Playa Linda.

La **Caribbean Carnival** (☎*884-3760, ≈887-2184*) a lieu entre 18h et 23h: croisière-spectacle tropicale pour 400 personnes avec concours de limbo, musique de danse et buffet. On le prend à la Playa Tortugas.

Vous avez toujours rêvé d'une croisière nocturne dans une ambiance de discothèque, avec casino, buffet et karaoké? Alors, profitez de la **Pirate's Night Adventure** (☎*883-1488*). Le départ se fait à la Royal Mayan Marina (*Playa Langosta*).

Ange royal

Le **Galion du capitaine Hook** (☎*883-3736 ou 849-4451*) organise le jour des activités nautiques avec buffet de paella; l'entrée est libre pour les moins de 12 ans accompagnés de leurs parents. Le bateau se transforme en restaurant de fruits de mer le soir venu, puis en discothèque jusqu'à 1h30 du matin. Le départ se fait à la Playa Linda.

Du lundi au samedi, on peut dîner tranquillement le

Cancún

soir à bord du grand voilier **Columbus** (☎883-1488) sur la lagune Nichupté. Ce bateau se veut une réplique du trois-mâts de Colomb. Le départ de fait à la Royal Mayan Marina *(Blvd Kukulcán, km 16,5)*.

Le **Aqua World Cancún Queen** (☎885-2288) est un navire à aubes qui propose des croisières avec jeux, boissons et repas.

Parcs et plages

Comme vous le savez, la zone hôtelière de Cancún forme un «7». La partie nord de ce «7» est plus à l'abri du vent que la partie sud. Il est recommandé de surveiller les drapeaux de couleur sur les plages qui indiquent si la baignade est sécuritaire ou non.

Playa Las Perlas

La Playa Las Perlas est la plage située la plus près du centre-ville de Cancún; elle se trouve à l'extrémité nord-ouest de la *zona hotelera*. Comme ses voisines, elle est à l'abri du vent, mais ses eaux sont moins transparentes que celles des plages situées plus à l'est.

Playa Juventud

La Playa Juventud s'appelle ainsi parce qu'elle s'étend juste en face de l'auberge de jeunesse Villa Juveniles. Sa faune est donc plutôt jeune, adepte de sports nautiques et de soirées tardives. La plage offre l'avantage de se trouver à seulement 2 km du centre-ville de Cancún.

Playa Linda

Située au km 4 entre la Playa Juventud et la Playa Langosta, la Playa Linda est à la jonction de la *zona hotelera* et de Ciudad Cancún, où le pont Nichupté relie la chaîne de plages à la «terre ferme». L'embarcadero de la Playa Linda abrite plusieurs bateaux de croisières ainsi que les navettes pour Isla Mujeres.

Playa Langosta

L'une des plus jolies plages de Cancún, la Playa Langosta, au km 5, est formée d'un petit espace rocailleux qui devient bien vite une belle bande de sable blanc. Près de l'hôtel Casa Maya, la plage est littéralement envahie par les *palapas*.

Playa Tortugas

De nombreux bateaux ancrent à la marina de cette plage. Certains font régulièrement la navette entre la Playa Tortugas et l'Isla Mujeres. Cette plage est encore relativement calme malgré le développement touristique de Cancún. Elle offre un beau point de vue sur la Bahía de Mujeres.

Playa Caracol

La Playa Caracol forme le coude de la zone hôtelière. Près des plus luxueux hôtels et du centre des congrès, cette plage tranquille, la préférée des visiteurs plus âgés de Cancún, contourne doucement l'hôtel Camino Real et Punta Cancún pour rejoindre la Playa Chac-Mool.

Playa Chacmool

La Playa Chacmool est située tout près de l'activité commerciale de la zone hôtelière. Les restaurants et les différents services ont contribués à la populariser auprès des habitants de la ville qui y viennent encore nombreux en famille la fin de semaine. Sur la dune qui domine la plage, une statue représentant un Chacmool surplombe les baigneurs.

Playa Delfines

La Playa Delfines, une très belle plage située entre les km 18 et km 20, est une des plus grandes de la zone. Les vacanciers qu'on y rencontre sont surtout les clients des grands hôtels des environs. De l'autre côté de la route s'étendent le golf de l'hôtel Hilton et les vestiges de la ville Ruinas del Rey.

Laguna Nichupté

La zone hôtelière longe la grande Laguna Nichupté, fortement appréciée pour le ski nautique ou la voile. De nombreuses agences de location de bateaux ou de tours organisés y font des affaires d'or. De plus en plus d'hôtels et de communes donnent sur la Laguna comme le nouveau centre commercial La Isla.

Punta Nizuc

À l'extrémité sud de la zone hôtelière, près du Club Med, se trouve Punta Nizuc, un site recherché pour ses récifs coralliens, moins impressionnants qu'à Cozumel ou Chetumal, mais tout de même intéressants. De plus, son paysage de mangroves lui donne une allure de jungle.

Cancún

Activités de plein air

Sports nautiques

Cancún est l'une des villes les mieux équipées du monde pour la pratique des sports nautiques. Tout gravite autour de l'eau, et la majorité des grands établissements de la zone hôtelière dispose de tout ce qu'il faut pour la plongée-tuba et la plongée sous-marine. De plus, il existe un grand nombre d'entreprises spécialisées dans la location d'équipement, et des marinas proposent tous les services, comme sur la Laguna Nichupté par exemple.

Il est possible de suivre des cours d'initiation à la plongée, mais vérifiez bien les qualifications de votre moniteur avant de lui faire confiance.

Les entreprises suivantes louent le matériel nécessaire à la plongée, la voile, le motonautisme, le ski nautique, et même parfois à la pêche sportive. Elles organisent aussi différents types d'expéditions.

Aqua World
7h à 22h
Paseo Kukulcán, km 15,2
☎*885-2288*
⇄*885-2299*
La marina d'Aqua World est l'une des plus importantes de la région. Question d'hygiène, on vous remet un tuba neuf pour votre expédition.

Aqua Tours Adventures
7h à 21h
Paseo Kukulcán, km 6,5
☎*883-0400*
⇄*883-0403*
Aqua Tours Adventures propose des départs quotidiens pour la pêche en haute mer ainsi que des croisières gastronomiques.

Aqua Fun
8h à 17h
Paseo Kukulcán, km 16,5
☎*885-2930*
Pour des cours de voile et la location de canots ou de pédalos, rendez-vous chez Aqua Fun. Le vestiaire est gratuit.

Jungle Tours
8h à 20h
Paseo Kukulcán, km 14,1
Jungle Tours, situé à la marina Barracuda, organise des expéditions quotidiennes en scooter des mers ou motomarines dans un paysage de mangroves, vers le récif de Punta Nizuc, au-delà de la pointe sud de la zone hôtelière, non loin du Club Med.

Punta del Este
Paseo Kukulcán, km 10,3
☎*883-1210*
≈*883-1309*
Pour une randonnée en eau
calme, à partir de la marina
de Punta del Este, on peut
monter à bord de petites
embarcations à moteur puis
longer la jungle tropicale
tout en observant la nature.

Observation des
fonds marins

Subsee Explorer
40$US
☎*885-2288*

Nautibus
35$ pour 1h30
Playa Linda
☎*883-2119*

Deux bateaux sillonnent les
eaux de la côte de Cancún
et permettent de découvrir
la barrière de corail qui s'y
trouve grâce à leur fond
vitré. Généralement, un
guide commente la flore et
la faune que vous pouvez
apercevoir.

Golf

Golf Pok-Ta-Pok
club de golf Cancún, Paseo Kukulcán,
km 7,5

☎*883-1277*
Internationalement reconnu,
ce 18 trous côtoie de plus
les ruines vestiges d'un
temple maya. Sur la lagune
de Nichupté, une presqu'île
au décor savamment tra-
vaillé par Robert Trent Jr.
suggère une cité maya. En
plus du parcours comme
tel, il y a une piscine, deux
courts de tennis et un restaurant. On peut y prendre
des leçons de golf et louer
tout le matériel nécessaire.
Le circuit coûte 65$US
(18 trous) ou 50$US
(9 trous) plus les frais supplémentaires pour la location d'équipement. Le golf
est ouvert de 6h30 à 16h. Il
est nécessaire de réserver
au moins une journée à
l'avance.

Hilton Cancún
Paseo Kukulcán, km 17
☎*881-8016*

Melia Cancún
Paseo Kukulcán, km 15
☎*881-1100*
L'hôtel Hilton Cancún et
l'hôtel Melia Cancún comptent aussi 2 parcours de golf
de 18 trous, moins specta-
culaires mais avec une vue
magnifique, le premier sur
la Laguna Nichupté et
l'autre sur l'océan. Il n'est
pas nécessaire d'être un
client de ces hôtels pour
pouvoir y jouer.

Cancún Palace
Paseo Kukulcán, km 14,5
☎*885-0533, poste 6655*

Cancún

Le mini-golf a aussi ses adeptes à Cancún! On peut le pratiquer à l'hôtel Cancún Palace, sur un parcours inspiré des pyramides mayas. Il est ouvert de 11h à minuit.

Pêche

Les eaux qui entourent Cancún grouillent de plus de 500 espèces de poissons. Une expédition de pêche sportive en haute mer peut coûter entre 350$US et 550$US selon le nombre d'heures. Les entreprises Aqua Tours et AquaWorld, qui ont des bureaux autour de la Laguna Nichupté, proposent différentes expéditions. La saison de la pêche s'étend de mars à juillet.

Patin à roues alignées

Il faut souligner que les trottoirs de la zone hôtelière se prêtent fort mal à cette activité en raison des lignes obliques profondes que la voirie municipale s'applique à graver. Il existe par contre un endroit propice pour rouler allègrement: la piste cyclable qui longe la *zona hotelera* jusqu'au centre-ville.

Rent a Roll
Paseo Kukulcán, en face de la discothèque La Boom

Il est depuis peu possible de louer des patins chez Rent a Roll. On y loue aussi des mobylettes.

Jogging

Il n'y a pas d'endroit vraiment agréable à Cancún pour pratiquer le jogging, sinon pieds nus au bord de la mer. Le boulevard Kukulcán dessert, le long de la zone hôtelière, une circulation intense qui peut même être dangereuse; dans le centre-ville, l'état des artères est pitoyable. Les irréductibles peuvent essayer la piste cyclable très tôt le matin.

Vélo

Cancún s'est offert une piste cyclable le long de la zone hôtelière qui ne cesse de s'agrandir. Cette piste est partiellement protégée du soleil par quelques arbres, mais il reste que la meilleure période pour la parcourir demeure le matin très tôt ou en fin d'après-midi. Le soir, la piste n'est pas éclairée.

Karting

Karting Internacional Cancún
tlj 10h à 23h
Au km 7,5 de l'autoroute reliant Ciudad Cancún et l'aéroport, se trouve un circuit de course de karting de 1 000 m, le Karting Internacional Cancún). À bord de l'un de ces bolides, on peut rouler à 25 km/h, 80 km/h et même 130 km/h. Pour vous y rendre, un autobus vous cueille sur l'Avenida Tulum.

Hébergement

La ville de Cancún est reliée à la zone hôtelière par un petit pont qui se trouve aux environs de la Playa Linda. Quand on parle de Cancún, il faut donc distinguer la ville comme telle, sur le continent, et la *zona hotelera*, un long ruban de sable d'une vingtaine de kilomètres, en forme de «7», qui borde la Laguna Nichupté. À partir du point le plus éloigné de la série d'hôtels, le trajet en autobus pour aller en ville peut prendre jusqu'à 45 min.

Cancún possède des hôtels très luxueux, certains parmi les plus beaux du monde. En général, ceux qui se trouvent dans la ville sont meilleur marché que ceux de la zone hôtelière, pour une qualité égale. Pour faire son choix, il faut décider si l'on passera le plus clair de son temps sur la plage ou si l'on préférera découvrir les restaurants et les boîtes de nuit du centre-ville. Comme plusieurs hôtels du centre-ville offrent gratuitement le transport jusqu'à la plage à leurs clients, cette option peut être intéressante.

La zone hôtelière tente, quant à elle, de se suffire à elle-même en recréant une

Cancún

espèce de ville un peu artificielle, avec ses bars, ses restaurants et ses centres commerciaux. Plusieurs hôtels offrent aussi la formule «tout compris» en haute saison.

Cancún (ville)

Il y a quelques endroits pour le camping dans les environs de Cancún, mais seule l'auberge de jeunesse Villas Juveniles permet de planter sa tente à l'intérieur des limites de l'agglomération urbaine. Vous trouverez un camping (qui accepte les véhicules récréatifs) près de l'aéroport et un autre au nord de Cancún sur la route de Puerto Sam.

Mecoloco-Trailer Park
$
Carretera Puerto Juárez, km 3
☎843-0324
mecolo@uol.com.mx
Situé à quelque 150 m de la plage, le camping Mecoloco accueille les véhicules récréatifs de toutes les grandeurs ainsi que les tentes. Il a été construit à même la cité maya qui est devenue le site archéologique Le Meco. On y trouve tous les services pour tentes et véhicules récréatifs.

Mexico Hostel
$
⊗

Calle Palmeras n° 30, près de Av. Uxmal
☎887-0191
Située à quelque cinq rues de la gare routière, l'auberge de jeunesse Mexico Hostel offre les services nécessaires pour un séjour agréable à tous ceux et celles dont le budget est limité ou qui voyagent en groupe. C'est l'hébergement le moins cher en ville *(10$/pers.)* et, dans cette catégorie, certainement le mieux localisé pour les voyageurs de passage. L'auberge est divisée en dortoirs qui comptent six lits chacun. Les clients se partagent une cuisine bien équipée pour préparer leurs repas; de plus, ils ont accès au réseau Internet sur place. L'auberge possède des coffrets de sûreté ainsi qu'une chambre forte pour les bagages. Au deuxième étage, une grande salle de repos dispose de chaises longues et de hamacs.

Posada Lucy
$
⊗, ℜ, ≡
Gladiolas 8, SM22
☎884-4165
Les 19 chambres de la Posada Lucy, aux murs couleur saumon, sont tranquilles et à l'abri des bruits de la rue. Toutefois, elles offrent une vue inintéressante. Il est possible de louer certaines chambres au mois dans l'édifice adjacent.

Le Patio
$$

≡, ⊗

Av. Bonampak nº 51, angle Calle
Cereza

☎884-8500

≈884 3540

cancun@cancun-suites.com

L'hôtel Le Patio occupe un
bâtiment de style hacienda
avec une cour intérieure
constellée de plantes et de
fleurs. Le décor de l'hôtel
s'avère original et recher-
ché; le service excellent et
les chambres impeccables.
Vous n'y trouverez pas de
piscine ni de bar, mais
l'élégance et le raffinement
des lieux portent plutôt au
silence et au recueillement.
Un petit réfectoire, une salle
de jeu et une bibliothèque
complètent cette oasis de
tranquillité.

Antillano
$$

⊗, ≈, ≡

Av. Tulum, angle Claveles

☎884-1532

≈884-1878

L'un des plus vieux hôtels
du centre-ville, l'Antillano
propose 48 chambres gar-
nies de meubles en bois et
d'un plancher de carreaux
de céramique. Elles sont
jolies et confortables. Cet
hôtel, agréablement décoré
et bien entretenu, abrite
aussi un bar et une bou-
tique.

Best Western Plaza Caribe
$$

≡, ⊗, ≈, ℜ

angle Av. Tulum et Av. Uxmal N 36

☎884-1377

≈884-6352

Au cœur de l'action et de la
vie nocturne de la ville se
trouve le Best Western Pla-
za Caribe, un hôtel de
130 chambres sans âme.
Entourée de palmiers, sa
piscine en *L* est un peu
petite mais jolie. Service de
gardiennage proposé. Cet
hôtel est situé près du ciné-
ma Tulum, du grand Merca-
do Comercial Mexicana et
de la gare routière.

Howard Johnson Kokai Cancún
$$

⊗, ≈, ⊛, ℜ, ≡

Av. Uxmal nº 26, SM2A

☎884-3218

≈884-4335

Les 48 chambres de l'hôtel
Howard Johnson Kokai
Cancún, plutôt petites, sont
toutefois confortables et
bien équipées. L'hôtel est
aussi doté d'un restaurant
spécialisé dans la cuisine
mexicaine. Le transport jusqu'aux plages de la zone
hôtelière est offert gratuitement à la clientèle.

María de Lourdes
$$

≡, ⊗, ≈, ℜ

Av. Yaxchilán nº 80

☎884-4744

≈884-1242

María de Lourdes est un
charmant hôtel de 51 cham-
bres situé au cœur de
l'action du centre-ville. La
piscine, petite, est assez
jolie. L'hôtel dispose d'une

Cancún

boutique de souvenirs, d'une laverie et d'une agence de voyages.

Holiday Inn Centro Cancún
$$$$

⊗, ≈, ≡, ⊘, ℜ

Av. Nader n° 1

☎887-4455

⇴884-7954

Le Holiday Inn Centro Cancún, situé en plein centre-ville, offre gratuitement le transport jusqu'à la plage de l'hôtel Avalon. Son atmosphère coloniale est très agréable. Il comporte une jolie cour intérieure ombragée de palmiers avec piscine et resto-bar. En plus d'une petite épicerie, d'une pharmacie, d'un salon de coiffure et d'une agence de voyages, l'hôtel présente divers services aux gens d'affaires.

Blue Bay Club and Marina
$$$$$ tout compris

⊗, ≈, ⊘, ℜ

Carretera Punta Sam, km 2

☎880-1068

Sur la route qui mène à Punta Sam, à 13 km au nord de Ciudad Cancún, se trouve le Blue Bay Club and Marina, affilié au Blue Bay Village, qui se trouve dans la zone hôtelière. Cet hôtel de 5 étages compte 202 chambres décorées dans le style colonial. On peut y pratiquer, le jour, toutes sortes de sports nautiques et, le soir, la musique latino-américaine bat son plein à la discothèque. Il est très facile, de cet hôtel, de faire un aller-retour pour Cancún.

Zone hôtelière

Villas Juveniles
$

⊗, ℜ,

Paseo Kukulcán, km 3

☎849-4360

Les personnes surveillant leur budget peuvent trouver refuge à cette auberge de jeunesse *(9$/pers.)*, un établissement de 300 lits répartis dans des dortoirs séparés pour les filles et les garçons. Sur la plage (voir p 116), on peut jouer au basket-ball et au volley-ball. Pour 5$, on peut aussi faire du camping *(9$/pers.)*.

Barcelo Club Las Perlas
$

⊗, ≈, ℜ, ≡

Paseo Kukulcán, km 2,5

☎849-9000 ou 800-223-9815

⇴849-8000

Le Barcelo Club Las Perlas, à ne pas confondre avec l'Imperial Las Perlas de plus petite taille, se trouve tout près du centre-ville de Cancún, aux abords de la *zona hotelera*, et est bordé par la Playa Las Perlas sur deux côtés. L'hôtel comprend 194 chambres avec balcons, 2 courts de tennis et 2 piscines avec toboggan.

Carisa Y Palma
$$

⊗, ≈, △, ⊘, ≡

Paseo Kukulcán, km 10

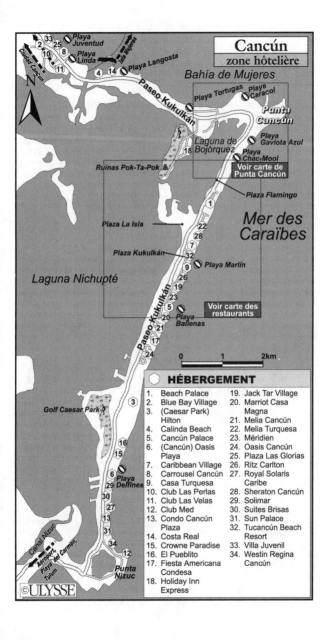

Cancún
zone hôtelière

Playa Juventud
Playa Linda
Playa Langosta
Bahía de Mujeres
Ciudad Cancún
Isla Mujeres
Paseo Kukulkan
Playa Tortugas
Playa Caracol
Punta Cancún
Laguna de Bojórquez
Playa Gaviota Azul
Playa Chac-Mool
Ruinas Pok-Ta-Pok
Voir carte de Punta Cancún
Plaza Flamingo
Plaza La Isla
Mer des Caraïbes
Plaza Kukulkán
Playa Marlín
Laguna Nichupté
Voir carte des restaurants
Playa Ballenas
Paseo Kukulkan
0   1   2km
Golf Caesar Park
Playa Delfines
Canal Nizuc
Aéroport,
Playa del Carmen,
Tulum
Punta Nizuc
©ULYSSE

HÉBERGEMENT

1. Beach Palace
2. Blue Bay Village
3. (Caesar Park) Hilton
4. Calinda Beach
5. Cancún Palace
6. (Cancún) Oasis Playa
7. Caribbean Village
8. Carrousel Cancún
9. Casa Turquesa
10. Club Las Perlas
11. Club Las Velas
12. Club Med
13. Condo Cancún Plaza
14. Costa Real
15. Crowne Paradise
16. El Pueblito
17. Fiesta Americana Condesa
18. Holiday Inn Express
19. Jack Tar Village
20. Marriot Casa Magna
21. Melia Cancún
22. Melia Turquesa
23. Méridien
24. Oasis Cancún
25. Plaza Las Glorias
26. Ritz Carlton
27. Royal Solaris Caribe
28. Sheraton Cancún
29. Solimar
30. Suites Brisas
31. Sun Palace
32. Tucancún Beach Resort
33. Villa Juvenil
34. Westin Regina Cancún

☎*883-0211*
⇄*883-0932*

Composé de 2 immeubles placés côte à côte, le Carisa Y Palma, un hôtel de 122 chambres, a été construit dans les années 1970. Il est situé près du marché aux puces Mini Tienda et du Centro de Convenciones. Très bien entretenu, il laisse peu paraître les signes du temps. Ses chambres sont coquettes, et l'on porte un soin évident au confort de la clientèle. Celle-ci doit cependant se rendre à la plage des hôtels voisins quelques mètres plus loin, car celle du Carisa Y Palma est couverte de grosses pierres.

Aristos Cancún
$$
≈, ⊗, ℜ, ≡
Paseo Kukulcán, km 9,5
☎/⇄*883-0078*

L'Aristos Cancún, qui donne sur la Playa Chac-Mool, est situé tout près du Centro de Convenciones et des centres commerciaux de cette section de la zone hôtelière. Il comprend 244 chambres agréablement décorées, réparties sur 4 étages, dont certaines ont une belle vue sur l'océan. Cet hôtel comprend deux courts de tennis, une piscine avec toboggan entourée de palmiers, une boutique de souvenirs ainsi qu'une petite pharmacie, et propose divers services comme la location de voitures et de motocyclettes.

Mex Condominiums Cancún Plaza
$$$
⊗, ≈, ℜ, ≡
Paseo Kukulcán, km 20
☎*885-1110*
⇄*885-1175*

Avec sa clientèle partagée entre résidents permanents et touristes de passage, le Mex Condominiums Cancún Plaza regroupent plusieurs bâtiments qui comptent plus de 200 chambres. Il est facile de se perdre dans ce labyrinthe, d'une architecture agréable mais compliquée. L'hôtel est doté d'un bar et d'un restaurant.

Costa Real Hotel and Suites
$$$
⊗, ≈, ℜ, ≡
Paseo Kukulcán, km 4,5
☎*883-3955*
⇄*883-3945*

Les 262 chambres du Costa Real Hotel and Suites n'ont pas toutes vue sur la mer, mais l'hôtel est si bien situé que cela compense. Installé près d'un embarcadère où les bateaux partent tout le long du jour en excursion vers l'Isla Mujeres, le Costa Real est un bel hôtel composé de sept bâtiments roses de formes et de hauteurs diverses. Moyennant des frais supplémentaires, vous pourrez profiter des services de gardiennage et de buanderie. De nombreuses activités nautiques, sociales ou artistiques sont organisées pour la clientèle de l'hôtel.

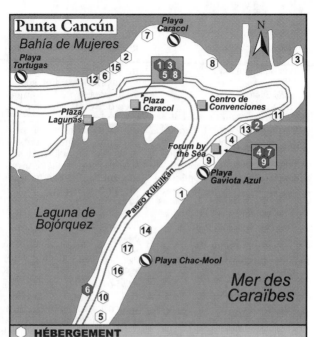

Punta Cancún

Bahía de Mujeres

Playa Caracol

Playa Tortugas

N

Plaza Caracol

Centro de Convenciones

Plaza Lagunas

Forum by the Sea

Playa Gaviota Azul

Paseo Kukulkán

Laguna de Bojórquez

Playa Chac-Mool

Mer des Caraïbes

HÉBERGEMENT

1. Aristos Cancún
2. Calinda Viva
3. Camino Real
4. Carisa Y Palma
5. Continental Villas Plaza
6. Dos Playas
7. Fiesta Americana Cancún
8. Fiesta Americana Coral Beach
9. Girasol
10. Hyatt Cancún Caribe
11. Hyatt Regency
12. KinHa Condos
13. Krystal Cancún
14. Miramar Misión
15. Presidente Intercontinental
16. Sierra Hotel
17. Sunset Hotel (Suites)

RESTAURANTS

1. Bellini
2. Bogart's
3. Casa Rolandi
4. Hard Rock Cafe
5. La Fisheria
6. Lorenzillo's
7. Rainforest Cafe
8. Savio's
9. Suchi Itto

0   500   1000m

©ULYSSE

Girasol
$$$

⊗, ≈, ℂ, ℜ

Paseo Kukulcán, km 10

☎883-2151

≈883-2246

Juste à côté des deux bâti-
ments de l'hôtel Carisa Y
Palma, se trouve le Girasol,
récemment rénové. Le res-
taurant de ce «condo-hôtel»,
situé juste à côté de la pis-
cine, sert quelques spéciali-
tés yucatèques et fait aussi
office de bar. Les chambres,
réparties sur huit étages,
disposent toutes d'un
balcon privé.

Suites Brisas
$$$

⊗, ≈, ℜ, ≡

Paseo Kukulcán, km 19,5

☎885-0361

Les Suites Brisas sont au
nombre de 205 et compor-
tent toutes un coin salon et
salle à manger ainsi qu'une
chambre. Sans être extraor-
dinaires, elles sont tout de
même confortables. Les
salles de bain sont munies
d'une douche, mais ne disposent pas de baignoire.
L'hôtel possède entre autres
un restaurant, une piscine
avec pataugeoire pour les
petits et une petite épicerie.

Tucancún Beach Resort & Villas
$$$

⊗, ≈, ℂ, ℜ, ≡

Paseo Kukulcán, km 13

☎885-0814

≈885-0615

L'architecture moderne du
Tucancún Beach Resort &
Villas, un hôtel de six éta-
ges de couleur terre avec
des balcons blancs, rappelle
un peu les *pueblos* (petits
villages) mexicains. Les
chambres, avec leurs meu-
bles de rotin et leurs murs
de couleur pêche, sont tout
équipées d'un balcon privé
et d'une cuisinette. Près de
la piscine circulaire, des
hamacs et des *palapas* ren-
forcent l'ambiance typique
de cet hôtel de 130 cham-
bres.

Beach Palace
$$$

⊗, ≈, ⊛, ☺, ℜ, ≡

Paseo Kukulcán, km 11,5

☎883-1177

≈885-0439

Les 160 chambres de l'hôtel
Beach Palace sont décorées
à la manière mexicaine. Au
milieu de la piscine trône le
bar, recouvert d'un toit de
feuilles de palmier. L'hôtel
dispose de deux restaurants
et de deux bars, d'un service de buanderie, d'un
court de tennis et d'une
petite boutique de cadeaux
et d'artisanat. Il est situé
non loin des ruines de Yamil Lu'um.

Holiday Inn Express Cancún
$$$ pdj

⊗, ≈, ℜ, ≡

Paseo Pok-Ta-Pok

☎883-2200

≈883-2532

Avoisinant le golf Pok-Ta-
Pok, le Holiday Inn Express
Cancún a la particularité de
donner sur la Laguna Ni-

Au marché d'artisanat, les couleurs sont inévitablement de la fête et il y en a pour tous les goûts! - *M. Daniels*

Une belle plage de la Laguna Nichupté, parsemée de *palapas* pour se reposer et d'embarcations diverses pour profiter de la mer!
- *Tibor Bogna*

Les incontournables ruines de Tulum qui semblent vouloir se prolonger dans les flots turquoise de la mer des Caraïbes.
- *Morandi*

chupté. Ses 119 chambres avec balcons privés sont réparties sur 2 étages, et l'architecture de l'ensemble rappelle le style colonial. Il n'y a pas de restaurant, mais un casse-croûte se trouve près de la piscine. L'hôtel abrite aussi une agence de voyages et offre un service de buanderie.

Kin-Ha Hotel y Condos
$$$
⊗, ≈, ℜ, ≡
Paseo Kukulcán, km 8
☎*883-2377*
⇄*883-2147*
Établi près de la jolie plage Caracol, le Kin-Ha Hotel y Condos comprend 166 condominiums avec chambres standards ou suites de une à quatre chambres à coucher. Son hall est garni de plusieurs divans et fauteuils confortables, et donne sur la terrasse arrière. Sa plage, très profonde si on la compare à celles des autres hôtels, est munie de petites tables rondes. On peut y louer un pédalo ou d'autres équipements de plage. L'hôtel dispose également d'un bar et d'un casse-croûte. Tous les lundis soir, c'est la fiesta mexicaine avec *mariachis*, un événement qui attire beaucoup de monde.

Plaza Las Glorias
$$$
⊗, ≈, ℜ, ℂ, ≡
Paseo Kukulcán, km 3,5
☎*849-5000*

⇄*849-7437*
Deux bâtiments à l'architecture moderne se faisant face abritent le Plaza Las Glorias, situé près du centre-ville de Cancún. Certaines de ses 138 chambres, décorées simplement, ont une cuisinette. Une agence de voyages et de location de voitures, un petit marché et la possibilité de pratiquer de nombreuses activités nautiques facilitent la vie de la clientèle de ce petit hôtel.

Miramar Misión Cancún Park Plaza
$$$
⊗, ≈, ℜ, ≡
Paseo Kukulcán, km 9,5
☎*883-1755*
⇄*883-1136*
Les 225 chambres du Miramar Misión Cancún Park Plaza sont toutes munies de balcons privés avec vue sur la mer ou sur la lagune. Décorées de façon un peu démodée, elles sont toutefois plutôt grandes et offrent un confort simple. L'hôtel compte deux piscines carrées placées côte à côte, qui font face à la très belle Playa Chac-Mool, cinq restaurants et bars (dont le Batacha, où la musique tropicale est à l'honneur), un salon de beauté et de massage, une boutique et divers services.

Jack Tar Village
$$$$
⊗, ≈, ℜ, ≡
Paseo Kukulcán, km 14

Cancún

☎ *885-1366*
⇾ *885-1363*

Les activités nautiques ne
manquent pas au Jack Tar
Village, qui dispose d'une
petite marina. Situé à côté
de l'imposant Ritz-Carlton et
de la Plaza Kukulcán, cet
hôtel comprend 175 cham-
bres réparties sur 8 étages
qui font toutes face à
l'océan ou à la Laguna Nichupté. L'hôtel compte aussi trois restaurants, une salle
de repos, trois bars et un
relais santé, ainsi qu'une
surprenante piscine en
forme de «8».

Krystal Cancún
$$$$
⊗, ≈, ⊛, △, ⊘, ℜ, ≡
Paseo Kukulcán, km 9,5
☎ *883-1133 ou 800-231-9860*
⇾ *883-1790*
kcancun@krystal.com.mex

Dans les dépliants publici-
taires qui vantent Cancún,
on voit partout la photo de
grandes colonnes de pierre
disposés en demi-cercle. Ce
sont celles du Krystal
Cancún. Ces colonnes en-
tourent la piscine de l'hôtel,
ce qui lui donne un effet
très dramatique. Le bâti-
ment, quant à lui de forme
rectangulaire, abrite
321 chambres distribuées
sur 8 étages, avec meubles
de rotin. Il n'y a pas de
balcon, mais de grandes
fenêtres donnent sur la mer
ou la lagune. L'hôtel dispose en outre d'un court de
tennis. Quatre restaurants,
cinq bars et deux terrains
de tennis entourent la pis-

cine. La plage n'est pas très
grande.

Oasís Cancún
$$$$
⊗, ≈, ⊘, ℜ, ≡
Paseo Kukulcán, km 17
☎ *885-0867*
⇾ *885-1210*

L'un des plus grands hôtels
de Cancún, l'Oasís Cancún
compte 960 chambres ré-
parties dans 4 bâtiments
pyramidaux de 4 ou 5 éta-
ges. Située non loin des
Ruinas del Rey et de San
Miguelito, cette immense
construction s'étend sur
plus de 14 ha. Les chambres
rénovées sont dotées d'un
revêtement de sol carrelé
en pierre et d'un balcon. Sa
gigantesque piscine est
entourée de palmiers avec
«bar-baignade». Il y a aussi
plusieurs restaurants et bars
ainsi qu'une grande boîte
de nuit, deux courts de
tennis, un parcours de golf
à neuf trous et un gymnase
complet.

Sierra Cancún
$$$$ tout compris
⊗, ≈, ℜ, ≡
Paseo Kukulcán, km 10
☎ *883-2444*
⇾ *883-3466*

Le Sierra Cancún est un
hôtel de 260 chambres dont
la situation géographique
est assez particulière. En
raison d'une percée de la
Laguna Nichupté dans la
zone hôtelière, il est entouré d'eau: la Playa Chac-
Mool d'un côté, avec ses

vagues agitées, et de l'autre, la tranquille lagune. L'hôtel possède une petite marina privée, des courts de tennis et quelques boutiques.

Royal Sunset Club
$$$$, tout compris
⊗, ≈, ⊛, ℝ, ℜ, ≡
Paseo Kukulcán, km 10
☎*881-4500*
⇥*883-0868*
Non loin de la Plaza Caracol, dans le coude de la zone hôtelière, se nichent les Suites Sunset Cancún, au nombre de 220, la plupart disposant d'une cuisinette. Les suites sont modernes, décorées dans des tons pastel, et leurs larges fenêtres donnent soit sur la lagune ou l'océan. Une vingtaine de *palapas* sur la plage protègent la clientèle des rayons trop vifs du soleil.

Dos Playas
$$$$
⊗, ≈, ℜ, ≡
Paseo Kukulcán, km 6,5
☎*883-0500*
⇥*883-2037*
Situé à côté d'une petite marina, l'hôtel Dos Playas, composé de 3 petits édifices, compte 125 chambres. Malgré son aspect extérieur un peu maussade, l'entrée est coquette. Près de la plage, surtout avec les nombreux catamarans et voiliers animant le paysage, l'ambiance est sympathique. L'hôtel est doté de deux courts de tennis et d'une jolie piscine circulaire. Certains studios comprennent des chambres fermées.

El Pueblito
$$$$
⊗, ≈, ℜ, ≡
Paseo Kukulcán, km 17,5
☎*881-8800*
⇥*885-0731*
Comme son nom l'indique en espagnol, l'hôtel El Pueblito constitue un petit village formé de cinq bâtiments roses et blancs construits sur un terrain en pente douce. D'un côté, l'eau d'une fontaine s'écoule du sommet de l'hôtel jusqu'à la piscine, et de l'autre, quatre petits bassins de profondeur diverses se suivent en boucle jusqu'en bas, près du restaurant circulaire au toit de feuilles de palmier. Les 240 chambres, décorées à la mexicaine, sont confortables et dotées de balcons privés.

Melia Turquesa
$$$$
⊗, ≈, ℝ, ℜ, ≡
Paseo Kukulcán, km 12
☎*881-2500*
⇥*881-2622*
Le Melia Turquesa, un hôtel blanc de forme pyramidale, se situe à proximité du Planet Hollywood et de la Plaza Flamingo. Ses 444 chambres ont toutes une terrasse privée avec des plantes vertes. L'hôtel dispose d'un café, d'un restaurant de fruits de mer, de trois bars, de deux courts

de tennis et d'une grande piscine. Des orchestres viennent souvent animer les soirées.

Casa Maya
$$$$
⊗, ≈, ℝ, ℂ, ⊛, ℜ, ≡
Paseo Kukulcán, km 5,5
☎*883-0555*
⇆*883-1822*
À la Playa Langosta (voir p 116), les 3 bâtiments du Presidential Retreat abritent 170 chambres modernes et bien équipées faisant face à la mer des Caraïbes. Une réplique du temple de Chichén Itzá d'environ 3 m de hauteur vous accueille à l'entrée.

Solymar
$$$$
⊗, ≈, ℜ, ≡
Paseo Kukulcán, km 19,5
☎*885-1811*
⇆*885-1689*
Non loin des Ruinas del Rey et baigné par la Playa Delfines, le Sol Y Mar, un hôtel de 150 chambres de forme pyramidale, est décoré à la mexicaine. On peut y pratiquer de nombreux sports: plongée sous-marine, plongée-tuba, ski nautique, pêche, bicyclette et tennis. Le golf de 18 trous de l'hôtel Hilton se trouve en face, de l'autre côté du boulevard Kukulcán.

Blue Bay Village
$$$$
⊗, ≈, ℜ, ≡
Paseo Kukulcán, km 3,5
☎*883-0028*
⇆*883-0904*
Le Blue Bay Village compte 160 chambres distribuées dans différents bâtiments de 2 ou 3 étages qui donnent sur la mer ou sur le jardin. La décoration des chambres est correcte et simple. L'hôtel compte trois restaurants et trois bars, un parcours de golf et une petite boutique de souvenirs. Entre autres services, on propose des leçons de plongée sous-marine et d'espagnol. Le soir, on y organise un casino, des spectacles de danse mexicaine et des concours.

Calinda Beach Cancún
$$$$
⊗, ≈, ℜ, ≡
Paseo Kukulcán, km 4,6
☎*883-1600*
⇆*883-1857*
www.hotelescalinda.com
La tour pyramidale du Calinda Beach Cancún n'est pas sans rappeler le Hilton, situé au km 17. Un autre édifice jouxte la tour de l'hôtel, ce qui porte à 470 le nombre de chambres disponibles, avec vue soit sur l'océan ou sur la Laguna Nichupté. Cet hôtel mise beaucoup sur les activités et les divertissements offerts à sa clientèle: une marina, deux courts de tennis bordés de palmiers, des orchestres chaque soir et des fêtes le plus souvent possible. Le Calinda Beach compte en plus deux restaurants et quatre bars.

Calinda Viva
$$$$
⊗, ≈, ℜ, ≡
Paseo Kukulcán, km 8,5
☎*883-0800*
⇌*883-2087*

Le Calinda Viva se dresse devant la Plaza Caracol. Il comprend 210 chambres et 2 grandes suites qui ont toutes vue sur la mer, plutôt calme à cet endroit. Certaines chambres sont communicantes. L'hôtel abrite de plus une agence de voyages et de location de voitures. Un service de gardiennage et d'activités pour les enfants est proposé, moyennant des frais supplémentaires.

Cancún Playa Oasis
$$$$
⊗, ≈, ℝ, ℜ, ≡
Paseo Kukulcán, km 18
☎*885-1111 ou 800-446-2747*
⇌*885-1151*

L'hôtel Cancún Playa, à ne pas confondre avec les Condominiums Cancún Plaza, qui ne sont pas très loin, propose 388 chambres avec vue sur la mer ou sur la Laguna Nichupté; elles sont réparties dans un édifice de forme pyramidale entourant une grande piscine en *L* bordée de palmiers. Les chambres sont aménagées de façon moderne et fonctionnelle. L'hôtel compte six restaurants, quatre bars et deux courts de tennis.

Caribbean Village
$$$$
ℜ, ⊛, ≈, ≡
Paseo Kukulcán, km 13,5
☎*885-0112*
⇌*848-8002*

Situé à deux pas de la Plaza Kukulcán, le Caribbean Village porte bien son nom, car il forme un véritable complexe autosuffisant dont la vocation est d'offrir aux vacanciers tous les services nécessaires sans qu'ils aient besoin de s'aventurer à l'extérieur de l'hôtel. Vu du ciel, cet établissement hôtelier forme grosso modo un *Y*. Il propose une pléiade d'activités à sa clientèle, essentiellement étasunienne et relativement jeune, en quête de plaisirs sous le soleil radieux du Mexique. Des activités sportives de tout acabit sont organisées autour de la piscine, et l'on sert de plantureux buffets au petit déjeuner, au déjeuner et au dîner. De plus, trois restaurants (mexicain, portugais et italien) sont réservés à la clientèle de l'hôtel. Un service de location de voitures, une agence de voyages et toute une panoplie d'activités nautiques sont aussi proposés.

Carrousel Cancún
$$$$
⊗, ≈, ℝ, ℂ, ⊛, ☉, ℜ, ≡
Paseo Kukulcán, D-6
☎*848-7175 ou 800-525-8588*
⇌*848-7179*

Cancún

Sis à quelques kilomètres seulement du centre-ville de Cancún, le Carrousel Cancún se dresse devant la Playa Linda, non loin d'un embarcadère de bateaux. Cet hôtel de 149 chambres réparties sur 3 étages seulement est construit en forme de *C* autour d'un court de tennis et d'une grande piscine. Sa plage, calme et étendue, repose au creux de la Bahía de Mujeres. On y organise tous les jours diverses activités nautiques en plus des spectacles en soirée.

🚢 Casa Turquesa
$$$$
⊗, ≈, ℝ, ⊛; ℜ, ≡
Paseo Kukulcán, km 13,5
☎*885-2924*
⇌*885-2222*
casaturquesa@sybcom.com

Rappelant les luxueuses haciendas du siècle dernier, la Casa Turquesa est un petit hôtel blanc et rose de 33 suites richement meublées, chacune avec un très grand lit, un bar, une baignoire à remous et un balcon privé. Devant l'hôtel, au pied d'un long escalier, trône une grande piscine qui baigne presque dans la mer, avec tentes et palmiers. La Casa Turquesa est membre de l'association des Small Luxury Hotels of the World. Le service est sans faille.

Presidente Intercontinental Cancún
$$$$

⊗, ≈, ⊛, ⊘, ℜ, ≡
Paseo Kukulcán, km 7,5
☎*883-0200*
☎*800-327-0200 des É.-U.*
⇌*883-2515*
www.interconti.coms

Les 298 très grandes chambres du Presidente Intercontinental Cancún sont décorées à la mexicaine tout en intégrant le confort moderne. Tout autour, on peut pratiquer de nombreux sports nautiques. De plus, l'hôtel dispose d'un salon de beauté, de deux piscines, de boutiques, de deux restaurants, d'un bar et d'un court de tennis.

🚢 Ritz-Carlton Cancún
$$$$
⊗, ≈, ⊛, △, ⊘, ℜ, ≡
Paseo Kukulcán, Retorno del Rey 36
☎*881-0808*
⇌*881-0815*

Comme tous les hôtels de cette chaîne luxueuse, le Ritz-Carlton Cancún est très élégant. Situé non loin de la Plaza Kukulcán, cet hôtel, légèrement surélevé par rapport au boulevard, annonce ses couleurs dès le hall. Le plancher de marbre de son hall richement décoré donne un avant-goût de la beauté de ses 370 chambres, qui sont aussi très confortables. Tout évoque de façon discrète l'architecture et l'ambiance des riches demeures mexicaines. Le Ritz-Carlton abrite l'un des meilleurs restaurants de Cancún, le Club-Grill (voir p 151), ainsi qu'un restaurant de cuisine italienne. Il y a aussi un relais santé, un salon de beauté, trois courts de tennis et plusieurs boutiques.

Westin Regina Cancún
$$$$
⊗, ≈, ℝ, ⊛, △, ⊙, ℜ, ≡
Paseo Kukulcán, km 20
☎**885-0086**
⇥**885-0774**
recan@westin.com
Les 385 chambres du Westin Regina Cancún sont joliment décorées, avec un petit coin détente près de la fenêtre. La piscine carrée n'est pas très grande, mais l'hôtel dispose d'une marina privée où des activités nautiques non motorisées sont offertes gratuitement à la clientèle.

Club Las Velas
$$$$$
⊗, ≈, ℜ, ≡
Paseo Kukulcán, km 3,5
☎**883-2222**
⇥**883-2118**
Agréablement installé sur la Laguna de Nichupté, le Club Las Velas rappelle une petite ville coloniale. Il se compose de petites maisonnettes disposées pêle-mêle autour desquelles on se promène comme dans un village, impression renforcée par les fontaines, les places et les jardins fleuris. Ses 285 chambres renferment toutes un bar, un téléviseur et un téléphone. L'hôtel dispose en outre de deux piscines, deux restau-

rants et deux bars. Planche à voile, volley-ball, tennis et plongée sous-marine sont quelques-unes des activités organisées.

Continental Villas Plaza
$$$$$
⊗, ≈, ℜ, ≡
Paseo Kukulcán, km 11
☎**883-1022**
⇥**881-5697**
Vous trouverez peu d'hôtels à Cancún qui offrent autant de services et d'activités que le Continental Villas Plaza. Ses 626 chambres comportent des balcons avec vue sur la mer ou sur la lagune. L'hôtel, composé de quelques bâtiments de deux ou trois étages, comprend cinq restaurants, deux boutiques, un court de tennis et une agence de voyages et de location de voitures.

Crowne Paradise Club
$$$$$
⊗, ≈, ℜ, ≡
Paseo Kukulcán, km 18,5
☎**885-1022**
⇥**885-0313**
Vu du ciel, le Crowne Paradise Club a à peu près la même forme de «7» que la zone hôtelière de Cancún. Ses 364 chambres ont toutes vue sur la mer et sont dotées de balcons privés. L'hôtel comprend de plus quatre restaurants, quatre piscines dont l'une couverte, un salon de beauté ainsi que quatre bars avec orchestre en soirée, et a un

Cancún

programme d'activités pour les enfants.

🌴 Camino Real Cancún
$$$$$
⊗, ≈, ℝ, ℜ, ≡
Paseo Kukulcán, km 8,5
☎848-7000
⇜883-1730
www.caminoreal.com/cancun

Le Camino Real Cancún, situé à Punta Cancún, est l'un des premiers hôtels qui fut construit à Cancún. Il est établi au meilleur endroit possible: dans le coude de la zone hôtelière, avec vue sur l'océan des deux côtés. Il est aussi tout près de l'activité commerciale et nocturne de la zone hôtelière. Il comprend 381 chambres dont la décoration respecte le style mexicain, six restaurants, deux bars, une piscine bordée de tours de pierre et trois courts de tennis. Parmi les services offerts, il y a une boutique ainsi qu'une agence de tourisme et de location de voitures.

Club Med de Cancún
$$$$$ *tout compris*
⊗, ≈, ℜ, ≡
Punta Nizuc
☎885-2900
⇜885-2290

Le Club Med de Cancún est plutôt isolé par rapport aux autres établissements de la zone hôtelière. D'abord, il est situé à l'extrémité sud de la série d'hôtels et, de plus, il est assez loin du boulevard Kukulcán. L'en-semble est composé de petits bâtiments de 2 ou 3 étages décorés dans le style mexicain, tout comme ses 450 chambres. Comme tous les Club Med, c'est l'endroit privilégié pour la pratique de sports comme la plongée sous-marine, le ski nautique, le tennis et le golf. Sur place se trouvent aussi deux restaurants et une discothèque avec terrasse donnant sur la plage, où l'ambiance est très animée le soir grâce entre autres aux fameux G.O. (gentils organisateurs). Le Club Med est conçu pour répondre aussi bien aux besoins des couples et des familles que des personnes seules. Pour vous rendre en autobus au centre-ville de Cancún, comptez au moins 45 min, et au cœur de la zone hôtelière, à peu près 30 min.

🌴 Fiesta Americana Cancún
$$$$$
⊗, ≈, ℜ, ≡
Paseo Kukulcán, km 9,5
☎883-1400
⇜881-1404

Avec le Camino Real et le Presidente, l'hôtel Fiesta Americana Cancún est l'un des pionniers de Cancún. Ses quatre édifices agréablement disposés, de couleur pêche, rappellent un village mexicain, effet rehaussé par la cour intérieure, où le restaurant recouvert de feuilles de palmier est entouré d'une grande piscine ronde et d'une multitude de palmiers.

Fiesta Americana Condesa Cancún
$$$$$
⊗, ≈, ⊛, ☺, ℜ, ≡
Paseo Kukulcán, km 16,5
☎881-4200 ou 800-FIESTA-1
⇄885-2014

L'un des plus récents hôtels de la chaîne Fiesta Americana est le Fiesta Americana Condesa Cancún, qui n'est pas sans rappeler une ruche d'abeilles. Ses 502 chambres et suites sont réparties dans 2 bâtiments de style *pueblo* (petit village). Dès l'entrée, on est frappé par le luxe du grand hall d'entrée avec son plancher de marbre et ses grandes toiles. La grande piscine forme des arabesques entourées de *palapas*. L'hôtel compte quatre restaurants, trois bars et trois courts de tennis protégés par un toit. La plage n'est pas très grande, mais il y a beaucoup de place pour s'étendre au soleil.

Hyatt Regency Cancún
$$$$$
≈, ℜ, ⊗, ☺, ℜ, ≡
Paseo Kukulcán, km 8,5
☎883-0966
⇄883-1348

Entre le Camino Real et le Krystal se dresse le Hyatt Regency Cancún, au centre de la zone hôtelière. Au sommet de ses 14 étages trône un atrium de verre. Ses 300 chambres rénovées, au plancher recouvert de moquette, sont garnies de meubles de rotin et disposent de balcons avec vue sur la mer. L'hôtel comporte en outre trois restaurants, trois bars, deux piscines, un court de tennis, une agence de voyages, un salon de beauté et des boutiques.

🚢 Le Méridien
$$$$$
ℜ, ⊛, ≈
Retorno del Rey, km 14
☎881-2220
⇄881-2201
meridiencancun2@acnet.net

Nouveau prétendant au titre de palace par excellence de la *zona hotelera* de Cancún, Le Méridien, membre de la chaîne d'hôtels française mondialement connue, dresse avec grâce sa silhouette parmi la pléthore d'établissements de Cancún qui cherchent à répondre aux besoins des clients les plus exigeants. Le personnel en place, éternellement souriant, semble redéfinir les normes internationales de la courtoisie et ne demande qu'à vous servir. Les chambres, spacieuses, bénéficient d'une jolie vue sur l'océan et sont décorées avec tout le soin que requiert une élégance discrète. Son restaurant Côté Sud (voir p 148) vous fera saliver. La splendide piscine s'étage sur trois niveaux qui offrent pour chacun une eau réglée à une température différente.

Hyatt Cancún Caribe
$$$$$

⊗, ≈, ℜ, ≡

Paseo Kukulcán, km 10,5

☎ *883-0044*

≈ *883-1514*

Deux jaguars de pierre vous accueillent à l'entrée du Hyatt Cancún Caribe, un hôtel de forme incurvée qui offre une vue magnifique à partir de ses 199 chambres. Celles-ci sont munies de balcons privés et de vastes salles de bain. L'entrée de l'hôtel, très élégante, est un savant mélange de marbre rose, de palmiers, d'œuvres d'art et de répliques de sculptures préhispaniques en pierre. L'hôtel abrite plusieurs boutiques, le restaurant Cocay Café, où l'on sert des buffets thématiques, le restaurant créole Blue Bayou, deux courts de tennis, une agence de voyages et un salon de coiffure. Sa piscine comporte deux niveaux.

Sheraton Cancún
$$$$$

⊗, ≈, ℝ, ⊛, △, ⊘, ℜ, ≡

Paseo Kukulcán, km 12,5

☎ *883-1988*

≈ *885-0204*

Non loin de la Plaza Kukulcán et juste à côté des ruines de Yamil Lu'um, se dresse le Sheraton Cancún, un hôtel composé de 2 bâtiments: l'un de 314 chambres et l'autre de 167 chambres. L'hôtel possède un mini-golf, un jardin avec hamacs, un terrain de basket-ball, quatre courts de tennis et une grande piscine en forme de «8». L'hôtel compte presque 1 km de plage à lui seul.

🛶 **Hilton Cancún**
$$$$$

⊗, ≈, ℝ, ⊘, ℜ

Paseo Kukulcán, km 17

☎ *881-8000*

≈ *881-8082*

L'architecture du Hilton Cancún rappelle un peu la pyramide de Chichén Itzá. Cet hôtel, l'un des plus beaux et des plus chers de Cancún, comprend 529 chambres, 5 restaurants, 2 bassins à remous extérieurs, 2 courts de tennis éclairés le soir et un centre d'activités nautiques. Chacune des chambres a vue sur l'océan et dispose d'un service de messagerie vocale et d'un radio-réveil. La clientèle de l'hôtel a aussi accès au golf Caesar Park, situé de l'autre côté du boulevard, tout près des ruines d'un temple maya.

Cancún Palace
$$$$$

⊗, ≈, ℝ, △, ⊘, ℜ, ≡

Paseo Kukulcán, km 14,5

☎ *885-0533*

≈ *885-1202*

Combinant la formule hôtel et condos à temps partagé (*time sharing*), le Cancún Palace est un grand immeuble de 424 chambres. Il offre de nombreux services comme le gardiennage, la location de voitures, une boutique de souvenirs, et est équipé d'une salle de gymnastique et d'un sauna. Il compte pas moins de quatre restaurants, trois bars et deux courts de tennis. La plage n'est pas très grande mais très bien aménagée, et la vue sur la mer des Caraïbes est magnifique.

Fiesta Americana Coral Beach Cancún
$$$$$
⊗, ≈, ⊛, ⊘, ℜ, ≡
Paseo Kukulcán, km 9,5
☎ **881-3200**
⇆ **881-3084**

Le Fiesta Americana Coral Beach Cancún, installé près du Centro de Convenciones et du centre commercial Plaza Caracol, est considéré comme l'un des 100 meilleurs hôtels du monde par le magazine *Condé NastTraveler*. Le hall d'entrée est décoré de grands palmiers et s'ouvre sur la Bahía de Mujeres. Ses 602 suites, réparties dans 2 bâtiments de couleur pêche, sont agréablement décorées dans des tons pastel et offrent une vue sur l'océan. L'hôtel compte cinq restaurants, six bars et trois courts de tennis. Sa grande piscine, très élégante, est entourée de *palapas* et de palmiers. Ses nombreuses boutiques spécialisées et son programme quotidien d'activités (volleyball, planche à voile ou gymnastique) assurent à sa clientèle un séjour des plus agréables.

Marriott Casa Magna Cancún
$$$$$
⊗, ≈, ℜ, ⊘, ℜ, ≡
Paseo Kukulcán, km 14,5
☎ **885-2000**
⇆ **881-2085**

Le Marriott Casa Magna Cancún, établi sur la Playa Ballenas, est un grand hôtel beige et blanc moderne de six étages. Son architecture méditerranéenne est soulignée par la présence de voûtes et de dômes. Ses 450 chambres et suites sont décorées de motifs tropicaux dans des tons pastel et dotées de balcons privés. Chaque chambre met en outre à votre disposition fer et planche à repasser. Des cascades d'eau égaient les piscines qu'entourent quatre restaurants et quatre bars. Cet hôtel a tout un programme d'activités pour les enfants (plongée, tennis, marina) et offre plusieurs courts de tennis.

Melia Cancún Beach and Spa Resort
$$$$$
⊗, ≈, ℜ, ⊘, ℜ, ≡
Paseo Kukulcán, km 23
☎ **885-1114**
⇆ **885-1263**
meliavta@cancun.rce.com.mx

Le toit de verre du Melia Cancún Beach and Spa Resort rappelle un peu la pyramide du Louvre. Il s'agit du premier établissement de la chaîne espagnole construit au Mexique. Ce grand hôtel de verre et de béton compte 700 cham-

Cancún

bres de taille moyenne munies de spacieuses terrasses. Sa grande cour intérieure est littéralement envahie par la végétation. L'hôtel dispose d'un parcours de golf, d'une piscine avec «bar-baignade» et d'une autre qui imite le bord de la mer avec son rivage en pente. Il y a aussi trois courts de tennis, cinq restaurants, quatre bars et un relais santé.

Royal Solaris Caribe
$$$$$
⊗, ≈, ◉, ⊘, ℜ, ≡
Paseo Kukulcán, km 19,5
☎885-0100
≈885-0354
Le Royal Solaris Caribe, un grand hôtel de 480 chambres, est constitué d'un bâtiment principal entouré de quelques pavillons. Faisant face à la Playa Delfines, il se trouve tout près des Ruinas del Rey (voir p 114). Un programme quotidien de sports nautiques dans la journée et une discothèque avec orchestre latino-américain le soir en font un endroit très animé.

Sun Palace
$$$$$
⊗, ≈, ◉, ⌂, ⊘, ℜ, ≡
Paseo Kukulcán, km 20
☎885-1555
≈885-2040
Sur la plage du Sun Palace, la direction s'active pour ne pas que sa clientèle s'ennuie! On peut faire du kayak, de la voile, du ski nautique, du pédalo, jouer

au volley-ball, pour ne nommer que quelques-uns des choix qui s'offrent aux vacanciers. Cet hôtel jaune de 7 étages compte 227 chambres claires et modernes, une petite boutique d'artisanat et de souvenirs, et des courts de tennis. Près de la piscine, un grand bassin à remous avec fontaine centrale peut accueillir 40 personnes.

Restaurants

Ciudad Cancún (centre-ville)

Boulangerie-pâtisserie
$
derrière le centre commercial, Lote 33, local 10 SM 2, Av. Tulum
☎880-7319
Pour une bouchée rapide et sans façon, la petite boulangerie-pâtisserie ouvre ses portes dès 5h pour vous proposer des pains au chocolat, des croissants aux amandes, des baguettes ou des ficelles. Il n'y a pas de place pour s'asseoir, mais rien ne vous empêche de vous rendre au petit parc situé tout près pour y manger tout à votre aise.

Ty-Coz Baguettería
$-$$
juste à côté de la boulangerie-pâtisserie

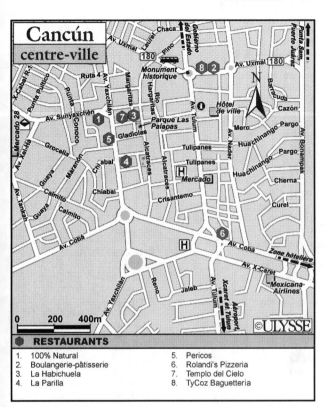

RESTAURANTS

1. 100% Natural
2. Boulangerie-pâtisserie
3. La Habichuela
4. La Parilla
5. Pericos
6. Rolandi's Pizzeria
7. Templo del Cielo
8. TyCoz Baguetteria

Derrière le centre commercial, Ty-Coz Baguetteria prend des allures de sympathique petit bistro français. La carte propose des classiques comme croissants ou baguettes jambon-fromage, express ou cappuccinos. Des affiches européennes tapissent les murs et l'on a même remplacé l'affiche traditionnelle *Baños* par une enseigne «toilette». Le service est sympathique. Excellent rapport qualité/prix.

Los Almendros
$-$$
11h à 22h
Av. Bonampak, angle Av. Sayil
☎887-1332

Un restaurant bien sympathique est le Los Almendros. On y apprête des spécialités yucatèques: la *sopa de lima*, le poulet et le porc cuits dans des feuilles de bananier (*pollo* pibil et cochinita pibil). La Pavo en Salsa de Alcaparras est un

Cancún

plat de dinde en tranches épaisses garnies d'une sauce aux câpres, aux olives, aux raisins et aux tomates. La spécialité de la maison est le Poc Chuc, soit du porc mariné dans du jus d'oranges amères, cuit sur le grill et servi avec des haricots noirs.

100% Natural
$-$$$
Av. Sunyaxchén
☎885-2904
Ici comme dans la zone hôtelière la santé, la fraîcheur et le sourire sont à l'ordre du jour au restaurant 100% Natural. On y sert des montagnes de fruits frais, une variété de jus vitaminés à faire rêver et des plats végétariens simples et alléchants, ainsi que des plats de poulet et de fruits de mer.

Pericos
$-$$$
13h à 1h
Av. Yaxchilan
☎884-3152
Lorsque vous aurez repéré la vieille carriole juchée sur le toit de chaume, vous aurez trouvé le chouette restaurant mexicain Pericos. Le décor est burlesque et frise le délire: fresques murales étranges, squelettes humains grandeur nature faits de papier mâché et attablés devant une bouteille de tequila en train de jouer aux cartes, selles trônant sur les tabourets du

bar, chaises de fabrication artisanale, nombreux chapeaux accrochés au plafond et vieilles photos noir et blanc collées aux murs. Même les toilettes sont décorées de façon particulière: des miroirs déformants fixés aux murs raviront les dames qui verront leur silhouette prendre des allures de sylphides élancées, tandis que les *caballeros* ont intérêt à ne pas être trop enivrés par l'alcool en observant dans les miroirs muraux l'image de leur corps s'allonger ou se rétrécir fortement...

Rolandi's Pizzeria
$$-$$$
midi à minuit
Av. Cobá nº 12, au centre-ville
☎884-4047
Le Rolandi's Pizzeria appartient au même propriétaire que la Casa Rolandi (voir p 150). On y propose surtout de la pizza cuite au four à bois, mais aussi des fruits de mer et des steaks. Ce restaurant, ouvert depuis 1978, présente un décor coloré, simple et enjoué. Les livraisons sont possibles.

La Habichuela
$$-$$$$
13h à minuit
Calle Margarita, en face du parc Las Palapas, au centre-ville
☎884-3158
Spécialisée dans la cuisine tropicale des Caraïbes, La Habichuela sert surtout des fruits de mer. Avec une

grande murale peinte, une végétation abondante et de nombreuses sculptures mayas, l'ambiance y est cossue et relaxante. La spécialité de la maison est le *cocobichuela*: des crevettes et de la langouste nappées d'une sauce au cari et servis dans une moitié de noix de coco. Le soir, on y joue de la musique jazz.

La Parilla
$$-$$$$
midi à 4h
Av. Yaxchilán n° 51, près de l'Av. Cobá, au centre-ville
☎ **884-5398**
Les fruits de mer, les spécialités yucatèques et les steaks se partagent le menu du restaurant La Parilla, où le choix ne manque pas. Cette institution de Cancún, en activité depuis 1975, attire non seulement les touristes mais aussi la population locale, ce qui est une preuve de son authenticité en matière de cuisine. C'est aussi l'endroit pour découvrir toutes les facettes de la tequila, la boisson nationale, car sa carte en propose pas moins de 48 sortes différentes.

Zone hôtelière

Bellini
$-$$
Plaza Caracol, à l'étage
☎ **883-0459**
Bellini est un petit café à la fois simple et moderne qui

sert des plats tels que sandwichs étagés, spaghettis au pesto et gâteaux maison. Bref, il s'agit d'une adresse qui conviendra parfaitement à ceux et celles qui s'ennuient des effluves culinaires auxquels ils sont habitués chez eux.

Suchi Itto
$-$$
Plaza Forum by the Sea
☎ **883-4482**
Si vous avez envie de troquer vos *quesadillas* et vos *tacos* pour quelque chose d'un peu plus léger, dirigez-vous vers le restaurant japonais Suchi Itto, qui prépare les classiques de la cuisine nipponne: *sushis, tempuras, teriyakis*.

100% Natural
$-$$$
24 heures sur 24
Av. Plaza Kukulcán, km 8,3
☎ **883-1180**
La santé, la fraîcheur et le sourire sont à l'ordre du jour au restaurant 100% Natural. On y sert des montagnes de fruits frais, une variété de jus vitaminés à faire rêver et des plats végétariens simples et alléchants, ainsi que des plats de poulet et de fruits de mer. S'y trouve aussi une petite terrasse d'où l'on peut regarder le va-et-vient des passants sur le Paseo Kukulcán.

Ok Maguey
$-$$$
7h à minuit

Cancún

Kukulcán Plaza, km 13,5
☎885-0503
Ok Maguey exhale une atmosphère joyeuse et décontractée. L'établissement s'anime davantage lorsque les *mariachis* viennent y chanter leur romance sous un ciel étoilé chargé d'humidité. La décoration intérieure évoque la façade d'un village colonial, tandis que le personnel est drapé de costumes traditionnels du pays. Le menu est typiquement mexicain et passablement consistant: *sopa de Lima, guacamole, quesadillas*, et tout l'assortiment habituel.

Pat Obrien's
$-$$$
7h à 2h
Flamingo Plaza, km 11,5
☎883-0418
Pat Obrien's est un resto-bar en plein air qui donne sur le bord de l'eau. On y sert des repas copieux sans grandes surprises culinaires, mais tarifés à des prix qui ne grèveront pas trop votre budget. On peut aussi y prendre un petit déjeuner buffet pour environ 7$, tandis que, pour le déjeuner, la carte affiche une table d'hôte pour environ 10$. L'endroit devient très animé lorsque le soleil disparaît et qu'on allume une grande flamme vacillante au milieu d'une cascade d'eau. Peu après, vers 21h, la petite piste de danse de cet établissement est prise d'assaut par les visiteurs qui s'éclatent sous les airs assourdissants de l'orchestre. Dès lors, la nourriture qu'on vous sert joue les seconds violons dans l'environnement sonore et visuel où vous êtes plongé. Le bar prépare aussi les fameux *hurricanes* comme à La Nouvelle-Orléans.

Templo del Cielo
$$
Calle Gladiolas n⁰ 8
☎884-4165
Les mordus de cuisine chinoise se retrouveront au restaurant Templo del Cielo (Temple du Ciel), l'un des rares restaurants asiatiques de Cancún. Voisin de la Posada Lucy, au cœur du centre-ville, le Templo del Cielo occupe la partie sud d'une rue fort agréable. Le menu affiche tous les plats traditionnels de la cuisine chinoise; les portions sont généreuses, le service courtois et les prix modérés.

La Misión
$$-$$$
Blvd Kukulcán, km 13,5
☎885-1706
Le restaurant La Misión fait partie de l'hôtel Misión Miramar situé à deux pas du resto Ok Maguey, mais est supérieure à son voisin au point de vue de la qualité et du choix. Il propose une délicieuse cuisine à la fois mexicaine et internationale: filet mignon, suprême de poulet, filet de poisson, langouste, etc. À l'intérieur,

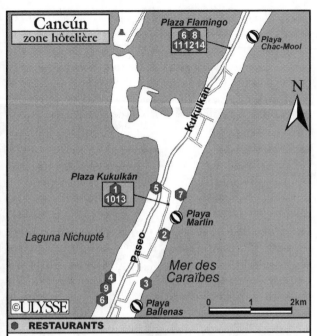

Cancún
zone hôtelière

Plaza Flamingo

6 8
11 12 14

Playa
Chac-Mool

N

Kukulkán

Plaza Kukulkán

1
10 13

5

7

Playa
Marlín

Laguna Nichupté

Paseo

2

Mer des
Caraïbes

©ULYSSE

4
9
6

3

Playa
Ballenas

0   1   2km

● RESTAURANTS

1. 100% Natural	6. La Dolce Vita	11. Outback Steak House
2. Celebrity's	7. La Misión	12. Pat Obrien's
3. Côté Sud	8. Los Rancheros	13. Planet Hollywood
4. Faro's	9. Mango Tango	14. Sanborns
5. La Destillería	10. Ok Maguey	

Cancún

des miroirs fixés aux murs donnent une fausse mais agréable impression de grand espace, tandis que sa petite terrasse extérieure est garnie de tables pour ceux et celles qui préfèrent manger à l'air libre pendant qu'un pianiste exécute des airs au cours des dîners.

Outback Steak House
$$-$$$
16h à minuit
Plaza Flamingo, Blvd Kukulcán, km 11,5
☎883-3350
L'Outback Steak House situé à côté du Pat Obrien's (voir p 144) est une autre adresse à retenir pour les *mates* carnivores. Cette importation australienne est un bon prétendant au titre de meilleur *steakhouse* de Cancún. Le menu propose aussi des fruits de mer et du poisson. Évidemment, on y sert volontiers la sempiternelle *Fosters* pour étancher la soif des convives.

Rainforest Cafe
$$-$$$
11h à 1h
Plaza Forum by the Sea, km 9,8
☎881-8130
Si vous cherchez un lieu pour vous restaurer en famille, le Rainforest Cafe plaira sûrement à vos enfants. Le décor tente de recréer l'environnement des forêts tropicales, d'où le nom, grâce à plusieurs aquariums géants où folâtrent des poissons colorés, à des animaux qui s'activent mécaniquement et à des cascades d'eau qui ruissellent. Pâtes, sandwichs, poulet et salades composent le menu de ce restaurant familial. Seule ombre au tableau: il fait aussi office de boutique de souvenirs qui tente de vendre une panoplie de produits reprenant son nom de commerce.

Sanborns
$$-$$$
24 heures sur 24
Plaza Flamingo, km 8,5
☎885-1069
Phare de nuit de la *zona hotelera*, Sanborns ne propose pas des plats très imaginatifs, mais reste ouvert 24 heures sur 24 pour satisfaire une fringale à toute heure. Certains Américains s'y sentent à l'aise comme à la maison.

Santa Fe Beer Factory
$$-$$$
Plaza Forum by the Sea
☎883-4469
www.sfbeerfactory.com.mx
Le Santa Fe Beer Factory partage sa terrasse arrière avec celle du Hard Rock Cafe (voir p 149). L'endroit est idéal pour déguster en bonne compagnie l'une des nombreuses bières brassées sur place, regarder l'océan et se faire caresser le visage par la douce brise marine. Si vous avez une fringale, on y sert aussi des repas de cuisine mexicaine simples et salés.

Yuppies Sports Cafe
$$-$$$
11h à 3h
Blvd Kukulcán, km 9,5
☎*883-4300*
Malgré un nom un peu pompeux, le Yuppies Sports Cafe constitue un bon endroit pour papoter entre amis, prendre une bouchée et regarder votre équipe favorite disputer un match à la télévision.

La Fisheria
$$-$$$
11h à minuit
Plaza Caracol, km 8,5
☎*883-1395*
Spécialisé dans les fruits de mer, La Fisheria sert le fameux *ceviche*, soit du poisson cru mariné dans une sauce tomate avec oignon et coriandre. Comme plat principal, truite amandine, pieuvre en sauce *chipotle*, langouste grillée, prise du jour... vous avez le choix. Les pizzas cuites au four à bois valent aussi le détour.

Los Rancheros
$$-$$$
8h à 1h
Plaza Flamingo, km 11,5
☎*885-2758*
La cuisine du Los Rancheros est aussi typiquement mexicaine, et son ambiance est à la fête. La musique des *mariachis* et un ballet folklorique accompagnent le repas des dîneurs chaque soir dès 20h. Demandez le menu en français.

Langouste

Blue Bayou
$$-$$$
18h à 23h
hôtel Hyatt Caribe, Paseo Kukulcán, km 10,5
☎*883-0044*
Pour une ambiance à la fois romantique et détendue, le Blue Bayou est un endroit idéal. De 21h à 23h, des musiciens accompagnent votre repas avec des airs de jazz. La cuisine qu'on y sert est typiquement créole et cajun. Réservations recommandées.

Dolce Vita
$$-$$$
midi à 23h
Paseo Kukulcán, km 14,5, Laguna Nichupté, de l'autre côté de l'hôtel Marriott
☎*885-0161*
Spécialisé en fine cuisine italienne, la Dolce Vita a fait le bonheur des résidants du centre-ville pendant plus de 10 ans avant de se rapprocher des touristes. La terrasse donne maintenant sur la lagune, ce qui en fait un endroit très romantique pour dîner. On y sert des fruits de mer et des pâtes fraîches fabriquées sur

Cancún

place. La spécialité est un plat de langouste et de crevettes reposant sur un lit de pâtes aux épinards dans une sauce au vin blanc.

Côté Sud
$$-$$$
18h à 23h
Retorno del Rey, km 14
☎*881-2260*

Côté Sud, le restaurant du chic hôtel Méridien (voir p 137), est sans nul doute l'adresse à retenir pour ceux et celles qui recherchent l'expérience culinaire. La spécialité de la maison est évidemment la cuisine de l'Hexagone teintée subtilement d'une touche à saveur mexicaine. Tous les plats sont merveilleusement bien relevés et préparés avec des ingrédients frais du jour qui se mélangent avec élégance et originalité. Parmi les splendides créations qui figurent au menu, mentionnons le tartare de poisson aux herbes, les crevettes bardées de lard fumé, le magret aux mangues accompagné d'une galette de pommes de terre et oignons rouges, sans oublier, bien sûr, des classiques comme l'entrecôte grillée ou la coquille Saint-Jacques. Le décor, élégant et simple, est à l'image du service, sans faille, et se prête aussi bien à un tête-à-tête intime qu'à un repas d'affaires ou une rencontre entre copains.

Bogart's
$$-$$$$
18h à minuit
Paseo Kukulcán, km 9
☎*883-1133*

Bogart's, l'un des restos les plus courus en ville, se trouve dans les murs de l'hôtel Krystal (voir p 130). Le menu est axé sur une cuisine classique internationale, et le décor évoque l'Afrique du Nord ou, si vous préférez, Casablanca, clin d'œil au film dans lequel Bogart campait le rôle principal. Le service est discret et attentionné.

Faro's
$$-$$$$
14h à 23h
Plaza Lagunas, km 14,2
☎*883-2080*

Le restaurant Faro's, entièrement revêtu de couleurs marines et décoré d'objets se rapportant à la mer, est spécialisé dans les fruits de mer. Crevettes à la tequila, filets de poisson «à la maya» ou grande assiette de fruits de mer Faro's, le choix sera difficile!

El Mexicano
$$-$$$$
midi à minuit
Centro Comercial La Mansión Costa Blanca, km 11,5, près de la Plaza Caracol et du Centro de Convenciones
☎*883-2220*

La musique et la danse accompagneront votre repas au restaurant El Mexicano, un endroit très prisé des touristes qui apprécient les spectacles de *mariachis* et de ballet folklorique. Si c'est un endroit calme que vous recherchez, vous serez déçu. Il y a beaucoup de bruit, beaucoup de couleurs, beaucoup de tout! La cuisine, représentative de différentes régions du Mexique, est surtout composée de fruits de mer et poissons, ainsi que de steaks bien épais. Les Camarones Caribeños (crevettes des Caraïbes), pêchées dans les environs, sont apprêtées de différentes façons.

Hard Rock Cafe
$$-$$$$
11h à 2h
Plaza Forum, km 9
☎*881-8120*
Comme le Planet Hollywood (voir ci-dessous), le Hard Rock Cafe est une institution mondiale. Il y en a un dans toutes les grandes villes du monde (et même un à Cozumel). On y sert surtout des hamburgers et divers sandwichs. La musique rock qui joue très fort ne plaît pas à tout le monde.

La Destillería
$$-$$$$
13h à 1h
Blvd Kukulcán, km 12,65
☎*885-1086*
Au nord-ouest de la Plaza Kukulcán, La Destillería, réplique d'une fabrique de tequila de Guadalajara, dresse sa façade orange fiévreuse. Le chef n'utilise

que des aliments frais du jour et concocte des plats traditionnels mexicains inspirés de différentes régions de la république, comme Campeche, Oaxaca, Puebla, et bien sûr le Yucatan. Si vous êtes friand de tequila, sachez que plus de 150 sortes figurent au menu. Une petite terrasse derrière l'établissement permet de prendre un verre ou de manger à l'air libre en regardant la mer, mais elle n'est ventilée que par la brise marine. Les lundis et mercredis, on organise des visites explicatives concernant le processus de fabrication de l'eau de vie du Mexique, suivies d'une dégustation de tequila et de quelques plats mexicains, le tout pour seulement 5$.

Planet Hollywood
$$-$$$$
11h à 2h
Plaza Flamingo, km 11,5
☎*883-0527*
Diverses vedettes du grand écran ont créé un peu partout sur le globe des restaurants tels que le Planet Hollywood. On y propose des hamburgers, des steaks et des côtes levées ainsi que des mets chinois et italiens, dans une ambiance très décontractée, sinon relâchée. Les prix sont trop élevés pour ce qu'on y sert. Le soir, la musique bat son plein et l'on se démène sur la piste de danse (à partir de 23h).

Cancún

Savio's
$$-$$$$
10h à minuit
Plaza Caracol, km 8,5
☎ *883-2085*

Installé sur deux étages, le restaurant Savio's loge dans un local lumineux et se spécialise dans la cuisine italienne du Nord avec, en vedette, des plats comme la *bruscheta*, les *fettucine* primavera, la lasagne napolitaine et l'escalope de veau. La mer étant à proximité, il est tout à fait normal que des plats de poisson figurent aussi en bonne place sur la carte.

Mango Tango
$$-$$$$
17h à 2h
Paseo Kukulcán, km 14,2
☎ *885-0303*

Tout près du restaurant La Dolce Vita et du Ritz-Carlton, le Mango Tango propose un menu très varié. Essayez sa grosse salade Mango Tango (crevettes, avocat, poulet et champignons), ses *fettuccine* aux crevettes et ses poissons grillés garnis de tranches d'ananas ou de banane. La musique reggae et la danse sont aussi au menu jusqu'aux petites heures.

Angus Butcher Steak House
$$$-$$$$
Blvd Kukulcán, km 9,5
☎ *883-4301*

L'Angus Butcher Steak House se contente de préparer de gros steaks juteux.

La musique douce de jazz distille une ambiance chaleureuse et feutrée.

Casa Rolandi
$$$-$$$$
13h à 23h
Plaza Caracol, km 8,5
☎ *883-2557*

La délicieuse et authentique cuisine italienne de la Casa Rolandi est créée par son chef, Mirco Giovanni, qui en est aussi propriétaire. Toutes les pâtes sont fraîches et fabriquées sur place. On y sert des *antipasti* (entrées), *risottos*, lasagnes, côtelettes d'agneau au thym, pizzas cuites au four à bois et bien sûr toutes les sortes de pâtes inimaginables. La décoration du restaurant évoque, par sa simplicité et son bon goût, la Méditerranée. Le service est offert en espagnol, en anglais, en italien, en allemand et en français.

Hacienda El Mortero
$$$-$$$$
midi à minuit
Paseo Kukulcán, km 9
☎ *883-1133*

La Hacienda El Mortero est une réplique exacte d'une hacienda du XVIIIe siècle, l'une de ces demeures luxueuses qui appartenaient aux grands propriétaires terriens. Les spécialités mexicaines de ce restaurant très chic et la musique des *mariachis* en font un endroit très couru, aussi nous vous recommandons de réserver à l'avance.

Celebrity's
$$$-$$$$
Blvd Kukulcán, km 13,5
☎885-2924

Des célébrités tout azimut se pointent au restaurant de la Casa Turquesa, Celebrity's. Le chef concocte une variété de plats aux saveurs locales et internationales. Le personnel fait preuve d'une grande courtoisie. Le décor sobre, chic et feutré convient merveilleusement pour un dîner d'affaires ou un tête-à-tête, alors que la lumière tamisée se reflète dans les yeux et les sourires des convives.

Lorenzillo's
$$$-$$$$
midi à minuit
Paseo Kukulcán, km 10,5
☎883-1254

On accède à Lorenzillo's par une passerelle qui mène à une grande salle à manger coiffée d'un toit de chaume dont le décor rappelle un club nautique avec ses bouées de sauvetage, ses barres de gouvernail et ses filets de pêche. La spécialité de la maison est la langouste, que vous choisirez parmi celles qui attendent leur triste sort dans un vivier. Par ailleurs, le menu affiche aussi des plats de poissons, de crustacés et de viande. L'endroit demeure populaire malgré ses tarifs prohibitifs.

Ruth's Chris Steak House
$$$-$$$$
13h à 23h
Plaza Kukulcán, km 135
☎885-0500

Ruth's Chris Steak House est très populaire auprès des Américains qui s'ennuient des gros steaks juteux qu'on leur sert à la maison. Le décor est banal, mais les portions sont énormes; la viande est toujours fraîche et cuite à votre goût. Côtelettes de porc, poulet mariné et crevettes grillées sont aussi apprêtées.

Club Grill
$$$$
Paseo Kukulcán, km 13,5
☎885-0808

L'un des restaurants les plus chics et les plus chers de Cancún est le Club Grill de l'hôtel Ritz-Carlton. Dans un décor feutré (beige et or, chaises profondes avec accoudoirs, tables rondes, nappes fines, couverts raffinés, fleurs sur la table), on vous sert avec professionnalisme. Tout cela contribue à la renommée de ce restaurant. La cuisine qu'on y fait est une variation raffinée sur le thème des mets français, créoles et yucatèques. À essayer: le «Club-Grill» aux fruits de mer.

Cancún

espagnol et en costume coloré.

Sorties

Cinéma

Activités culturelles

Plusieurs cinémas présentent des films hollywoodiens à succès, entre autres:

Ballet Folklórico de Cancún
460 pesos
mar et sam 18h30
☎*883-0520*
Le Ballet Folklórico de Cancún présente un spectacle chaque mardi et samedi soir au Centro de Convenciones: une douzaine de danseurs et autant de musiciens chanteurs illustrent les danses typiques à différents États mexicains (danse du cerf, des bouteilles...), et le spectacle est précédé d'un repas mexicain de style buffet.

Tulum
Av. Tulum, SM2, nº 16
☎*884-3451*

Cinemas Kukulcán
Plaza Kukulcán, Paseo Kukulcán, km 13, 2e étage
☎*885-3021*

Plaza La Isla
Paseo Kukulcán, km 11
☎*883-5604*

Bars et discothèques

Plaza de Toros
200 pesos
15h30
Av. Bonampak
☎*884-8372*
Importées d'Espagne, les corridas sont une tradition au Mexique. À Cancún, de tels combats ont lieu chaque mercredi à la Plaza de Toros. Pour faire patienter les spectateurs, une heure avant le spectacle, on présente des danses et chants mexicains traditionnels et une Charrería, qui consiste à sauter d'un cheval à l'autre en pleine course. La corrida est exécutée dans le plus pur style

Ciudad Cancún
(centre-ville)

Le cœur de Cancún bat au rythme des musiques latino-américaine, disco, *dance* et rock qui sont entendues dans une foule de bars très achalandés. Généralement, il n'y a pas grand monde dans les discothèques avant 23h, mais passé minuit, et jusqu'à l'aube, ça ne désemplit pas. Parmi les discothèques les plus populaires, mentionnons celles-ci:

Pericos
Av. Yaxchilán
☎*884-0821*

Le restaurant Pericos (voir p 142) est l'endroit tout indiqué pour faire ripaille tout en festoyant. L'établissement dispose de deux salles de spectacles où des musiciens prennent les planches au grand plaisir des convives qui aiment y lever leur verre et bavarder joyeusement.

Zone hôtelière

Azucar
droit d'entrée
21h30 à 4h, fermé dim
hôtel Camino Real
☎883-1755
L'un des endroits les plus chics et les plus agréables de Cancún pour passer la soirée est l'Azucar, où d'excellents groupes cubains sont souvent invités pour faire danser les couples sur une musique salsa endiablée. On peut aussi s'asseoir, savourer la musique et le décor recherché, ou encore contempler la mer dont on a une vue éblouissante. Les t-shirts et les shorts n'ont pas leur place ici.

Bulldog
entrée libre dim
entrée libre pour les dames mar et jeu
dès 22h
à côté de l'hôtel Krystal Cancún, Paseo Kukulcán
☎883-1133
Au Bulldog, on propose un nouveau thème chaque soir. Le mardi: concours de t-shirts mouillés; le jeudi: musique des années 1970 et 1980; le vendredi: concours du plus beau mâle... C'est un endroit qui se veut assez chic, où le port des shorts ou des jeans est interdit, mais les bermudas assez longs sont tolérés.

Dady'O
10$
à partir de 22h
Paseo Kukulcán, km 9,5
☎883-3333
De grandes murales de stuc donnent une allure originale au Dady'O, situé à la Plaza Caracol. Sa grande piste de danse et ses jeux de laser élaborés en font un endroit très populaire. La soirée commence doucement avec du jazz vers 21h, puis le rythme s'accélère savamment en passant par tous les styles musicaux jusqu'à la *house music*. Ce bar semble avoir la faveur des plus jeunes. S'y trouve aussi un petit resto (*$*) pour calmer une fringale.

Dady Rock
dès 20h
Paseo Kukulcán, km 9,5
☎883-1626
Le Dady Rock est établi tout près de son grand frère, le Dady'O. C'est à la fois un restaurant et un bar où des groupes de musique rock viennent faire le bonheur des jeunes gens dès 23h.

Cancún

La Boom
environ 10$
Paseo Kukulcán, km 3,5
☎*883-0404*

La Boom propose des effets de son et lumière très élaborés, ce qui en fait un endroit recherché pour la danse. Il y a des concours différents chaque soir et plusieurs écrans vidéo animent l'endroit.

Hard Rock Cafe
tlj 11h à 2h
Plaza Forum, Paseo Kukulcán
☎*883-2024*

L'énorme piste de danse du Hard Rock Cafe accueille les adeptes des grands succès du rock. Vers 23h, il n'est pas rare que des orchestres rock s'y produisent.

Planet Hollywood
11h à 1h
Plaza Flamingo, Paseo Kukulcán, km 11,5
☎*883-2955*

Le Planet Hollywood est un «restaurant-bar-boutique» recherché pour son atmosphère hollywoodienne: les succès de l'époque dorée de Hollywood sont projetés sur quatre écrans géants, tandis qu'on est emporté par la musique d'*Autant en emporte le vent* ou de *La Mélodie du bonheur*!

Señor Frog's
Paseo Kukulcán, km 9,5
☎*883-2188*

À la fois restaurant et discothèque, le Señor Frog's est un endroit très animé, apprécié des jeunes pour le niveau sonore de la musique. Dès 22h, danse et musique reggae prennent possession de l'espace.

Bar'n Roll
$-$$
Plaza Kukulcán
☎*885-3133*

Avec un nom comme Bar'n Roll, on a déjà une petite idée du genre d'établissement et de ce à quoi il faut s'attendre. Dans un petit local décoré de caricatures d'artistes qui brillent dans le firmament du monde musical, on mange des plats gras et salés, comme des ailes de poulet ou des *nachos*, et l'on s'abreuve de bières ou d'un choix de cocktails aux noms rigolos tels que *Strawberry Dylan*, *Sex Morrison*, *Dunhill Lennon*, tout en regardant l'événement sportif de l'heure à l'un des téléviseurs.

La Tequilería
Av. Playas n° 79
☎*884-6615*

La Tequilería propose 232 sortes de tequilas, plusieurs variétés de mescal et quelques cigares à l'arôme recherché. Il y a une petite terrasse non ombragée, mais montez à l'étage afin de vous soustraire à la chaleur grâce aux ventilateurs devant la fenêtre.

Achats

Cancún est vraiment une
ville de magasinage. Il
existe pas moins de 20 centres commerciaux, sans
compter
toutes les
petites
boutiques
d'artisanat
qui se trou-
vent dans le
centre-ville
et la zone
hôtelière.
Ces bouti-
ques ont
l'avantage
de per-
mettre de
marchander.

en plein centre-ville de
Cancún. Vous y trouverez
de jolis objets faits à la
main, à des prix très raisonnables.

Zone hôtelière

Plaza Kukulcán
Paseo Kukulcán, km 13
☎885-2200
La Plaza Ku-
kulcán est un
grand centre
commer-
cial avec
air condi-
tionné,
propreté
impec-
cable,
ainsi que
de nom-
breuses
boutiques. On y trouve de
tout: surtout des boutiques
de souvenirs où il faut y
mettre le prix, plusieurs
restaurants, un comptoir
d'information touristique
Cancún Tips, une phar-
macie, une salle de cinéma,
un *bowling*, des jeux vidéo,
etc.

Ciudad Cancún
(centre-ville)

Ki Huic
9h à 22h
Av. Tulum nº 17
☎884-3347
Le marché aux puces Ki
Huic abrite l'une des boutiques d'artisanat les plus
grandes et s'avère très re-
commandable.

Mercado 28
SM 28, angle Av. Xel-Ha et Av. Tankah
Un autre endroit intéressant
est le Mercado 28, un re-
groupement de magasins
qui entourent une fontaine

Plaza Caracol
8h à 22h
Paseo Kukulcán, km 8,5
La Plaza Caracol se situe
tout près du Centro de
Convenciones, sur la Punta
Cancún. Plus sympathique
et plus vivante que la Plaza
Kukulcán, elle est aussi à
proximité de bons restau-
rants.

Cancún

La Fiesta Paseo Kukulcán
Paseo Kukulcán, km 9
☎883-2100
La Fiesta Paseo Kukulcán est un grand centre commercial où l'on vend de l'artisanat, des bijoux en argent et des articles de cuir. Malgré ce qu'en dit sa publicité, les prix sont plutôt élevés.

La Isla Shopping Village
Blvd Kukulcán, km 12,5
☎883-5025
Le tout dernier développement commercial de la zone hôtelière mérite une visite tant pour ses nouveaux attraits que pour ses nombreuses boutiques et ses restaurants gastronomiques. La Isla ouvre une fenêtre sur ce que sera le centre commercial de demain. Les boutiques de mode côtoient les magasins de sport ou les échoppes de souvenirs bon chic, bon genre. L'aire des services et l'aménagement moderne de La Isla donnent l'impression de parcourir un parc d'attractions.

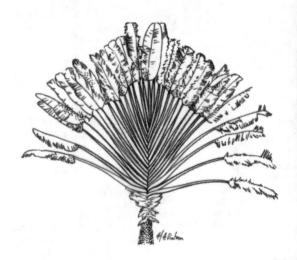

Isla Mujeres

I sla Mujeres ★★★:
île des Femmes. Si près de Cancún mais si différente, cette île évoque le rêve du lieu ensoleillé et enchanteur, du grand village de pêcheur bordé de sable blanc et d'une mer turquoise.

L es habitants ont su préserver jusqu'à présent la dimension humaine de leur île. Isla Mujeres demeure un lieu privilégié qui exhale une odeur de printemps où la vie tranquille et paresseuse est de mise.

S on nom lui aurait été donné en 1517 par Francisco Hernández de Córdoba, qui dirigeait une expédition espagnole à la recherche d'esclaves pour exploiter les mines d'or de Cuba.

C 'est du moins ce qu'affirment plusieurs historiens. D'autre part, le gouvernement Mexicain érigea en 1917 un monument commémorant le 400e anniversaire de l'arrivée des

Européens dans l'île. Les nombreuses idoles représentant les déesses mayas Ix-Chel, Ix-Hunic et Ix Hunierta qui se trouvaient dans l'île auraient inspiré ce nom à Córdoba. On croit que ces temples avaient été construits en hommage à

Ix-Chel, la déesse de la Lune et de la Fécondité.

Ces idoles, dévoilant leur poitrine comme le voulait la coutume chez la femme maya, étaient vêtues jusqu'à la taille. Ce fait fut fortement souligné par tous les chroniqueurs espagnols et derechef reprit par tous les historiens consacrant ainsi l'île à un lieu de pèlerinage, pour vénérer les déesses de la fertilité, de la lune et de la médecine.

Mais avant l'arrivée des Espagnols, l'île était aussi une source importante de sel pour les maîtres de Ecab, capitale de la province du même nom située sur la péninsule. Comme la récolte du sel dans les trois salines d'Isla Mujeres était une activité saisonnière, il est fort probable que les Mayas d'antan habitaient la terre ferme. D'ailleurs, vu les dimensions restreintes, seules quelques familles pouvaient vivre des produits agricoles de l'île.

Isla Mujeres fut abandonnée quelque temps après la conquête. Durant les XVIIe et XVIIIe siècles,

les pirates et corsaires qui maraudaient la mer des Caraïbes utilisaient les îles du nord entre autres, Isla Mujeres, comme refuges et points d'attache temporaires afin d'éviter de la marine espagnole.

Durant la guerre des Castes, au milieu du XIXe siècle, l'île devint le refuge des Blancs qui fuyaient la vengeance des insurgés mayas. Firmin Mundaca, négociant d'esclaves, est l'un des plus illustres habitants de cette époque. Communément identifié à la piraterie, ce personnage populaire fit construire une grandiose hacienda durant la seconde moitié du XIXe siècle (voir p 170).

Dès lors et jusqu'au milieu du XXe siècle, la pêche, l'agriculture de subsistance et l'exploitation des salines *Salinas, Salinitas et Salinas del Canotal* devinrent les principales activités économiques des nouveaux colons.

Durant la Seconde Guerre mondiale, les États-Unis utilisèrent l'île

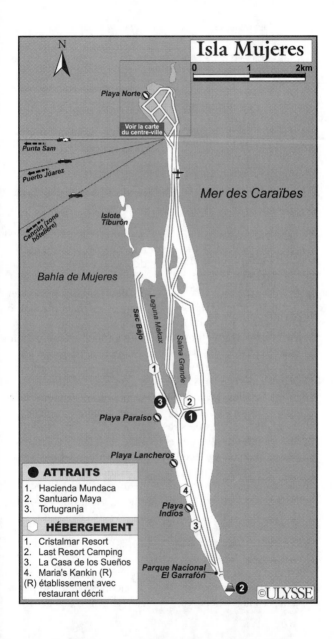

comme base navale. Au début des années 1950, la construction de la route Mérida Puerto Juarez ouvrit la porte au tourisme qui transforma à jamais la vie paisible de l'île. Avec le développement du tourisme de masse, Isla Mujeres devint la destination la plus accessible de la côte Caraïbe mexicaine. Les salines situées aux sud de la ville devinrent des dépotoires tandis que la Salinas del Canotal produisit sa dernière récolte en 1974. La plupart des produits et aliments sont dorénavant importés de la terre ferme.

Pour se différencier des habitants de Cancún, que l'on qualifie de nouveaux venus, les insulaires d'Isla Mujeres se targuent d'être les descendants de vieilles familles qui habitent l'île depuis plusieurs générations. Ils sont très fiers de leurs traditions culinaires et le faste de leurs fêtes cérémonielles qui ponctuent les saisons mérite d'être soulignée.

L'île mesure quelque 7 km de long et, à son point le plus large, fait 800 m. En plus de ses nombreuses plages de sable blanc, ses lagunes et ses récifs de corail où la faune marine abonde, ses nombreux attraits contribuent à en faire un endroit enchanteur. Ses plus de 14 000 habitants occupent les agglomérations du centre et du nord de l'île. Cette dernière abrite la plupart des services touristiques de l'île.

En effet, la ville d'Isla Mujeres, avec ses 10 000 habitants, s'étend au nord de l'île et compte une quinzaine de rues qui s'entrecoupent. Les balcons en fer forgé et les murs blanchis à la chaux lui donnent un petit air tout à fait mexicain; ses quelques maisons en bois rappellent son appartenance aux Caraïbes. L'essentiel des restaurants, hôtels et boutiques de l'île se situent dans cette petite ville, où il fait bon se promener en dehors des heures d'affluence des nombreuses visites guidées qui amènent leur flot de touristes en provenance de Cancún (surtout entre midi et 15h).

Plusieurs lagunes et anciennes salines se partagent le centre de l'île. Des agglomérations urbaines (appelées *colonias*) bordent la partie sud de la Salinas Grande, tandis que des hôtels et la Tortugranja (la ferme des tortues) sont situés sur le Sac Bajo, ce bras de terre qui sépare la mer de la grande Laguna Makax.

Les nombreux embarcadères se trouvent le long de la côte ouest. De l'autre côté, une route panoramique longe la mer trop agitée pour pouvoir y pratiquer des sports nautiques en toute sécurité. Pour le reste, l'île est couverte d'attraits que nous vous invitons à découvrir dans ces pages.

Il faut mentionner ici que le *Municipio* ou district d'Isla Mujeres, s'étend sur la terre ferme et comprend la pointe nord-est de la péninsule du Yucatán. Ce territoire englobe de nombreuses îles dont Isla Contoy, une réserve faunique aménagée qui reçoit quotidiennement un nombre limité de visiteurs. Seules trois agences offrent la visite de ce paradis d'oiseaux: une à

Cancún et deux à Isla Mujeres.

Pour s'y retrouver sans mal

Isla Mujeres

En bateau

La traversée entre la terre ferme et Isla Mujeres se fait à partir de différents endroits: les passagers ont le choix entre l'embarcadère (*embarcado*) situé dans la Zone Hôtelière ou ceux de Puerto Juarez ou Punta Sam. Dans l'île, l'embarcadère public (*muelle fiscal* en espagnol) (☎877-0065) se trouve dans la ville d'Isla Mujeres, en face de la rue Morelos. Le parc Garrafon possède son propre embarcadère.

Une navette lente et bon marché (*18 pesos*) pour passagers, très utilisée par les habitants de l'endroit, arrive presque toutes les heures en provenance de Puerto Juárez (☎877-0253). Ce port, situé à quelques kilomètres au nord de Cancún, est accessible par autobus (*1$; Ruta 8 sur Av. Tulum*) qui se rend à Punta Sam en passant par Puerto Juarez, par taxi (*5$ du centre-ville de Cancún*) ou en voiture, en suivant la route 180 vers le nord. S'il n'y a pas assez de monde pour remplir le bateau, la traversée peut être annulée et vous devrez attendre le prochain départ. L'aller simple dure entre de 30 et 40 min. Le premier départ est à 6h et le retour à 17h30.

Indications

Tous les insulaires connaissent toutes les adresses commerciales de l'île, mais personne n'utilise les numéros de porte pour les désigner. Si vous demandez où se situe tel ou tel commerce, on vous dira, «ah oui, c'est juste devant l'hôtel X entre l'Avenida A et l'Avenida B».

Des navettes plus rapides et plus confortables, partent également de Puerto Juárez à toutes les demi-heures. Le premier départ a lieu à 6h30, et le retour d'Isla Mujeres est à 21h. Le tarif est de 70 pesos (vous payez sur le bateau) pour l'aller-retour et la traversée est deux fois plus rapide (20 min). Quel que soit votre choix, munissez-vous de médicaments contre le

mal de mer et mangez léger au moins une heure avant l'embarquement, car la mer peut être agitée.

À Punta Sam *(route 180, 5 km au nord de Cancún)*, il y a un traversier pour les voitures qui est un peu plus confortable que la navette de Puerto Juárez. Le tarif est de 12,50 pesos pour les passagers et de 160 pesos pour les voitures. La traversée prend deux heures. Il est recommandé dans ce cas d'arriver une heure avant le départ, et de faire tout de suite la queue avec son billet en main.

Départs à Punta Sam, direction d'Isla Mujeres: 8h, 11h, 14h45, 17h30 et 20h15.

Départs à Isla Mujeres, direction de Punta Sam: 6h30, 9h30, 12h45, 16h15 et 19h15.

Une navette (le *Mexicano V*) fait la traversée Cancún-Isla Mujeres à partir de Playa Linda, (el Embarcado dans la Zone Hôtelière de Cancún) lorsqu'il y a demande importante. Le prix *(15$)* est deux fois plus élevé que celui de Puerto Juarez mais, tout compte fait, si vous habitez la Zone Hôtelière, le coût et le temps du transport terrestre jusqu'à Puerto Juarez vous favoriserez cette option. Les départs sont à 9h30, 10h45, 11h45 et 14h15; les retours à 12h30, 15h30, 17h30 et 18h30.

D'autres bateaux taxis ou de croisières quittent la Playa Caracol *(située entre les hôtels Fiesta Americana et Coral Beach,* ☎886-4270 *ou 886-4847),* la Playa Langosta ou la Playa Tortugas, des plages situées dans la zone hôtelière de Cancún. Isla Mujeres est située à 11 km de la Zone Hôtelière et la traversée dure environ 45 min.

Plusieurs entreprises organisent des croisières à l'Isla Mujeres en provenance de Cancún. Certaines ont même transformé cette courte traversée en excursions élaborées avec repas, boissons à volonté, plongée-tuba et orchestre. Une telle croisière coûte bien sûr beaucoup plus cher que le simple transport d'un point à un autre, mais ça peut être amusant. Avant de monter à bord de l'un de ces bateaux, assurez-vous qu'il abordera dans l'île, car certains se contentent d'en faire le tour. Présentez-vous au moins une demi-heure avant le départ pour avoir une bonne place à bord.

Les entreprises suivantes organisent des croisières à l'Isla Mujeres depuis Cancún.

The Shuttle
☎*884-6333*

Aqua Tours Adventures
☎*883-0403 ou 883-0400*

Aqua II
☎*884-1254 ou 884-1057*

Carribean Carnaval
☎*887-2184 ou 884-3760*

Nautibus
☎*883-3732 ou 883-3720*

Isla Mujeres

Dans l'île

La ville occupe la pointe nord de l'île et compte environ 15 rues qui s'entre-croisent. Il est impossible de s'y perdre à moins d'être vraiment très distrait! La route principale est l'Avenida Rueda Medina. Elle longe la côte ouest d'un bout à l'autre de l'île et conduit vers le sud au Parque Nacional El Garrafón, aux plages, au sanctuaire maya dédié à la déesse Ixchel, et au phare de la pointe. Elle mène à la très belle Playa Norte située au nord de la ville. Le Parque Central, entouré par l'église catholique, l'hôtel de ville et son poste de police, se trouve entre l'Avenida Morelos et l'Avenida Bravo.

En voiture

Une voiture vous causera plus de maux de tête qu'elle ne vous sera utile. La petite taille de l'île ne justifie pas le temps et l'argent que vous coûtera la traversée. Toutefois, si vous ne pouvez pas vous en passer, sachez qu'en descendant du traversier vous serez juste en face de l'Avenida Rueda Medina, la route qui parcourt toute l'île du nord au sud. Le seul poste d'essence se trouve sur cette route, au nord de l'embarcadère pour voiture, à l'angle de l'Avenida Abasolo.

En taxi

Les tarifs des taxis sont déterminés par la municipalité et sont affichés bien en vue près de l'embarcadère. Assurez-vous tout de même de vous entendre avec le chauffeur sur le tarif avant de monter.

Voici quelques exemples de tarifs:

De la ville...
à El Garrafó: 34 pesos;
à Playa Atlantis: 20 pesos;
à Playa Norte: 10 pesos;
à Las Colonias: 7 pesos;
à Sac Bajo: 34 pesos;
à Tortugranja: 21 pesos;
à Playa Lancheros: 17 pesos.

En motocyclette ou en voiturette de golf

Ces deux moyens de transport sont certainement les plus populaires d'Isla Mujeres. Pour la location, on exige en garantie le dépot du passeport ou du permis de conduire. Il faut savoir que les motos et les voiturettes de golf sont, la plupart du temps, assurés pour *«daños a tercera persona»* c'est-à-dire pour les dommages aux autres et non pas pour les dommages occasionnés au véhicule loué. Il est donc prudent de bien s'entendre avant la location. En cas d'accident, vous devez négocier avec le locateur et s'il y a dispute on réfère le tout au Ministerio Publico (police).

On ne loue pas les voiturettes de golf aux enfants mais plusieurs touristes laissent conduire leurs enfants; ce qui occasionne de nombreux accidents. On oublie souvent que l'on conduit sur des voies publiques et non sur un terrain de golf.

Les chauffeurs de taxis sont aussi à surveiller; quelques-uns sont somme toute, un peu «cowboy»

En motocyclette, le port du casque n'est pas obligatoire; les routes étant ce qu'elles sont il faut doubler de prudence.

Il faut vérifier le réservoir à essence surtout pour les voiturettes de golf! Plusieurs tombent en panne sèche.

Coûts de location d'une motocyclette:
80 pesos/heure
200 pesos/jour
280 pesos/24 heures

Coûts de location d'une voiturette de golf (peut asseoir 4 adultes)
120 pesos/heure
350 pesos/jour
600 pesos/24 heures

Les entreprises suivantes louent des motocyclettes et des voiturettes de golf:

Gomar
Av. Francisco I. Madero
☎887-0142

PPE'S Motorent
Av. Hidalgo nº 19
☎887-0019

Moto Fiesta
Av. Rueda Medina, en face de l'embarcadère pour passagers

Ciros
Av. Guerrreo et Matamoros

Moto Kan-Kin
Av. Abasolo, entre Av. Guerrero et Hidalgo

El Sol
Av. Francisco I. Madero et Av. Guerrero

Prisma
Av. Rueda Medina, devant le poste d'essence

En bicyclette

Isla Mujeres

C'est un bon moyen de transport dans l'île, qui vous laisse la possibilité d'inspecter tous les coins à votre guise. Faites quand même attention aux coups de chaleur et portez un chapeau.

Dans la ville, si votre hôtel ne vous offre pas ce service, plusieurs petites boutiques pourront vous louer une bicyclette, surtout près du port. Essayez la bicyclette que vous désirez louer avant de payer (Puis-je l'essayer?: *¿Puedo probarbar?*) pour vous assurer qu'elle roule bien. Le coût de location est de 50 pesos par jour

Voici quelques locateurs de bicyclettes:

El Zoro
Av. Guerrero et Matamoros

Bike David
Av. Rueda Medina, devant le poste d'essence

Isla Contoy

Déjà, c'est à partir d'Isla Mujeres qu'on accédait à Isla Contoy mais depuis quelque temps il est possible de visiter cette réserve à partir de Cancun. Le bateau mouille à la marina du restaurant Carlos & Charlie's dans la Zone Hôtelière de Cancún et deux agences d'Isla Mujeres offrent ses services (voir p 172). Notez que ces trois agences sont les seules à posséder le permis nécessaire pour visiter l'île. D'autres agences offrent une croisière autour de l'île sans pouvoir y débarquer.

Renseignements pratiques

L'indicatif régional d'Isla Mujeres est le **9**.

Bureau d'information touristique

lun-ven 8h à 20h
Av. Rueda Medina n° 130, au nord de l'embarcadère
☎/≈**877-0307**
infoisla@prodigy.net.mx

Bureau de poste

lun-ven 8h à 16h
angle Av. Guerrero et Calle López Mateos
☎**877-0085**

Banque et bureaux de change

Banco Bital
lun-ven 8h30 à 18h, sam 9h à 14h
Av. Rueda Medina, en face de l'embarcadère pour passagers
Deux ATM: un est à l'entrée de la banque; l'autre est au Parque Garrafon) mais ne comptez pas seulement sur les guichets, car les fins de semaine les tiroirs sont souvent vides.

Il y a plusieurs bureaux de change dans l'île entre autres

Sureste
Av. Rueda Medina n° 3
☎**877-0104**

Cunex
Av. Hidalgo n° 12
☎**877-0474**

Santé

Pharmacie

Pharmacia La Mejor
lun-ven 9h à 22h, dim 9h à 15h
Francisco I. Madero n° 17
☎**877-0116**

Hôpital

Centro de Salud
Guerrerro entre Av. Madero et Morelos
☎*877-0117*

Urgence

Hôpital Naval
Av. Admirante Rueda Medina
Colonia Salinas Grande
☎*877-0001 urgence seulement*

Médecin

Doctor Antonio Salas
généraliste qui parle anglais
Av. Hidalgo n° 18
drsalas@prodigy.net.mx

Sécurité (Police)

Le Palacio Municipal qui
donne sur le Parque Central
abrite le Poste de Police
☎*877-0082*

Ambulance

La Croix Rouge d'Isla Mujeres:

Cruz Roja Mexicana
Colonia Gloria, au centre de l'île près
de la Hacienda Mundaca
☎*877-0280*
↝*877-0443*
http://mjmnet.net/redcross
D^{re} Greta M. Shorey, la
directrice, est d'origine
britannique. La clinique
propose une gamme com-
plète de services: urgence,
médecine familiale, éducation, cours de premiers
soins, éducation santé et le

seul service d'ambulance
dans l'île.

La Croix Rouge ne compte
que sur ses propres moyens
limités. Tous dons en ar-
gent, vêtements, médecines
ou jeux pour enfants sont
très appréciés.

Isla Mujeres

Divers

Équipement et
développement photo

Foto Omega
Av. Rueda Medina n° 1
☎*877-0481*

Buanderie

Tim Pho
*plus dispendieux, mais le
service est meilleur*
Ave. Abasolo

Angel
Ave. Hidalgo, Plaza Isla Mujeres

Marinas

**Maître du Port
Harbor Master/Port Captain's
office**
Av. Rueda Medina
☎*877-0095*

Marina Paraiso
à l'entrée de la grande Lagune
☎*877-0211*

Puerto Isla Mujeres
☎*800-400-3333*

Agence de voyages

Mundaca Travel
Av. Hidalgo nº 15
☎*877-0025*
⇔*877-0076*
www.mundacatravel.com
Mundaca Travel est la seule
agence qui peut réserver les
billets autocars pour les
voyages en première classe
partout au Mexique. Elle
confirme les vols internationaux et offre des visites
guidées de l'île, de la Riviera Maya et de Chichén Itza.

Échanges et achats de livres

Cosmic Cosas
Matamoros nº 82, en face de l'Hotel
Caracol
tlj 9h à 22h30
☎*986-03495*
cosmiccosas@yahoo.com
Le Cosmic Cosas, tenu par
Molley et Geneviève, deux
jeunes Étasuniennes est
certainement la boutique la
plus hétérogène de l'île. On
y échange, achète ou vend
des livres neufs ou
d'occasion (en plusieurs
langues). C'est aussi une
galerie d'art local (peinture,
sculpture et artisanat). C'est
le seul endroit en ville qui
loue des caméras digitales
et qui offre les photos sur
support CD ou imprimante.
La boutique abrite aussi un
refuge pour animaux: Ami-
gos de los Animales. Cet
organisme s'est donné
comme mission de
s'occuper des animaux

errants. Vos dons ou matériaux (vétérinaires) de base
sont les bienvenus et très
appréciés.

Publications

Si Cancún a son Cancún
Tips, l'Isla Mujeres a son
Islander, un magazine mensuel qui est distribué dans
les hôtels et au bureau
d'information touristique. Si
vous lisez un peu l'espa-
gnol, vous pourrez suivre
l'actualité avec le *¡Por Esto!*,
un quotidien distribué dans
tout l'État de Quintana Roo.

Attraits touristiques

Isla Mujeres est très ap-
préciée pour la beauté de
ses plages, ses récifs de
corail et son paysage. Dans
ces lieux plus authentiques
et plus reposants que
Cancún, plusieurs touristes
logeant à Cancún viennent
passer un jour ou deux en
quête d'un peu de paix. De
plus, on y trouve de très
bons restaurants, des hôtels
offrant un bon rapport qua-
lité/prix et de nombreuses
boutiques d'artisanat.

Comme toutes les villes du
Mexique, Isla Mujeres possède son lot de monuments
commémorant les événe

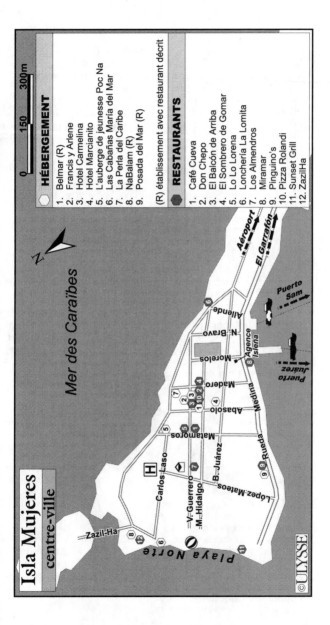

Isla Mujeres
centre-ville

Mer des Caraïbes

HÉBERGEMENT

1. Belmar (R)
2. Francis y Arlene
3. Hotel Carmelina
4. Hotel Marcianito
5. L'auberge de jeunesse Poc Na
6. Las Cabañas María del Mar
7. La Perla del Caribe
8. NaBalam (R)
9. Posada del Mar (R)

(R) établissement avec restaurant décrit

RESTAURANTS

1. Café Cueva
2. Don Chepo
3. El Balcón de Arriba
4. El Sombrero de Gomar
5. Lo Lo Lorena
6. Loncheria La Lomita
7. Los Almendros
8. Miramar
9. Pinguino's
10. Pizza Rolandi
11. Sunset Grill
12. Zazil Ha

© ULYSSE

ments historiques ou les hommes politiques du passé. Par exemple, vous trouverez le buste de Benito Juarez (Président de la République, libéral reconnu pour ses reformes radicales; premier et seul autochtone Zapothèque a accéder à ce poste). Le monument aux pêcheurs se trouve à l'angle de l'Av. Lopez Mateos et l'Av. Rueda Medina. Trois phares signalent les parages dangereux de l'île; un à chaque extrémité de l'île et l'autre, le *farito*, signale l'entrée de la baie d'isla Mujeres.

Dans la ville

La **Casa de la Cultura** *(Av. Guerrero, ☎877-0307)*, là où musiciens, danseurs, peintres et autres artistes locaux s'expriment de mille façons, offre un service de garderie de jour entre 9h et 14h pour 40 pesos/jour. On peut aussi y emprunter des livres en anglais.

Le **cimetière**

d'Isla Mujeres sur Av. Lopez Mateos *(entrée en face de Av. Benito Juarez)* mérite une visite pour tous ceux qui ne connaissent pas le rôle, l'importance et l'extravagance de ces lieux dans la culture hispanophone. On y retrouve des mausolés dignes des plus riches et des pierres tombales signalant le passage du plus simple citoyen.

Au sud de la ville

À environ 4 km au sud de la ville, le long de l'Avenida Rueda Medina, près de la Playa Lancheros, se trouve l'ancienne **Hacienda de Mundaca** *(10 pesos; tlj 10h à 18h)*, une propriété qui date du siècle dernier. Selon la légende, elle aurait été construite au XIXe siècle par le marchand d'esclaves Fermín Antonio Mundaca pour gagner le cœur d'une jeune fille de l'île, La Triguena (la brunette). Celle-ci se maria avec un autre et partit vivre à Mérida. Mundaca, le cœur brisé, mourut peu de temps après. Sa tombe se situe dans le cimetière de la rue López Mateos, dans la ville. Sur sa pierre tombale, on peut lire d'un côté *«como eres, yo fui»* (ce que vous êtes, je l'ai été) et de l'autre *«como soy, tu serás»* (ce que je suis, vous le serez). Les restes de Mundaca se trouveraient en fait à Mérida, où il termina ses jours.

L'Hacienda de Mundaca se compose de deux modestes bâtiments qui n'ont pas été encore restaurés, entourés de jardins et d'allées. Des murets l'enserrent. L'arche d'entrée et un cadran solaire sont en bonne condition de conservation. Quelques espèces de la faune du Yucatan dont un jaguar, un jabali (de la même famille que le tapir), des singes araignés, un faisant noir avec un copete jaune et des boas habitent des cages de fortune. Pour atteindre l'Hacienda, suivez les indications le long de l'Avenida Rueda Medina.

La **Tortuganja** *(14 pesos; tlj 9h à 17h, Carretera Sac Bajo, km 5, ☎877-0595)*, est la ferme de tortues de l'organisme environnemental Eco Caribe voué à l'élevage, à l'étude et à la sauvegarde de deux espèces de tortues marines: la tortue Blanche (aussi appelée tortue Verte) et la tortue Caguama connue sous le nom scientifique Carette Caretta. La ferme comprend quelques édifices dont un petit musée et une boutique; des réservoirs d'incubation et de croissance ainsi que des cages ou stations de conservation construites sur le littoral. Vous pouvez voir des tortues de différents âges. C'est ainsi que, chaque année, cette ferme élève et protège des milliers de petites tortues jusqu'à ce qu'elles atteignent une taille

suffisante pour les redonner à mer sans danger.

Le **Sanctuaire Maya** *(entrée libre)* situé sur la pointe sud de l'île est un petit édifice du style Tulum que l'on retrouve partout sur la côte orientale. Un parc bien aménagé met en valeur le monument, le phare ainsi que la falaise impressionnante de la pointe. Construit entre le XIIᵉ et le XIVᵉ siècle, le temple était fort probablement consacré à Ixchel, la déesse maya de la fécondité, de la médecine et de la lune. Plusieurs croient que le temple, en plus d'être un lieu de pèlerinage, servait aussi de poste d'observation astronomique. Pour un sourire et un petit pourboire, le gardien du phare vous laissera monter au haut de la tour, d'où la mer, Cancún et Isla Mujeres prennent une autre perspective.

Parcs et plages

Parcs

Très populaire, le **Parque Nacional El Garrafón** *(10$; tlj 9h à 17h, environ 6 km au sud du débarcadère des traversiers, ☎877-0082, www.garrafon.com)* a été complètement réaménagé en 1998. On peut y pratiquer la plongée, l'apné (tuba) ou le «snuba (plongé en scaphandre avec un long tube relié à la surface) dans le plus important récif entourant l'île. En plus de divers sports nautiques, les nouveaux propriétaires ont aménagé un sentier pédestre qui mène à la pointe sud. Deux restaurants, une grande boutique et de nouveaux services complètent ce beau parc naturel.

Il faut noter que le **Garrafon Express** *(départ depuis l'Embarcadeo)* fait l'aller-retour *(20$ transport et entrée)* depuis la Zone Hôtelière de Cancún et qu'on peut louer tout l'équipement sur place.

Pélican

Isla Contoy émerge à environ 24 km au nord de l'Isla Mujeres et sert de refuge à une faune ailée qui passionnera sans nul doute les férus d'ornithologie et qui plaira aussi aux adeptes de plongée-tuba. Parmi les nombreuses espèces d'oiseaux qui virevoltent et s'offrent en spectacle dans cette île minuscule de moins de 7 km de long et de seulement 800 m de large, mentionnons les hérons, les pélicans et les frégates. L'île est bordée de palétuviers, échancrée de petites lagunes, frangée de plages sablonneuses et entourée de récifs coralliens. Avis aux intéressés: la saison de nidification des frégates va d'avril à juillet. Réservez à l'avance, car l'accès à l'Isla Contoy est limité à environ 150 personnes par jour.

Par ailleurs, l'Isla Contoy réserve également des surprises agréables aux amateurs de plongée-tuba. En effet, les eaux chaudes et cristallines qui la baignent foisonnent d'une multitude de poissons de toutes sortes de formes et de couleurs frétillant parmi les récifs coralliens.

Seules trois agences ont le permis nécessaire pour

Isla Mujeres

visiter Isla Contoy: deux ont pignon sur rue à Isla Mujeres l'autre à Cancún. Le coût est de 40$ et comprend le petit déjeuner (8h30, café et fruits), le déjeuner (poisson grillé, poulet, salade, riz et guacamole); l'équipement pour l'apné, la ligne de pêche, la bière et les boissons gazeuses.

La Isleña
Morelos près de Rueda Medina
☎*877-0578*

Captain Ricardo Gaitan
Av. Francisco I. Madero
nº 16
☎*877-0434*
Cette agence   possède trois bateaux: l'*Estrella del Norte* un 36 pieds à moteur Sailhorn; le *Pelicano*, un trimaran de 37 pieds et l'*Afrodita* un haute vitesse de 30 pieds. Une visite guidée avec un biologiste est comprise dans le prix.

Depuis quelque temps, il est possible de visiter Isla Contoy à partir de Cancún. Le bateau mouille à la marina du restaurant Carlos & Charlie's dans la Zone Hôtelière de Cancún:

Barco Asterix
☎*886-4755 ou 886-4270*

Plages

La **Playa Norte** s'étend du côté nord de la ville. Son sable est blanc et doux sous les pieds, et la mer, turquoise et calme, offre un magnifique paysage. La plage est cependant très prisée des visiteurs.

La **Playa Paraíso** s'étale tout près de la ferme de tortues. On y trouve différentes boutiques et des casse-croûte. C'est une jolie plage, bien qu'un peu petite, où l'on peut dénicher sans problème un coin d'ombre.

Près de l'Hacienda de Mundaca se trouve la **Playa Lancheros**, où l'on peut nager dans des eaux calmes. Le dimanche, on y organise parfois des fêtes locales où l'entrée est gratuite.

La **Playa Indios**, située au sud de la Playa Lancheros, offre à peu de chose près les mêmes services et les mêmes divertissements que sa voisine, mais elle a l'avantage d'être moins fréquentée.

Activités de plein air

Pêche en haute mer

Mundaca Divers
Francisco I. Madero n° 10
☎877-0607
http://travel.to/mundac adivers
L'entreprise Munda-ca Divers offre des sorties de pêche en mer pour 2 à 4 personnes au coût de 50$ de l'heure. Ce tarif comprend l'équipement, les ap-pâts le goûter et les boissons. Elle vide et prépare les poissons au retour.

Plongée sous-marine et plongée-tuba

C'est dans le Parque Nacio-nal El Garrafón (voir plus haut) que se retrouvent les amateurs de plongée sans expérience. Il est recom-mandé d'y aller tôt le matin pour éviter la foule.

Les plongeurs expérimentés ne voudront pas manquer de visiter les «grottes des requins endormis», situées au nord-est de l'île. Ces grottes ont été découvertes par un pêcheur de l'île. Pour une raison encore inconnue, les requins qui les habitent sont plongés dans une léthargie qui les rend inoffensifs. Plusieurs films ont été tournés à cet endroit, par Jacques Cousteau entre autres, et diverses théories s'affrontent pour expliquer ce phé-nomène mystérieux. Pour y accéder, vous devez être muni de votre per-mis de plongeur.

Mundaca Divers
Francisco I. Madero n° 10
☎877-0607
Mundaca Divers pro-pose une variétés de sorties de plongée à plus d'une vingtaine de sites reconnus pour la richesse de leur faune marine. Entre autres, les récifs Mancho-nes, Banderas, Media Luna et Punta Sur, sont peu pro-fonds et idéals pour les amateurs peu expérimentés. Pour les plongeurs plus expérimentés, plusieurs navires naufragés qui peu-plent les bas-fonds sauront les ravir. L'entreprise pro-pose aussi divers cours de certification PADI.

Hébergement

Dans l'île, il y a plus d'une quarantaine d'hôtels, où l'on dénombre plus de 600 chambres. On peut dénicher un petit hôtel tranquille et pas trop cher, ou encore quelque chose de plus luxueux avec plus de services. Il n'y a pas que dans la ville qu'on peut loger. Grâce au développement touristique, on construit de plus en plus d'hôtels le long de la côte ouest de l'île, près de la lagune le long du Sac Bajo.

En plus, on peut aussi louer maison, apartement, villa ou *cabañas*. Les informations concernant ces locations à plus long terme se trouvent dans le site internet: *islamujeres.net* ou en communiquant avec **The Lost Oasis** (*lostoasis@mjmnet.com*)

Last Resort Camping
$
☎0198-44-72-40
Ce camping est situé au sud de l'île près de l'Hacienda Mundaca.

Poc Na
$
⊗, ℜ, bc;
Av. Matamoros nº 91
☎877-0090
⇄887-0059

L'auberge de jeunesse Poc Na est l'institution par excellence des routards. Dortoirs, salle commune pour hamacs, chambres doubles et camping forment la panoplie de choix des clients. Le restaurant du Poc Na, ouvert de 7h à 22h, offre des repas à 25-35 pesos.

Hotel Marcianito
$
⊗
Abasolo nº 10
☎877-0111
Ce petit hôtel de 14 chambres a été rénové en 1999. Les chambres très propres sauront satisfaire les voyageurs à budget limité. Il est conseillé de réserver et de confirmer sa réservation quelques jours à l'avance.

Hotel Carmelina
$
⊗
Ave. Guerrero y Francisco I. Madero
☎877-0006
Ce motel de 26 chambres est situé dans une rue tranquille près de la Casa de la Cultura. Les chambres, dont 9 ont été récemment rénovées, sont propres et agréables. Il faut réserver à l'avance pour obtenir une chambre.

Belmar
$$
≡, ⊗, ℜ, tv
Av. Hidalgo nº 110
☎877-0430 ou 877-0429
Le petit hôtel Belmar n'a que 11 chambres, mais il est

bien sympathique. Il est situé au cœur de la ville, en haut du restaurant Pizza Rolandi et peut donc être parfois bruyant. Les chambres sont confortables et bien décorées. L'hôtel comprend également une suite avec baignoire à remous, cuisinette et salon.

🐚 Francis Arlene
$$

≡, ⊗, ℝ
Calle Guerrero n° 7
☎877-0310
hfrancis@prodigy.net.mx
Le sympathique hôtel Francis Arlene propose des chambres mignonnes, proprettes, bien équipées et économiques. L'hôtel de 24 chambres sur trois étages, tenu par la famille Magana, est devenu le lieu privilégié des couples cherchant confort et quiétude. Les terrasses munies de tables et chaises offrent une vue mémorable de la mer au coucher du soleil. La famille Magana, dont les racines remontent au milieu du XIXe siècle, s'avère une source intarissable d'information, d'histoire et d'aide qui agrémente le séjour.

Las Cabañas María del Mar
$$ pdj

≡, ⊗, ℛ, ℝ, ≈
Av. Carlos Lazo n° 1, Playa Norte
☎877-0179 ou 877-0156
www.cabanasdelmar.com
Les 73 chambres de l'hôtel Las Cabañas María del Mar sont garnies d'une façon typiquement mexicaine très

réussie. Vous pouvez pendre votre hamac sur le balcon de la nouvelle section moderne de l'établissement. L'hôtel étant de biais par rapport à la Playa Norte, une seule chambre bénéficie de la vue sur la mer. Vous y trouverez aussi un comptoir de location de motocyclettes et de voiturettes de golf.

Posada del Mar
$$

≡, ⊗, ≈, ℛ
Av. Rueda Medina n° 15A
☎877-0044 ou 877-0266
≈877-0266
www.posadadelmar.com
Les 40 chambres avec balcon et patio du Posada del Mar sont vastes et bien décorées; elles comportent, entre autres choses, un mobilier de rotin. L'hôtel construit au milieu d'un jardin d'hibiscus et de bougainvilliers est situé face à une plage de la baie de Mujeres, à laquelle vous pouvez accéder en traversant la rue.

Maria's Kankin
$$

≡, ℛ, ℝ
Carretera Garrafón, km 4
☎877-0015
≈877-0395
www.mexicoweb.-
com/travel/kankineng.html
L'hôtel Maria's Kankin est une petit oasis de tranquillité avoisinant la charmante Casa de los Sueños. L'établissement est surtout réputé pour l'excellente qualité

de son restaurant, mais il dispose de chambres de dimensions variées qui sont toutes propres et bien équipées. Certaines sont dotées d'une cuisinette.

Cristalmar Resort & Beach
$$$$
≡, ≈, ℝ, ℜ
Fracc. Laguna Mar Macax
☎*877-0390 ou 877-0397*
⇄*887-0398*
cristalm@cancun.com.mx

Les 38 grandes chambres de l'hôtel Cristalmar donnent sur la jolie plage du Sac Bajo. Jolies, luxueuses et propres, elles sont décorées avec des produits artisanaux locaux.

Na-Balam
$$$$
≡, ℝ, ℜ
Calle Zazil-Ha nº 118, Playa Norte
☎*877-0279 ou 877-0446*
www.nabalam.com

Le très joli hôtel Na-Balam, situé sur la Playa Norte, est divisé en deux sections. D'un côté, les balcons font face à la mer, mais la vue est obstruée par une végétation luxuriante. De l'autre côté, les chambres s'organisent autour d'une cour intérieure. Les chambres et leur petite cuisine sont garnies de jolie façon, avec des meubles de rotin et des planchers de marbre turquoise. La piscine a été récemment ajoutée.

La Casa de los Sueños
$$$$$ pdj
≡, ⊗, ≈
Carretera Garrafón
☎*877-0651 ou 877-0708*
www.losuenos.com

Sans conteste l'un des établissements les plus invitants de l'île, La Casa de los Sueños est un splendide *bed and breakfast* qui se dresse tout près du Parque Nacional El Garrafón. La Casa est pleine de charmes et représente une véritable petite perle hôtelière. Elle est tenue par une sympathique Québécoise qui loue des chambres paisibles et coquettement décorées ayant vue sur la mer. Une partie de l'hôtel est utilisée pour promouvoir les tableaux et les œuvres d'artistes mexicains. Après une journée de plage, installez-vous près de la piscine avec un bouquin et écoutez le pépiement des oiseaux qui se mêle au tintement des carillons éoliens pendant que la brise marine vous caresse doucement le visage. L'endroit est destiné aux non-fumeurs et est réservé aux adultes.

Restaurants

Bien qu'il n'y ait même pas 15 000 habitants dans toute l'île, les bons restaurants abondent en raison de la demande touristique. Quant à la tenue vestimentaire, il suffit de mettre quelque chose par-dessus son maillot de bain et d'avoir des chaussures aux pieds.

Lonchería La Lomita
$
Av. Juárez nº 25B, près de l'Av. Allende

Le décor est modeste, mais tout de même sympathique à la Lonchería La Lomita, où vous pourrez déguster à très bon prix des fruits de mer et des poissons d'une fraîcheur absolue. Les plats sont accompagnés, à la mexicaine, de riz, de fèves noires et de tortillas. On y prépare aussi le petit déjeuner.

Pinguino's
$
Av. Rueda Medina
☎877-0212 ou 877-0044

Le restaurant-bar de l'hôtel Posada del Mar, le Pinguino's est une des belles terrasses de l'île. Situé à 300m au nord de l'embarcadère des passagers à quelques mètres du phare de la pointe nord, il offre une vue intéressante et unique de la côte ouest de l'île et de Cancún. Si le menu est peu garni (20 plats) vous serez repu du poisson à la Veracruzana ou *Filete a la plancha*. Si vous voulez vous régaler, on vous conseille le gâteau au fromage. Il est tout simplement exquis.

Végétariens

Les végétariens n'ont pas à s'inquiéter, ils ne seront pas condamnés à maigrir lors de leur voyage au Mexique. Si vous suivez un régime macrobiotique strict, vous aurez toutefois peut-être plus de difficulté à vous sustenter. Cela dit, si votre régime alimentaire vous permet de déguster des crustacés et des poissons, votre séjour ici vous réservera d'agréables moments culinaires.

Los Almendros
$
Av. Vicente Guerrero entre Matamos et Lopez Mateos, dans la Plaza Los Almendros

Le *Tourist Buffet* de ce restaurant s'avère un des plus économiques en ville. Le petit déjeuner à volonté vous coûtera 30 pesos tandis que le déjeuner/dîner servi entre midi et 16h aussi à volonté comprend généralement salades, riz, spaghetti, fèves, faitas, hamburgers frites tortillas, fruits et boissons gazeuses, le tout pour 60 pesos.

Café Cueva
$
7h à 22h
Ave. Matamoros entre Hidalgo et
Guerrero
Ce café offre des pâtisseries
de toutes sortes. Ses cafés
fraîchement moulus sont
reconnus comme les meil-
leurs en ville; les amateurs
incrédules feront
l'essai de leur café
«iced» entre au-
tres, le «iced»
Moka, «iced»
cappuccino
ou le «iced»
latte.

Sunset Grill Playa
Norte
$-$$
8h à 23h
côté ouest de la Playa
Norte, devant le Nauti-
beach Condos
☎877-0785
Ce restaurant est
particulier;
l'atmosphère est
à la détente et la
vue du coucher du
soleil est unique. Le
petit déjeuner est à volonté
pour la modique somme de
60 pesos. Le menu semble
très conforme aux critères
de l'île sauf pour la salade
aux épinards qui vous
transportera dans un autre
monde, si vous les aimez.
Les propriétaires, esprits
libres et grégaires, font souvent le service et agrémente
l'ambiance décontractée de
la place.

El Sombrero de Gomar
$-$$
angle Hidalgo & Francisco I. Madero
Le restaurant El Sombrero
de Gomar offre une cuisine
mexicaine authentique dans
une ambiance très *Alti Pla-
no*. Les soupes, les salades,
les pâtes et hamburgers
sont aux petits budgets ce
que les *ceviches*, cre-
vettes, poissons et
langoustes sont aux
plus garnis.

Miramar
$-$$$
7h à 22h
Rueda Medina
Miramar est situé près
de la jetée où les ba-
teaux en provenance de
la Zone Hôtelière de
Cancún viennent jeter
l'ancre, à côté des
filets de pêcheurs qui
sont parfois étendus
au soleil. Fruits de
mer, poissons et tacos
figurent au menu.

Lo Lo Lorena
$-$$$$
Av. Vicente Guerrero angle Matamoros
Ce restaurant dont le menu
porte admirablement bien
le titre «Saveurs du monde»
saura satisfaire les fines
bouches de cuisines orien-
tale, arabe ou européenne.
La propriétaire d'origine
belge est une adepte de la
«Cuisine du marché» et
transforme le meilleur du
jour en délicieux mets indo-
nésiens, thailandais, in-
diens, arabes ou français. Le

menu décrit les choix possibles: salades et mets végétariens, langouste, poisson frais, crevettes géantes, et le bœuf importé d'Argentine. Comme dessert vous avez le choix d'une crème brûlée, d'une mousse au chocolat ou de bananes flambées. Une bonne sélection de vins d'importation et une aussi grande sélection de thés complètent le tout. Ce palais du palais abrite un édifice de bois qui nous laisse entrevoir ce qu'a dû être la ville d'isla Mujeres, au XIXe siècle. Le soir, le décor réussi se dissimule dans la lumière des chandelles et avantage l'intimité du cadre qu'a su créer la patronne.

El Balcon de Arriba
$$
Av. Hidalgo, angle Madero
☎877-0458

Le restaurant El Balcon de Arriba propose le menu habituel de la cuisine mexicaine. Essayez la spécialité de la maison, le Tik-in-Chick, un rouget grillé avec une sauce à l'achiote un délice de la cuisine yucatèque. On mange à la terrasse située à l'étage, à l'abri du soleil. Entre 17h et 19h, durant le «2 pour 1», il y a beaucoup de monde.

María's Kan Kin
$$-$$$
Carretera Garrafón, km 4
☎877-0015
⇒877-0395
maria@mail.sybcom.com

La cuisine du María's Kan Kin est une variation de la gastronomie française adaptée aux spécialités yucatèques. Le María's Kan Kin est reconnu comme le seul restaurant de l'île où l'on sert le homard frais, c'est-à-dire la langouste, l'année durant. On y sert aussi des fruits de mer et des poissons, ainsi que de délicieux desserts. De la terrasse, on a une jolie vue sur la mer.

Pizza Rolandi
$$-$$$
Av. Hidalgo, entre Madero et Abasolo
☎877-0430

Comme à Cancún, il se trouve à l'Isla Mujeres un restaurant Pizza Rolandi, avec sa délicieuse pizza cuite au four à bois. On y sert aussi de belles salades composées, des fruits de mer, des pâtes et des *calzones*. Le propriétaire, un Italien, est aussi le chef du Casa Rolandi de Cancún. Les amateurs de vrai bon café pourront y savourer un excellent express ou un cappuccino bien relevé.

Zazil-Ha
$$-$$$
hôtel Na-Balam
Calle Zazil
☎877-0279

Le restaurant Zazil-Ha est une des trois cuisines de l'hôtel Na-Balam. Dans celui-ci, vous avez le choix entre des mets végétariens ou ceux de la cuisine dite maya qui est en fait une variation de la cuisine yuca-tèque moderne. Le restau-rant a été construit dans un jardin tropical luxuriant et cadre bien dans cet environnement romantique. Le pain à l'ail et les amuse-gueules exotiques sont reconnus par les gastronomes de l'île.

Don Chepo
$$
Av. Hildalgo, près de Francisco I. Madero
Le Don Chepo se spécialise tant dans la forme que dans le goût; on flambe le poulet, les crevettes ou les langoustes, devant vous. Le Flambé Maya utilise le Xta-bentun, un alcool de miel, tandis que le Flambé Mexicaine utilise de la tequila. Il y a même un Flambé au Champagne. Les saveurs mexicaines prennent une allure caraïbienne, mais pour un repas yucatèque, essayez l'*arrachera* (l'achiote et l'epazote sont des épices du Yucatan) ou pour un peu d'exotisme les *Camarones coco* (les crevettes au lait de coco). Les desserts (fruits) peuvent aussi être flambés.

Sorties

Dès la tombée du jour, l'Isla Mujeres offre de quoi se divertir dans ses bars et restaurants-bars. Dans la plupart des établissements, entre 17h et 19h, c'est un «2 pour 1» ou *hora feliz*. Vous aurez alors droit à deux consommations pour le prix d'une. Comme la musique est omniprésente dans l'île, de nombreux musiciens locaux, après avoir accompagné le repas des dîneurs un peu plus tôt dans la soirée, viennent animer les soirées de danse.

Buho's
hôtel Cabaña Maria del Mar
Playa Norte
☎*877-0086*
Pour un verre à la terrasse avant le dîner, le Buho's est un très bon endroit. La musique n'est pas trop forte et l'ambiance, relaxante...le «happy hour» est populaire ainsi que les balancoires autour du bar.

Zazil-Ha
hotel Na Balam
Playa Norte
Le «happy hour» du bar Zazil-Ha (sur la plage, fait partie de l'hotel NaBalam) est également très populaire et l'ambiance y est très charmante; parfois des groupes de musiciens s'y produisent.

Slices
19h à 3h
Hidalgo, près de Matamoros
Plaza Los Almendros
Cette grande discothèque ouverte à l'été 2000 loge

Isla Mujeres

dans une immense *palapa*.
C'est la disco «in» de l'île...

Kokonuts
19h à 3h
Hidalgo, près de Matamoros
Situé en face de Slices, le
Kokonuts est un petit
bar/café très couru. Le soir
arrivé, il devient une discothèque.

Festival

Festival internatio-
nal de musique
d'Isla Mujeres
Une fois par
année, au mois
de juillet, a lieu
le Festival inter-
national de
musique d'Isla
Mujeres. Pen-
dant cet événe-
ment de quel-
ques jours, des
groupes de musi-
ciens et de dan-
seurs folkloriques
venus d'un peu partout à
travers le monde donnent
des spectacles en plein air.

Achats

L'Avenida Hidalgo est
flanquée de nombreuses
petites boutiques.

La Casa Isleña II
Av. Guerrero n° 3

☎*877-0265*
Laissez tomber les t-shirts
fabriqués à la chaîne! La
Casa Isleña II vend des
t-shirts peints à la main par
un artiste doué.

La Casa del Arte Mexica
Av. Morelos angle Guerrero
Pour des sculptures en
pierre exécutées par un
artiste local. Y sont également proposés hamacs,
bijoux en argent, vêtements
en batik et articles de cuir.

Van Cleef & Arpels
Av. Morelos angle Benito
Juarez
Joailliers de re-
nommée mondiale.
La qualité des pierres
précieuses et l'origi-
nalité des pièces en
font un centre de
joaillerie unique.
Depuis vingt ans
Van Cleef & Arpels
créent des bijoux.
Ici comme à Cozu-
mel la boutique de Van
Cleef & Arpels est de-
venue un centre important
de bijoux en argent.
D'ailleurs leur atelier «The
Silver Factory of Van Cleef
& Arpels» est située à l'angle
opposé à la boutique.

Les Masques
Av. Lopez Mateos entre Hidalgo et
Guerrero
Les masques que vous trouverez dans cette boutique
d'un artisan de l'île sont
particuliers et de facture
recherchée.

Cozumel

Cozumel ★★★ est la plus grande île du Mexique. Entourée d'une mer turquoise et d'un spectaculaire chapelet de récifs coralliens, elle demeure un paradis pour les plongeurs.

Depuis le documentaire réalisé par l'explorateur et océanographe Jacques Cousteau en 1961, Cozumel est devenue un lieu de prédilection visité par des milliers de plongeurs chaque année. Des centaines de bateaux de croisière y font escale. La mer qui baigne l'île foisonne d'innombrables espèces marines, de récifs colorés et d'épaves de galions espagnols. En fait, plus de 20% des visiteurs de Cozumel sont des plongeurs, ou veulent le devenir! Les autres peuvent observer une étonnante variété d'oiseaux migrateurs qui y séjournent pendant une partie de l'année, visiter le Parque Laguna Chankanaab, faire du magasinage, aller pêcher ou encore, tout simplement, se reposer sur

l'une des magnifiques plages qui entourent l'île.

Située à 19 km de la côte, cette île plate en forme de pince de homard mesure environ 48 km de long sur 16 km de large. Le centre de Cozumel est envahi par la végétation. Tout autour,

cependant, l'île est cein-
turée de plages de sable
blanc et de calcaire. Comme
la côte est de l'île est battue
par les vents, c'est sur la
côte ouest que l'on retrouve
les installations touristiques
et les hôtels. C'est aussi du
côté ouest que se trouve
San Miguel, la seule ville de
toute l'île, qui compte environ 65 000 habitants.

Un peu d'histoire

Dès l'an 300 avant notre
ère, l'île était occupée par
les Mayas. Elle devint entre
1200 et 1600 un important
port de commerce et un
grand centre de pélerinage.
Les femmes de la côte ve-
naient en pirogue à Cozu-
mel pour y adorer Ixchel, la
déesse de la Fécondité. Plus
de 35 sites archéologiques
sont disséminés dans l'île,
mais seulement une partie a
été mise au jour. Cortés y
débarqua en 1519 avant de
se lancer à la conquête du
territoire mexicain. En 1518,
Cortés avait été précédé par
Juan de Grijalva qui cher-
chait des esclaves.

Durant les premières décennies de la colonie, l'île fut
l'*encomienda* du conquista-
dor Juan de Contreras, qui
la légua à son fils. Celui-ci
ne pouvant pas subvenir à
ses obligations religieuses

envers ses commettants
mayas perdit ses droits dans
l'île. Par ailleurs, ses deman-
des en tributs aux 60 familles de San Miguel et aux 80
familles de Santa María (aujourd'hui Le Cedral) deve-
naient trop exigeantes pour
celles-ci. Petit à petit, les
Mayas abandonnèrent Co-
zumel... mais comme il n'y
avait aucun contrôle espagnol (religieux ou politique)
dans l'île, on ignore s'il y
avait des occupants permanents à partir de 1600.

Les anses de l'île ont servi
de refuges aux pirates qui
écumaient les mers, aux
XVIIe et XVIIIe siècles, entre
autres les redoutables Jean
Lafitte et Henry Morgan. En
1848, le gouverneur du
Yucatán, Miguel Barbacha-
no, alarmé par la situation
créée par la guerre des Castes, offrait de vendre l'île de
Cozumel aux autorités de
Cuba... mais en vain.

Quelques années plus tard,
en février 1862, le ministre
des affaires extérieures du
Mexique autorise son en-
voyé spécial à négocier la
vente de l'île de Cozumel
aux États-Unis afin d'y établir une colonie de *negros*
(Noirs). Un projet de loi fut
présenté au Congrès amé-
ricain mais le cabinet du
président Lincoln, à la suite
de longues délibérations,
décida que l'île était trop
éloignée de la Floride et ne
correspondait pas au lieu
recherché pour l'établis-

sement d'une colonie d'esclaves devenus hommes libres. Cozumel demeurera donc partie du Mexique.

On se souviendra qu'au milieu du XIXe siècle l'île fut de nouveau colonisée par les Blancs et les Métis qui fuyaient la colère des Mayas durant la guerre des Castes. Ces nouveaux occupants sont les ancêtres d'un bon nombre des familles actuelles.

Vers la fin du XIXe siècle les activités économiques étaient la pêche, la récolte des bois nobles et l'agriculture, mais surtout le *henequén* (agave) et la noix de coco, deux matières premières que l'on exportait pour la transformation. Avec les fibres du *henequén* on fabriquait entre autres, le cordage pour les navires tandis que la noix de coco était transformée en huile.

La popularité du *chewing gum* aux États-Unis est à l'origine de la renaissance économique de Cozumel au début du XXe siècle. Cozumel était en effet un port d'exportation vers l'Amérique du Nord sur la route du *chiclé*, le produit de base de

la gomme à mâcher, extrait du sapotier. Cette activité a décliné lorsqu'un produit synthétique a été inventé pour remplacer cette matière première vers les années 1930. Les États-Unis y ont construit plus tard une base aérienne que les Alliés utilisèrent pour faire la chasse aux sous-marins allemands durant la Seconde Guerre mondiale.

C'est aussi à Cozumel que l'Armée américaine entraînait les hommes-grenouilles (plongeurs militaires).

L'après-guerre fut difficile pour les habitants de Cozumel, car l'île se trouvait dans une impasse économique majeure. Le déclin des exportations de la noix de coco et du *chicle* (gomme à mâcher), ainsi que le manque de matières premières dû principalement à la surexploitation des bois nobles, créèrent une crise économique qui mettait la survie de l'île en jeu. L'histoire économique moderne de Cozumel commence par cette crise... et les solutions que les habitants ont trouvées pour l'endiguer.

Noix de coco

Même si le premier hôtel fut inauguré en 1928, c'est seulement vers les années 1950 que commence le tourisme d'aventure. Attirés par la beauté naturelle de l'île, son histoire et par la proximité de sites de plongée, quelques investisseurs pionniers rassemblent les fonds nécessaires pour construire l'infrastructure touristique de l'île.

Depuis les années 1970, la construction d'hôtels et de parcs d'attractions se poursuit. La base économique actuelle est non seulement le tourisme de plongée, qui a façonné la réputation mondiale de Cozumel, mais aussi, et de plus en plus, le tourisme de croisière, avec ces immenses bateaux-hôtels qui amènent quotidiennement, bon an mal an, plus de 6 000 nouveaux visiteurs dans l'île.

Pour s'y retrouver sans mal

En avion

Aéroport international de Cozumel
à environ 3 km au nord-est de San Miguel
☎872-0485 ou 872-2081

L'aéroport international de Cozumel comprend un bar-restaurant, des boutiques de souvenirs et des comptoirs de location de voitures et d'agences d'excursions.

AeroCozumel
☎872-3456

AeroCaribe
☎872-0968 ou 872-0877
Ces lignes aériennes assurent quotidiennement la liaison entre Cancún et Cozumel (environ 40$US l'aller simple): la durée du vol est d'environ 20 min.

Mexicana
☎872-0157 ou 872-0263
☎872-2945
L'aller-retour en avion entre Cozumel et Playa del Carmen coûte autour de 150 pesos: le vol dure 10 min. Pour plus de détails, adressez-vous à Mexicana. Mexicana assure également des vols très fréquents entre Cozumel, Miami et San Francisco. La taxe de départ pour les vols internationaux est de 16$US.

À partir de l'aéroport, on peut prendre l'une des fréquentes navettes pour San Miguel à un prix raisonnable. On peut aussi héler un taxi. Les taxis sont assez bon marché dans l'île et il s'agit du moyen de transport le plus développé.

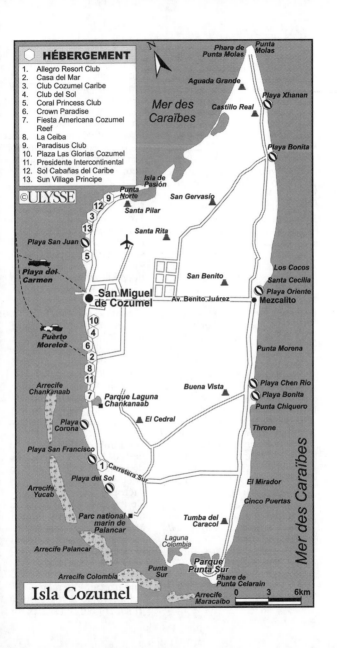

HÉBERGEMENT

1. Allegro Resort Club
2. Casa del Mar
3. Club Cozumel Caribe
4. Club del Sol
5. Coral Princess Club
6. Crown Paradise
7. Fiesta Americana Cozumel Reef
8. La Ceiba
9. Paradisus Club
10. Plaza Las Glorias Cozumel
11. Presidente Intercontinental
12. Sol Cabañas del Caribe
13. Sun Village Principe

©ULYSSE

Phare de Punta Molas
Punta Molas

Aguada Grande
Playa Xhanan

Mer des Caraïbes

Castillo Real

Playa Bonita

Isla de Pasión

Punta Norte

Isla de Pasión

San Gervasio

Santa Pilar

Santa Rita

Playa San Juan

Playa del Carmen

San Miguel de Cozumel

San Benito

Los Cocos
Santa Cecilia
Playa Oriente
Mezcalito

Av. Benito Juárez

Puerto Morelos

Punta Morena

Arrecife Chankanaab

Buena Vista

Playa Chen Río
Playa Bonita
Punta Chiquero

Parque Laguna Chankanaab

El Cedral

Throne

Playa Corona

Playa San Francisco

Arrecife Yucab

Carretera Sur

Playa del Sol

El Mirador

Cinco Puertas

Parc national marin de Palancar

Tumba del Caracol

Arrecife Palancar

Laguna Colombia

Parque Punta Sur

Arrecife Colombia

Punta Sur

Phare de Punta Celarain

Mer des Caraïbes

Arrecife Maracaibo

0   3   6km

Isla Cozumel

En bateau

De nombreuses navettes assurent chaque jour une vingtaine de liaisons entre Cozumel et Playa del Carmen *(de Playa à Cozumel: de 5h à 21h; de Cozumel à Playa: de 4h à 20h)*. Cependant, les horaires changent constamment. La traversée dure une quarantaine de minutes et coûte environ 160 pesos aller-retour. Ces bateaux accostent à la *Muelle Fiscal* (l'embarcadère) en face de l'Avenida Benito Juárez, à San Miguel. Il est recommandé de prendre des médicaments antinaupathiques et de manger légèrement au moins une demi-heure avant de monter à bord de l'un de ces bateaux, car pas moins de 30% des passagers souffriraient du mal de mer lors de ces traversées, la mer étant très agitée. Sur certains des bateaux, il est possible de s'asseoir au grand air. Voici les numéros des entreprises qui font la navette entre les deux villes. Il serait bon d'appeler avant pour vérifier l'horaire des départs:

Waterjet Service
Bateaux: *México I*, *México II* et *México III*
☎*872-1508*

Aviomar
Aéroglisseur
☎*872-0588*

Un traversier pour véhicules fait le trajet entre Cozumel et Puerto Morelos, un petit village situé à une trentaine de kilomètres au sud de Cancún; il accoste à la *Muelle International*. Le trajet dure 2 h 30 min et l'on doit se présenter au moins trois heures à l'avance.

Muelle Punta Langosta
☎*872-5108*
Trois embarcadères accueillent spécifiquement les nombreux bateaux de croisière que l'île reçoit chaque jour. Ils sont situés à quelques kilomètres au sud de San Miguel. La société Canaco *(Camara Nacional de Comercio - Servicios y Turismo de Cozumel)* diffuse régulièrement le programme des arrivées des paquebots. Ces informations sont publiées dans le journal régional *Novedades*.

En voiture

De nombreux hôtels ont des comptoirs de location de voitures à Cozumel. On peut aussi en louer à l'aéroport et à San Miguel. Un traversier pour véhicules fait la navette entre Puerto Morelos et Cozumel une fois par jour, mais c'est assez compliqué et très onéreux (voir plus haut).

L'île n'a pratiquement qu'une route revêtue qui longe la côte ouest à partir de la pointe nord de l'île; elle décrit une boucle autour de la pointe sud et aboutit à San Miguel. Une route linéaire traverse l'île en son milieu, de la côte est à la côte ouest (dangereuse la nuit). Lorsqu'on arrive à Cozumel par bateau, on est accueilli au port par une foule de gens qui louent des voitures ou des motocyclettes. Il est peut-être préférable de faire une réservation à l'avance à partir de votre pays. Selon l'agence, cela coûte moins cher et vous fait sauver du temps sur place. Demandez qu'on vous envoie une confirmation écrite. À Cozumel, la location d'une voiture pour une journée coûte au moins 50$ selon le modèle. Louer une motocyclette pour une journée coûte entre 25$ et 30$, et une bicyclette, environ 10$.

Voici quelques entreprises qui louent des automobiles, des motocyclettes et des bicyclettes à Cozumel:

Aguila
☎872-0729
✆872-3285

Budget
☎872-0903
✆872-5177

Hertz
☎872-3955

Pour un séjour de plusieurs jours, il est peut-être plus avantageux de louer à long terme. L'entreprise suivante fait de tels arrangements:

El Dorado
☎872-2383 ou 872-3318

En motocyclette

Bien que ce moyen de transport soit très populaire dans l'île, les accidents de motocyclette sont très fréquents, car la route est mauvaise et la circulation intense. De plus, la route n'est parfois pas très large et les voitures frôlent de près les motocyclistes. À moins d'être un conducteur expérimenté et de bien connaître le code de signaux routiers ainsi que la façon de conduire au Mexique, vous devriez plutôt prendre le taxi.

En taxi

Les taxis sont disponibles 24 heures par jour à Cozumel, mais il y a des frais supplémentaires entre minuit et 6h.

Station de taxis
Calle 2 Norte, San Miguel
☎872-0041
À San Miguel, il y a une station de taxis. La réception de votre hôtel pourra vous renseigner sur les tarifs en cours. Les tarifs qui suivent (en pesos) peuvent vous être utiles à titre indi-

Cozumel

catif seulement, car ils varient fréquemment.

De San Miguel à l'aéroport:
32 pesos
au port de croisières:
10$US
à la zone hôtelière nord:
70 pesos
à la zone hôtelière sud:
130 pesos
au récif de Palancar:
150 pesos
à Celarain:
400 pesos
à San Gervasio:
360 pesos (3 h)
au Parque Laguna Chankanaab:
80 pesos
tour de l'île:
480 pesos
sites archéologiques et tour de l'île:
585 pesos

Renseignements pratiques

Information touristique

Méfiez-vous des comptoirs d'information touristique qui sont près du parc. Leur unique but est de vendre des appartements à temps partagé, et les pauvres renseignements touristiques qu'ils donnent ne sont même pas fiables.

Direccion Municipal de Turismo
lun-ven 9h à 15h et 18h à 21h
Edificio Plaza del Sol, San Miguel
☎872-7563
✆872-7636

Association des hôtels de Cozumel
lun-ven 9h à 14h et 17h à 20h
☎872-3132
✆872-2809

Agences de voyages

Pour aller à Tulum, Playa del Carmen, Cancún, Chichén Itzá, etc.

Intermar Cozumel
Calle 2 Norte n° 101B
☎872-1535 ou 872-1098

Tourismo Aviomar
Av. 5, entre Calle 2 et Calle 4 norte
☎872-4622 ou 872-0477

Bureau de poste

lun-ven 9h à 18h, sam 9h à midi
Calle 7 Sur, angle Av. Rafael Melgar
☎872-0106

Téléphone

L'indicatif régional de Cozumel est le **9**. Vous pouvez faire des appels à l'étranger à partir des cabines téléphoniques avec une carte d'appels.

Banques et bureaux de change

Les banques sont ouvertes de 9h à 13h30, du lundi au vendredi. Il est préférable, pour changer de l'argent, de s'y présenter avant 11h.

Banamex
avec guichet automatique
Av. 5 Sur, angle Calle Adolfo Rosada Salas, San Miguel
☎*872-3411*

Serfin
avec guichet automatique
Calle 1 Sur, entre Av. 5 et Av. 10. San Miguel
☎*872-2853*

Bital
Av. 5A Sur, angle Calle 1a Sur
☎*872-0444 ou 872-0142*

Santé

Cliniques médicales

La plupart des cliniques de Cozumel sont habituées à traiter les plongeurs qui souffrent de problèmes de pression. Il y a tant de plongeurs à Cozumel que ces accidents arrivent fréquemment.

Cruz Roja (Croix-Rouge)
☎*872-1058*

Hospital General
Calle 11 Sur
☎*872-5182 ou 872-0140*
Servicios de Securidad

Subaquatica
Av. 5 Sur nº 21
☎*872-1430*
⇌*872-1848*
Urgence: ☎*21430*
service de sécurité subaqua-tique
Cette clinique est spéciali-sée dans les problèmes de pression qui peuvent arriver aux plongeurs. En activité 24 heures sur 24, elle est financée presque entière-ment par une sorte de «pré-lèvement» sur les excursions de plongée (1$US par jour).

Meditur
Calle 2 Norte, entre Av. 5 et Av. 10
☎*872-3070*
Mêmes services que la cli-nique précédente.

Clínica Cozumel
24 heures sur 24, service en anglais
Calle 1a Sur nº 101, angle 50 Av.
☎*872-3545*
⇌*872-4070*
segouia@prodigy.net.mx
La Clínica Cozumel est af-filiée au South Miami Hos-pital.

Pharmacies

À San Miguel, il y a six pharmacies. Nous mention-nons les deux adresses suivantes pour leur situation géographique centrale:

Farmacia Canto
Av. Pedro Joaquín Coldwell
nº 498, angle Av. 5 Sur, San Miguel
☎*872-2589*

Cozumel

Farmacia Paris
24 heures sur 24
Av. Pedro J. Coldwell entre Calle 2 et
Calle 4 Norte
☎872-5060

Sécurité

Police
☎872-0092

Pompiers
☎872-0800

Développement photo

Foto Omega
service en moins d'une heure
Plaza Orbi, Av. 3 Sur n° 27, angle Av.
Rafael Melgar
☎872-0255

Divers

Publication

Dans plusieurs boutiques et
hôtels, vous pourrez vous
procurer le *Blue Guide (Guía
Azul)*, une publication tri-
mestrielle en anglais distribuée gratuitement, au
contenu très publicitaire,
mais qui pourra peut-être
vous être utile.

Station-service

Une station-service se
trouve à San Miguel, à
l'intersection de l'Avenida
Benito Juárez et de la
l'Avenida 30. Elle est ouverte 24 heures tous les

jours. Évitez d'y être aux
alentours de 15h, car c'est à
ce moment que le person-
nel se relaie et il y a alors
énormément d'attente.

Attraits touristiques

San Miguel

La petite ville de San Miguel
est le cœur de l'île. Ses rues
qui s'entrecroisent à angle
droit permettent de s'y retrouver très facilement.
L'activité se concentre sur la
Plaza San Miguel, le parc
principal de la ville. Le dimanche soir, vous aurez le
bonheur d'y entendre des
mariachis, entre 20h et 22h
environ. À ce moment-là,
tous les habitants sont au
rendez-vous pour faire la
fête. On retrouve à San Miguel le choix habituel de
boutiques, mais cette ville a
gardé son âme mexicaine.
La plupart des restaurants
de l'île se trouvent dans les
environs. De nombreuses
boutiques longent le *ma-
lecón* (promenade du bord
de mer) qui s'appelle
Avenue Rafael Melgar.

Le **Museo de la Isla de Cozumel** ★★★ *(5$US; tlj 9h à
17h; Av. Rafael Melgar, entre
Calle 4 et Calle 6, ☎21434)*,
situé au nord de la Plaza

Les Mayas, fins astronomes, étudiaient le ciel depuis cet observatoire aussi appelé « El Caracol ». - *Tibor Bognar*

Ce bel étal d'un marché donne une petite idée de la saveur de la cuisine mexicaine...
- *M. Daniels*

Petit temple de Chichén Itzá sur lequel la nature a repris quelque peu ses droits.
- *A. Cozzi*

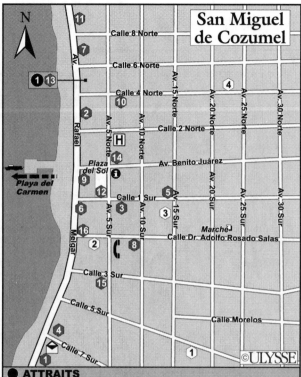

San Miguel de Cozumel

San Miguel, a été aménagé dans un hôtel chic construit en 1936.

Ce musée comprend quatre grandes salles sur deux niveaux. À l'entrée de la première, vous trouverez une maquette de l'île qui met en évidence tous les sites naturels et positionne les constructions intéressantes comme les phares et les sites archéologiques. En plus de la topographie, vous apprendrez dans cette salle l'origine des espèces (plantes et vertébrés). Un diorama de la jungle de Cozumel aide à la compréhension de l'évolution des écosystèmes.

Les récifs, leur naissance, leur formation et leur diversité sont les thèmes de la deuxième salle d'exposition, tandis que la civilisation maya et l'histoire des Mayas dans l'île sont le sujet de la troisième salle. Vous y verrez les pièces maîtresses retrouvées dans les sites archéologiques de Cozumel. Les naufragés espagnols qui ont précédé le premier visiteur espagnol, Juan de Grijalva, et les conquistadors nous sont présentés dans la salle consacrée à l'histoire de Cozumel.

De grands panneaux nous apprennent l'importance et le déroulement de la guerre des Castes du milieu du XIXe siècle. Des outils et machines démontrent le rôle qu'ont joué les grandes cultures comme le *chicle* et le *henequén* dans le développement de l'économie de l'île.

La visite du musée, qui dure à peine une heure, vous donnera un aperçu de l'histoire de Cozumel. Elle enrichira votre séjour dans l'île même si celui-ci n'est que d'une journée.

Le restaurant du musée, situé à l'étage supérieur, offre une vue panoramique sur le détroit qui sépare l'île du continent.

Le sud de l'île

À l'extrémité sud de l'île, la Carretera Costera Sur débouche au km 27 sur le **Parque Ecoturístico de Punta Sur** *(10$)*, une réserve écologique de quelque 100 ha qui a été récemment l'objet d'un important développement et d'une mise en valeur de la pointe. Le parc se veut le promoteur de la conservation de la nature et des vestiges, qui deviennent les bornes des différentes époques d'occupation. Ainsi, le grand phare de Celarain, construit en 1901, côtoie la Tumba del Caracol (voir p 196), un petit monument maya qui servait de point de repère aux navigateurs d'antan.

Le musée du phare de Celarain, consacré à l'histoire de la navigation, est une construction récente. On a conservé et mis en valeur la maison du gardien du phare qui fut occupée par Félix García Aguilar pendant plus de 50 ans.

Le parc comprend aussi la Laguna Colombia, où vous pouvez louer bicyclette ou kayak, vous baigner, ou tout simplement parcourir les sentiers pédestres. La Laguna Colombia, d'une diversité étonnante, est un lieu privilégié. Des tours d'observation ont été construites à la grande joie des plus sédentaires qui, sans trop d'efforts, peuvent apprécier l'environnement.

Le nord de l'île

Le **phare de Punta Molas** ★, à l'extrémité nord de l'île, vaut le détour même s'il est difficilement accessible.

C'est un endroit retiré où la plage est très belle.

Les sites archéologiques

Les 25 sites archéologiques de l'île témoignent de l'importance de Cozumel en tant que centre cérémoniel et plaque tournante du commerce. La plupart des vestiges sont de petits édifices carrés de faible hauteur. Des huit sites majeurs seulement quelques-uns sont accessibles.

Depuis la quasi-destruction d'El Cedral (voir plus bas), **San Gervasio** ★ *(3,50$; tlj 7h à 17h)* est devenu le groupe d'édifice le plus important de l'île. On croit que San Gervasio a été habité par les Mayas de l'an 300 à l'an 1500 à peu près. C'était sûrement à cette époque la capitale de l'île. On y retrouve un groupe de petits sanctuaires et de temples érigés en l'honneur d'Ixchel, déesse maya de la Fertilité. Chacun des édifices du site est accompagné de panneaux d'interprétation en maya, en anglais et en espagnol.

L'ensemble est constitué de structures de pierre, de colonnes et de linteaux disséminés autour d'une grande place, ainsi que de quelques éléments de moindre importance qui se perdent dans la forêt. À l'entrée du

Cozumel

site, où vous achetez votre billet, il y a des boutiques d'artisanat et un casse-croûte. Pour atteindre San Gervasio, il faut emprunter la route transversale de l'île en direction est depuis San Miguel. Un panneau vous indiquera l'embranchement à prendre et il vous faudra ensuite faire une dizaine de kilomètres vers le nord. On estime que San Gervasio reçoit en moyenne 285 visiteurs chaque jour.

Au sud de la plage San Francisco, une route revêtue de 3,5 km de long mène au petit village **Le Cedral**. Ce village fut fondé au milieu du XIXᵉ siècle par des Métis venus de Valladolid qui fuyaient les Mayas en révolte. Le village abrite entre autres une petite église construite à côté du seul temple maya de l'époque préhispanique qui subsiste tant bien que mal. Les autres structures anciennes ont été démantelées pour la construction des maisons du village.

Il n'y a pas si longtemps, le site comprenait trois groupes d'édifices érigés autour de grandes *plazas*. Le démantèlement n'a laissé qu'une structure dont les deux salles ont été utilisées comme prison depuis 1935. D'ailleurs les habitants du village désignent cet édifice *le carcel* (la prison). Le site archéologique date du début de la période dite postclassique, c'est-à-dire au temps où la grande ville de Chichén Itzá était la capitale du nord du Yucatán.

Si vous êtes dans les parages de Le Cedral entre le 1ᵉʳ et le 3 mai, ne manquez pas les Fiestas de la Santa Cruz: une fête annuelle avec danses, corridas et manèges. Le village prend alors une allure de kermesse insulaire.

À l'extrémité sud de l'île, les vestiges de la **Tumba del Caracol** ★ tirent leur nom d'un temple dont la base carrée est surmontée d'une coupole en forme d'escargot *(caracol)*, aujourd'hui à moitié détruite. On croit que ce site fut utilisé comme phare. Les coquillages incrustés dans les murs sifflent en tons différents selon le vent. Vous pourrez apercevoir, du côté ouest du temple, au-dessus de la porte, des traces de peinture rouge.

Sur la côte nord-est de l'île, quatre temples dont le **Castillo Real** jalonnent le côté est de la route. C'est un temple carré fissuré dans le milieu et construit sur une plateforme. On distingue encore, à l'intérieur, des traces de fresques.

Parcs et plages

Parcs

À 10 km au sud de San Miguel se trouve l'un des plus beaux sites de l'île, le **Parque Laguna Chankanaab** ★★ *(10$US; tlj 9h à 17h; Carretera Sur, km 9)*, qui comprend un grand **jardin botanique**. La lagune de Chankanaab est un aquarium naturel alimenté en eau de mer par des tunnels souterrains. On peut y observer une cinquantaine d'espèces de poissons, de crustacés et de coraux, mais la plongée y est interdite. Un sentier serpente dans ce jardin botanique garni de 350 types de plantes et d'arbres tropicaux provenant de 22 pays. Un musée intéressant décrit la vie des Mayas. Une fois parvenu à la plage voisine, on peut nager dans la lagune tranquille.

Les cavernes et tunnels creusés dans le calcaire sont passionnants à explorer en plongée-tuba.

À 320 m au large, le récif de corail de Chankanaab attire des foules de plongeurs avec ses mille espèces colorées. Sous l'eau, il faut plonger entre 2 m et 18 m de profondeur pour examiner le corail, une statue en bronze du Christ et une statue de la Vierge, des canons et des ancres séculaires, ainsi qu'un bateau coulé. L'équipement de plongée peut se louer ou s'acheter sur place. À l'entrée du site se trouvent des vestiaires et des cabines, un casse-croûte, un bar-restaurant et des boutiques de cadeaux. Plusieurs chaises longues et *palapas* sont mises à la disposition des touristes.

Récifs coralliens

Nous le disions plus haut, la multitude de récifs et leur grande beauté ont fait la réputation de Cozumel. La rumeur court à l'effet que l'île reçoit plus de 1 500 plongeurs par jour.

Le **récif de Palancar**, sans aucun doute le plus spectaculaire en raison de son étendue et de ses bancs de poissons fabuleux, attire à lui seul des milliers de nageurs chaque année. Le Parque Laguna Chankanaab est l'endroit idéal pour apprendre à plonger. On peut même descendre un escalier menant à une statue de bronze du Christ engloutie.

Cozumel

Le récif **Yucab**, réservé aux plongeurs intermédiaires, se prête parfaitement à la photographie sous-marine d'espèces qui restent immobiles pour éviter le courant.

Les **récifs Santa Rosa** et **Colombia**, reconnus pour leur immensité, méritent plus d'une visite.

L'avion DC-3 qui gît au fond du **récif La Ceiba** attire non seulement les hommes-grenouilles. mais aussi les cinéastes! Le cheval de mer y a élu domicile.

Raie manta

Enfin, le **récif El Paso del Cedral** permet aux novices de visiter une caverne et d'affronter de gros poissons toujours affamés qui n'aiment pas les touristes aux mains vides...

Plages de la côte ouest

Playa San Juan

La Playa San Juan longe toute la zone hôtelière au nord de San Miguel pour aboutir à Punta Norte. C'est une plage tranquille où l'on trouve sans problème tout l'équipement de plongée nécessaire ainsi que des moniteurs certifiés. C'est une plage recommandée pour la planche à voile. On y trouve de multiples bars et casse-croûte.

Playa San Francisco

La Playa San Francisco, une plage de 5 km de long située au nord de la Playa Sol, est considérée comme l'une des plus belles de l'île. Elle est pourvue de nombreux services et installations (bar, restaurant, vestiaire, boutiques, chaises longues et *palapas*, location d'équipement de plongée, filet de volley-ball). Ses eaux calmes contiennent des merveilles sous-marines situées tout près de la côte. Le dimanche, cette plage est particulièrement achalandée car les habitants de l'île viennent s'y reposer. Ce jour-là, on peut y entendre plusieurs musiciens locaux.

Playa Sol

Juste au sud de la Playa San Francisco, vous croiserez la Playa Sol, très populaire auprès des touristes d'un jour. On y trouve plusieurs services et installations tels qu'un bar-restaurant, des vestiaires et des cases, des boutiques de souvenirs, un comptoir de location d'équipement de plongée-tuba, de plongée sous-marine, de ski et de kayak. Des promenades à cheval sont aussi organisées ainsi que l'escalade d'un faux «iceberg».

Plages de la côte est

Playa Oriente

Un peu au nord de la route transversale, au bout de la route transversale, vous trouverez la Playa Oriente, l'une des plages les plus agitées de l'île, où seuls les surfeurs expérimentés peuvent affronter la mer des Caraïbes. Il y a un restaurant sur place.

Punta Chiquero

La Punta Chiquero est l'une des plus belles plages du côté est de l'île, lovée dans une anse en forme de croissant de lune située au sud de la route. Protégée des vagues par un récif, elle est idéale pour la natation et le surf. On y trouve le restaurant de poissons et fruits de mer Playa Bonita.

Playa Chen Río

La Playa Chen Río est située du côté est de l'île, à peu près au milieu, à environ 5 km au nord de Punta Chiqueros. L'eau claire de cette plage, relativement tranquille, permet de pratiquer le surf. On y trouve un

stationnement, un restaurant et un bar.

Activités de plein air

Clubs de plage

Joignant l'utile à l'agréable, les «clubs de plage» sont à la fois des restaurants et des centres sportifs, le sport par excellence étant à Cozumel, on le devine bien, la plongée. La majorité des clubs de plage se situent au sud du Parque Chankanaab.

Playa Sol Beach Club
6$US
9h à 18h
Costera Sur, près d'El Cedral
☎872-1935
Bien connu chez les plongeurs qui partent à la découverte de Palancar et qui désirent s'offrir un déjeuner très copieux avant de retourner dans les fonds marins, le club de plage Playa Sol dispose d'un restaurant extérieur, d'une boutique de souvenirs, de salles pour se changer et pour se reposer, et même d'un petit zoo avec alligators, perroquets et lapins... Cet endroit est plus fréquenté que les deux clubs immédiatement au sud.

Cozumel

Playa Corona
à 1 km au sud du Parque Laguna Chankanaab

La Playa Corona, comman-ditée par la bière du même nom, propose plongée et pêche en haute mer, ainsi que rafraîchissements et repas à son restaurant. La particularité du site est sa proximité de la faune et de la flore sous-marines qui rend l'observation très fa-cile.

Pêche en haute mer

Club Náutico de Cozumel
Zona Hotelera Norte, km 1,6
☎872-0118
☎872-1135

Un tournoi de pêche de réputation mondiale est organisé chaque année en avril ou mai depuis le début des années 1970 par le Club Náutico de Cozumel. Mais il ne s'agit pas du seul tournoi national ou international à se tenir dans l'île.

Le tournoi de pêche sportive **Antonio González Fernández**, qui a lieu en novembre à partir du quai San Miguel, compte générale-ment une trentaine de participants. En 1996, le gagnant a extirpé des mers un imposant marlin bleu de 54 kg et une dorade de 6 kg.

Semarnat
Secretaria del Medio Am-biante, Recursos Naturales y Pesca
Plaza del Sol
☎872-0906

Basé à San Miguel, l'orga-nisme gouvernemental res-ponsable des ressources naturelles et des pêches Semarnat, pourra sûrement vous renseigner sur les évé-nements à venir.

La baie **Caleta Marina**, située à deux pas de l'hôtel Presi-dente, est un bon endroit pour le départ des expédi-tions de pêche à longueur d'année.

Équitation

Une promenade à cheval permet de découvrir agréa-blement les environs. Une balade de quatre heures coûte environ 60$US, in-cluant généralement le guide, le transport à l'hôtel et un rafraîchissement.

L'entreprise suivante orga-nise de telles excursions:

Rancho Buenavista
départs lun-sam
☎872-1537 *ou* 872-4374

Plongée sous-marine

C'est bien sûr formidable de descendre dans le fond des mers pour aller voir les récifs coralliens (voir p 197), mais le corail est une merveille qui se reproduit très lentement. Il faut donc éviter d'y toucher car cela l'abîme énormément, mais aussi parce que vous pouvez vous blesser. Il est de loin préférable de prendre des photos sous-marines avec un appareil à cet effet. On peut même louer des caméras vidéo qui peuvent filmer dans l'eau.

Les entreprises offrant des services de plongée avec guide, équipement et transport vers les lieux à visiter pullulent à Cozumel, sans compter les grands hôtels qui disposent de toutes les installations nécessaires. Le coût d'une excursion sous-marine peut dépendre de plusieurs facteurs: cours de plongée pour les débutants, éloignement des sites à visiter, excursion-croisière avec repas à bord du bateau, etc. À titre d'exemple, il peut en coûter près de 60$US pour une journée de plongée avec un guide diplômé et deux bouteilles d'oxygène. Sur place, il est possible de trouver un très grand nombre de dépliants publicitaires et différents magazines de plongée qui font un inventaire très exhaustif des centres de plongée. Voici quelques entreprises spécialisées à Cozumel:

Aldora Divers
☎ 872-4048
www.aldora.com
Aldora Divers joue la carte cybernétique à fond avec une présence marquée dans le réseau Internet. Aldora attire chez lui des plongeurs du monde entier qui entretiennent avec patrons et employés de l'entreprise une relation aussi amicale que virtuelle jusqu'au moment de leur séjour dans l'île paradisiaque. De retour chez eux, les plongeurs ont même la possibilité d'ajouter au site Internet d'Aldora un bilan de leurs expéditions. Des questions? Un petit courrier électronique à cette adresse: *«dave@Aldora.com».*

Cozumel

Dive Paradise

Av. Rafael Melgar n° 601

☎872-1007

⇄872-1061

Dive Paradise est composé d'une grosse équipe de 58 moniteurs.

Yucatech

Av. 15, près de la Calle A. Salas

☎872-5659

Yucatech peut, en plus d'organiser des journées de plongée, immortaliser votre aventure sur vidéo.

Avis aux interressés. Il est aussi possible de suivre des cours de plongée sous-marine qui mènent au diplôme PADI, reconnu internationalement. Pour un cours avancé, le tarif tourne autour de 700$US. Les leçons s'échelonnent alors sur plusieurs séances. On peut aussi suivre des cours d'initiation, moins longs.

Croisières

Atlantis Submarines

80$

Zona Hotelera Sur, Carretera a Chankanaab Km 4, Casa del Mar

☎872-5671

Si vous ne faites pas de plongée, vous pouvez maintenant admirer de près les récifs et leurs habitants. L'*Atlantis* est un sous-marin spécialement aménagé qui accueille un maximum de 48 passagers. Il descend jusqu'à 100 m au fond de la mer; il vous fera découvrir le monde dont rêvent tous les plongeurs. La descente s'avère une expérience unique: les bancs de poissons de couleurs variées, les multiples formes des bancs de coraux et la sensation de légèreté que donne l'espace du sous-marin valent le coût et nourriront vos souvenirs les plus exotiques. Si vous prenez des photos, utilisez un film très rapide (asa 1000) car, avec un film moins rapide, vos photos du fond seront bleues. La sortie dure deux heures.

El Zorro

50$US

☎872-0522

L'agréable sensation de faire corps avec la mer et le vent sur un catamaran de 13 m est possible avec El Zorro, qui permet également de paresser dans ce que l'on appelle en Australie le *boom netting*, ou l'art de se laisser traîner dans les flots, lové dans un filet tiré par un bateau. À bord du catamaran: boissons, repas, équipement de plongée-tuba et guides accompagnateurs... le tout pour 50$US.

Fury Catamarans

Zona Hotelera Sur km 4

près de l'hôtel Casa del Mar

☎872-5145

Fury Catamarans propose, dans l'ensemble, le même type d'activités pour environ 55$US à l'exception que les expéditions mènent à une plage privée où sont pratiquées différentes activités (volley-ball, kayak, etc.). Les mardis et jeudis, Fury Catamarans se rend au récif de Palancar.

Capitanía de Puerto Cozumel
Av. Rafael Melgar n° 601
☎872-2409

Avant de s'engager en mer, il est préférable, pour ceux et celles qui possèdent leur propre embarcation ou qui en ont fait la location, de communiquer avec la Capitanía de Puerto Cozumel, ou capitainerie du port de Cozumel pour s'informer des conditions climatiques et des possibilités de naviguer sans problème.

Hébergement

Association hôtelière de Cozumel
☎872-2809

Cette association pourra vous renseigner sur certaines questions et effectuer des réservations. Les hôtels (membres de l'association) sont décrits dans le site *islaco zumel.com.mx*

Au niveau de l'hébergement, l'île est divisée en trois: il y a San Miguel, la zone hôtelière située au nord de San Miguel, le long

de la mer, (*Costera Norte*) et la zone hôtelière au sud de San Miguel (*Costera Sur*). La zone du nord comprend les hôtels les plus luxueux de l'île. La zone sud, quant à elle, est celle qui se développe le plus rapidement, et c'est là qu'on retrouve les hôtels les plus récents. Cette zone a l'avantage d'être près du Parque Laguna Chankanaab, la principale attraction de Cozumel.

Flores
$
≡, ⊗
Calle A. Rosada Salas n° 72
☎872-1429
⇄872-2475

En plein cœur de San Miguel, le petit hôtel Flores est modeste mais pratique. Les chambres offrent un confort simple. Il vaut mieux choisir une chambre au 3e étage pour amortir un peu le bruit de la rue.

Posada Letty
$
Calle 1a Sur n° 298
☎872-0257

La Posada Letty loue des chambres simples, économiques, un peu vétustes, mais dotées d'un ventilateur ronronnant.

Tamarindo
$ pdj
⊗, ≡, tv
Calle 4 Norte n° 421
☎/⇄872-3614

Pour la formule «logement chez l'habitant» (*bed and*

breakfast), le petit Tamarindo est un bon choix au centre de San Miguel. Ce nouvel hôtel est situé à 5 min à pied du parc central et de la mer. Il compte trois chambres, simples, assez grandes, propres et confortables, décorées dans le plus pur style mexicain. Il y a également deux chambres climatisées, nichées dans le jardin. Les occupants partagent une terrasse qui donne sur le jardin et où le petit déjeuner est servi. L'hôtel a une jolie cour ombragée où l'on peut se détendre dans un hamac. Les clients peuvent utiliser la cuisine commune, où l'eau purifiée est offerte à volonté. Il y a un service de garde d'enfants sur demande.

Amaranto
$

≡, ⊗

Calle 5 Sur entre Av. 15 et Av. 20
☎872-3219
tamarindo@cozumel.com.mx

Ce logement chez l'habitant est unique en son genre: il s'inspire de l'architecture maya. Vous trouverez à l'Amaranto trois bungalows climatisés, une suite et une garçonnière *(penthouse)*. Chaque unité comprend un lit grand format *(kingsize)*, une télé, un réfrigérateur, un micro-ondes, une cafetière électrique et de la vaisselle. Il y a une petite piscine pour se rafraîchir et un bac spécialement fait pour rincer l'équipement de plongée.

Casa del Mar
$$

≡, ≈, ℜ

Costera Sur, km 4
☎872-0844
⇰872-0065
delmar@cozumel.com.mx

Les 98 chambres de la Casa del Mar sont joliment décorées avec de l'artisanat local. Chacune des chambres a vue sur la mer ou sur la piscine. L'hôtel compte aussi huit *cabañas* qui coûtent un peu plus cher, mais qui peuvent loger jusqu'à quatre personnes. La Casa del Mar abrite une boutique de plongée, un comptoir de location de voitures, deux restaurants, deux bars et une agence de voyages.

Club Cozumel Caribe
$$$ tc

⊗, ≡, ≈, ℜ

Costera Norte, km 4,5
☎872-0100
⇰872-0288

L'Hotel Club Cozumel Caribe rend la vie facile à ses clients. C'est d'ailleurs cet hôtel qui a initié la formule «tout compris» à Cozumel. Sa plage, même si elle est petite, est excellente pour la plongée. Les chambres, décorées de façon plutôt moderne, sont vastes, avec air conditionné et téléphone. La plupart ont vue sur la mer et possèdent un balcon. Cet hôtel compte 260 chambres, réparties dans une tour de 10 étages qui s'ajoute à l'ancien bâtiment de trois étages, désormais rénové. La piscine est de taille moyenne. L'hôtel possède une boutique de plongée, un court de tennis et une galerie marchande.

La Ceiba
$$$
☼, ≡, ℝ, ≈, ℜ
Costera Sur, km 4,5
☎*872-0844*
⇄*872-0065*
delmar@cozumel.com.mx

La Ceiba accueille des plongeurs, curieux d'aller observer l'avion qui s'est écrasé dans l'eau tout près. L'hôtel est situé à environ 3 km au sud de San Miguel, près de l'embarcadère des bateaux de croisière. Les 113 chambres sont accueillantes, avec leur carrelage beige et leurs meubles en bois massif. Elles ont toutes vue sur l'océan, avec un mini-bar. Le bâtiment est une tour simple, mais les jardins sont jolis; à partir de la plage, un parcours de plongée libre a été aménagé sous l'eau. L'hôtel fournit tout l'équipement nécessaire à la plongée. La vaste piscine carrée est pourvue d'un «aqua-bar» et d'un bassin à remous.

Crown Paradise Club/Sol Caribe Cozumel
$$$$$ tc
≈, ≡, ℝ, ℜ
Playa Paraíso, Costera Sur, km 3,5
☎*872-0700*
⇄*872-1301*
cpczm@cozumel.finred.com.mx

Le Crown Princess Club Sol Caribe Cozumel est un hôtel de 355 chambres réparties sur neuf étages. La plage, qui se trouve de l'autre côté de la rue, est accessible par un tunnel. Le hall de cet hôtel est impressionnant avec son grand toit de chaume. Face à la plage, la piscine forme des arabesques, et de grands arbres procurent un climat rafraîchissant. Les chambres de teinte pastel sont pourvues de meubles en osier, d'une salle de bain en marbre, d'un téléphone, d'un mini-bar et d'un petit balcon. L'hôtel possède une boutique de plongée complète et deux courts de tennis éclairés, et sa plage est privée.

Allegro Resort Cozumel
$$$ tc
≡, ≈, ℜ
Costera Sur, km 16,5
☎*872-1886*
⇄*872-4508*
dcozumel@cozumel.com.mx

Cozumel

En bordure de la Playa San Francisco, près du récif de Palancar, l'Allegro Resort Cozumel comprend 300 chambres réparties dans deux pavillons à deux étages, de style polynésien. Les chambres sont claires, assez grandes et décorées sobrement. Elles ont toutes l'air conditionné. L'hôtel possède deux piscines, deux bars, une salle à manger et quatre courts de tennis éclairés. On peut y louer bicyclettes et motocyclettes. Un petit bateau emmène les clients au récif de Palancar, et l'hôtel leur fournit tout l'équipement nécessaire pour la plongée sous-marine et la plongée-tuba. Chaque soir, on y organise des soirées thématiques (danse tropicale, spectacle d'hypnose, soirée disco, karaoké, cabaret, folklore mexicain, etc.).

Paradisus Club
$$$$$ tc

≡, ≈, ☺, ⊛, ℜ
Costera Norte, km 5,8
☎872-0411
⇄872-1599

Le Paradisus Club est un hôtel luxueux entouré de grands arbres. Il compte 150 chambres richement décorées à la mexicaine, qui offrent toutes une vue sur la mer et un balcon privé. Certaines d'entre elles ont une baignoire à remous. L'hôtel possède un très bon restaurant, deux piscines et deux courts de tennis. La pêche, la plongée, le surf et les randonnées à cheval sont quelques-unes des activités organisées au Paradisus Club.

Sol Cabañas del Caribe
$$$

≡, ≈, ℜ
Costera Norte, km 5,1
☎872-0411 ou 888-341-5993
⇄872-1599

Intime et tranquille, le Sol Cabañas del Caribe est situé près d'une plage idéale pour la voile et la plongée. Il comprend 48 chambres et 9 *cabañas* privées situées tout près de la plage, ainsi qu'un restaurant. La direction fournit tout l'équipement nécessaire à la plongée-tuba et la plongée sous-marine, la pêche et autres sports nautiques (700$US pour 7 jours). Des musiciens viennent animer les soirées au petit bar-salon.

Plaza Las Glorias
$$$$$

≡, ≈; ℜ, ℝ
Av. R. Melgar, km 1,5
☎872-2400
⇄872-1937

On a presque les pieds dans l'eau au Plaza Las Glorias, un hôtel de style mexicain qui renferme 170 vastes suites bien décorées, avec balcon privé et vue sur la mer. Cet hôtel possède deux bars, deux restaurants, une boutique de plongée et des boutiques. On peut y louer un scooter. Il y a des orchestres locaux presque chaque soir.

Sun Village Principe Cozumel
$$$
⊗, ≡, ≈, ℛ
Costera Norte, km 3,5
☎872-0066
⇋872-0016

L'hôtel Sun Village Principe compte 87 chambres confortables réparties sur trois étages. Elles ont toutes le téléphone et vue sur la mer. Seules quelques suites disposent d'un balcon privé. Le décor est simple, moderne et coloré. La plus grande piscine est bordée d'un côté par un restaurant-bar à aire ouverte coiffé d'une grande *palapa*. L'hôtel offre une autre piscine, plus petite, et une pataugeoire aux petits enfants.

Fiesta Americana Cozumel Dive Resort
$$$-$$$$
pdj, ≡, ≈, ℛ
Carretera Sur, km 7,5
☎872-2622
⇋872-2666
dive@fiestaamericana.com.mx

Le Fiesta Americana Cozumel Dive Resort est un hôtel de 164 chambres qui fait face à une très belle plage. Il est situé près de la lagune de Chankanaab. Les chambres, vastes, ont toutes vue sur la mer et sont dotées de balcons. Elles sont joliment meublées en bois et en rotin, et les murs arborent des couleurs vives. En plus d'une grande piscine, cet hôtel compte deux restaurants, deux courts de tennis, une école de voile et de planche à voile, un bar sur la plage, une boutique de souvenirs et une boutique de plongée.

Club del Sol
$$$
≡, ≈, ℛ
Costera Sur, km 1,5
☎872-0663

Situé à 1,5 km au sud de San Miguel, face au Fiesta Inn, cet hôtel de style mexicain compte 40 chambres au sol carrelé, propres et modestement meublées. La salle de bain est munie d'une douche seulement.

Coral Princess Hotel & Resort
$$$$$
≡, ⊗, *tv*, ≈, ℛ
Costera Norte, km 2,5
☎800-215-2200 ou 872-3200
⇋872-2800
coralprin@cozumel.finred.com

Situé au nord de la ville, le Coral Princess propose 139 suites constituées de chambres-salons ou de une ou deux chambres avec cuisine et salon. Ce luxueux hôtel a récemment été remodelé. Toutes les chambres ont vue sur l'océan et dispose d'un téléphone. Entre autres services et installations, on retrouve un restaurant, une piscine, une agence de voyages et une boutique de plongée.

Cozumel

Presidente Intercontinental
$$$$$

ℝ, ≡, ≈, ℜ

Costera Sur, km 6,5

☎*872-0322*

⇥*872-1360*

cozumel@interconti.com

À l'écart de l'agitation, le Presidente Intercontinental est situé près d'une plage excellente pour la plongée, et il est entouré de verdure. Son hall moderne est recouvert d'un toit de *palapa*. Ses 253 chambres spacieuses, confortables et décorées avec luxe, ont toutes un balcon privé. Elles sont réparties dans de petits bâtiments de un à quatre étages. La plupart des chambres ont vue sur la mer. L'hôtel a une grande piscine carrée, un excellent restaurant, l'Arecife (voir p 212), deux bars, une salle de billard, tout le nécessaire pour la plongée, un comptoir de location de voitures et de motocyclettes, et deux courts de tennis éclairés. Rappelons, pour l'anecdote, que ce bel hôtel a servi de toile de fond au film *Against All Odds*, interprété par Rachel Ward, Jeff Bridges et James Woods.

Restaurants

En général, il est bien plus économique de prendre ses repas dans l'un des nombreux restaurants de San Miguel plutôt que dans les hôtels. Ce qui n'empêche pas que certains hôtels de Cozumel disposent de restos très recommandables. La cuisine, à Cozumel, ressemble à ce qu'on peut trouver à Cancún, c'est-à-dire des plats typiquement mexicains, ainsi que des mets français, italiens et américains. Les grandes chaînes américaines comme Dairy Queen, Subway et Kentucky ont envahi Cozumel depuis quelques années.

Diamond Bakery
7h à 22h

$

Av. 15 angle Calle 1a

☎*872-5782*

Le Diamond Bakery loge dans un grand local moderne ultraclimatisé où l'on grignote croissants, biscuits, gâteaux et crèmes glacées. Depuis son agrandissement en l'an 2000, le Diamond Bakery est devenu un restaurant où l'on sert une variété de plats. Aucune crainte, car les pâtes fraîches sont toujours faites sur place. Les végétariens auront des choix difficiles à faire. La liste des déjeuners n'en finit pas d'étonner. L'ambiance est agréable et la décoration recherchée: les tables et chaises sont en fer forgé et le plafond décoré en ciel étoilé. Ses fenêtres panoramiques permettent d'embrasser d'un seul coup d'œil tout le coin de rue. Le service est sympathique.

Casa Denis
7h à 23h tlj
$
Calle 1a Sur 132
☎**872-0067**

Pour un repas sur une terrasse qui donne sur une rue piétonnière, rendez-vous à la Casa Denis. Situé en face du marché aux puces, ce restaurant inauguré en 1945 se targue d'être le premier établissement en ville. À en croire les photos qui ornent les murs, la cuisine yucatèque traditionnelle de la Casa Denis a attiré les grands de ce monde.

Ernesto's Fajitas Factory
7h à 23h
$-$$
Av. Rafael Melgar 141

Ernesto's Fajitas Factory sert non seulement des *fajitas*, mais tout l'assortiment habituel de tacos, *quesadillas* et *burritos* ainsi que quelques plats végétariens. On peut prendre le petit déjeuner pour seulement 3$US.

Costa Brava
$-$$
6h30 à 23h
Av. Rafael Melgar n° 599
☎**25126**

L'un des meilleurs endroits pour le petit déjeuner à San Miguel est le restaurant-bar Costa Brava, qui se trouve au sud du phare et de la Calle 7 Sur. Pour moins de 3$US, on a un jus d'orange frais, des œufs, des *frijoles*,

du pain et de la confiture, de la *salsa* et du café à volonté. De quoi tenir toute une longue journée de plongée! Aux autres repas, le Costa Brava sert de savoureux fruits de mer frais (essayez l'assiette de pinces de crabe pour deux), et des spécialités yucatèques, comme le poulet *pibil*. On peut s'y faire préparer ses propres prises pour 2$US par personne.

🌴 La Choza
$-$$
7h à 23h
Av. Rosada Salas n° 198, coin sud-est
☎**872-0958**

Avec son toit de *palapa* et ses bons petits plats, La Choza est l'un des meilleurs restaurants mexicains de l'île. On y savoure les spécialités du pays à des prix très raisonnables (poulet, *pibil, sopa de lima, guacamole, tortillas,* etc.). C'est le favori des habitants de Cozumel. L'ambiance est relaxante, et la terrasse, constamment ouverte aux quatre vents.

Las Palmeras
7h à 23h
$-$$
Av. Rafael Melgar, angle Av. Benito Juárez
☎**872-0532**

En descendant du traversier, Las Palmeras est le premier restaurant qui accueille les visiteurs. Sa salle à manger n'est pas climatisée, mais on est bien mieux comme ça; avec la brise marine et un

Cozumel

peu d'ombre, on pourrait rester là des heures... Le menu est très étendu, des poissons frais aux steaks en passant par les hamburgers. La cuisine est très correcte et attire les touristes.

Plaza Leza
8h à 24h
$-$$
Calle 1 Sur
☎872-1041
Sur le côté nord du parc San Miguel, on mange à l'extérieur aux tables du restaurant-bar Plaza Leza, protégées du soleil par des parasols. Les spécialités sont les fruits de mer et poissons, les steaks et les mets mexicains. C'est un endroit simple où la cuisine est tout à fait correcte. Essayez l'omelette espagnole, délicieuse.

Viva Mexico
$-$$
Av. Rafael Melgar angle Calle Salas
est un restaurant à l'air libre situé au-dessus de la boutique de souvenirs qui porte son nom. Le menu n'a rien d'original, mais les plats d'hamburgers, de tacos, et de *fajitas* sont tarifés à prix raisonnable. Des spectacles de musique ont lieu durant la soirée tandis que le reste du temps des téléviseurs diffusent un peu n'importe quoi.

Restaurante del Museo
7h à 14h
$-$$
Av. Rafael Melgar, entre Calle 4 et Calle 6
☎872-0838
Avant de visiter le museo de la Isla de Cozumel, attablez-vous au Restaurante del Museo. On y sert de délicieux plats mexicains. Ses petits déjeuners sont copieux et la vue sur la mer est jolie.

Acuario
10h à 24h
$$-$$$
Av. Rafael Melgar n° 779, angle Calle 11
☎872-1097
Acuario est un mot espagnol qui signifie «aquarium». On est ici entouré d'aquariums plein de poissons, et il y en a aussi plein notre assiette puisque ce resto est spécialisé dans les fruits de mer et poissons frais; on y mange très bien.

Carlos 'n Charlie's
10h à 1h30
$$-$$$
Av. Rafael Melgar n° 11
☎872-0191
Comme à Cancún, le restaurant-bar Carlos 'n Charlie's est une sorte de zoo avec la musique rock à plein volume, la bière qui coule à flots, une table de ping-pong, un ballon panier, une table de billard et la décoration surchargée. On y sert de généreuses portions de «côtes levées»,

de steaks et de poulet grillé. Situé face à la mer, à un coin de rue au nord du port, il est reconnaissable à sa façade peinte en rouge.

Such is Life
11h à 23h
$$-$$$
Av. Benito Juárez, angle Calle 5
☎872-0584
L'élégance de l'intérieur de ce restaurant convient merveilleusement bien au bâtiment tout en bois. Les plats de résistance sont composés de fruits de mer et de grillades. Son cadre élégant et la discrétion de son service vous feront passer une soirée des plus agréables.

Pancho's Backyard
10h à 23h
$$
Av. Rafael Melgar nº 27
entre Calle 8 Norte et Calle 10 Norte
Pancho's Backyard porte admirablement bien son nom. Le restaurant se trouve derrière la boutique de souvenirs Cinco Soles, et absolument rien ne l'annonce. Aussitôt la porte arrière en verre poussée, vous êtes plongé dans une cour intérieure bucolique calme qui se prête bien à la détente et la dégustation. Les murs de stuc blanc et le toit de tuiles rouges soulignent l'aspect colonial du restaurant. Des spectacles de *marimba* animent les convives qui se délectent des classiques de la cuisine mexicaine.

Guido's
$$-$$$
Av. Rafael Melgar nº 23, entre Calle 8 et Calle 10
☎872-0946
En plus des pizzas cuites au four à bois, ce restaurant familial propose des mets uniques. En effet, le menu du jour du restaurant Guido's s'éloigne de la cuisine mexicaine traditionnelle. Yvonne et Adolfo vous offrent le choix entre trois entrées, quatre plats principaux (viande, poisson et/ou pâtes), et un dessert. Dans la cour intérieure, des bougainvilliers en fleurs attirent les colibris furtifs. La décoration est simple et de bon goût.

Tony Rome
17h à 24h
$$-$$$
Av. 5, entre Calle Salas et Calle 3 Sur
☎872-0131
La grande salle à manger du restaurant Tony Rome ressemble à une cabane à sucre mexicaine. La clientèle ne semble toutefois pas se soucier du décor et pré-

Cozumel

fère sans doute se gaver de plats on ne peut plus simples, mais diablement consistants et gras, comme les côtes levées ou le poulet grillé. Des spectacles en tout genre animent les lieux tandis que des soirées de karaoké sont aussi organisées pour les clients qui désirent laisser tomber leur inhibitions.

La Veranda
17h à 22h
$$-$$$
Calle 4 Norte, entre Av. 5 Norte et Av. 10 Norte
☎872-4132
Vous l'aurez deviné, la façade du restaurant La Veranda ressemble bel et bien à une véranda. Le décor est simple, la nourriture est excellente et le personnel est souriant. Lorsque le soleil plonge dans l'océan, la terrasse s'avère un choix judicieux pour un repas romantique. La cuisine se spécialise dans la préparation de poissons et de fruits de mer de tout acabit.

Arecife
18h à 23h
$$$$
Costera Sur, km 6,5
☎872-0322
Le restaurant Arecife se trouve à l'intérieur de l'hôtel Presidente Cozumel. On y déguste des fruits de mer et de la nouvelle cuisine méditerranéenne, confortablement installé devant de grandes baies vitrées qui font face à la mer. Le décor est chaleureux et romantique, et il y a souvent des musiciens sur place.

Sorties

Hard Rock Cafe
Av. Rafael Melgar, près de Benito Juárez
☎872-5271
Comme partout dans le monde, le Hard Rock Cafe de Cozumel accueille les adeptes des grands succès du rock qui jouent fort dans les haut-parleurs. Le personnel se charge d'animer les clients trop détendus.

Joe's Lobster
Av. 10 Sur nº 29, entre Calle A. Salas et Calle 3 Sur
☎872-3275
Pour entendre de la musique reggae et salsa, le meilleur endroit de la ville est certainement le restaurant Joe's Lobster. Des musiciens se produisent durant les fins de semaine.

Neptuno
Av. Rafale Melgar, angle Calle 11
☎872-1537
Si vous avez un trop-plein d'énergie, c'est au Neptuno que vous pourrez l'exprimer. Avec ses projections vidéo, ses jeux de laser et le rythme martelant qui en sort, c'est «la» discothèque des jeunes de Cozumel.

Kiss my Cactus
Av. Rafael E. Melgar nº 161
☎872-5793
Situé tout près du Viva
Mexico, le resto-bar Kiss my
Cactus a ouvert ses portes
récemment. Le bâtiment,
unique en son genre, pré-
sente une façade en forme
de lunettes de soleil géantes... roses et pourpres.

Viva Mexico
Calle Salas, angle Calle 11 Sur
☎872-1386
C'est un peu la même chose
au Viva Mexico, qui dispose
d'une très grande piste de
danse. C'est surtout la fin de
semaine que cet endroit se
remplit.

The Greenhouse Cigar Bar
Calle 2 Norte, entre Av. 5 Norte et Av.
Rafael Melgar
☎872-0541
Ceux qui sont à la re-
cherche de l'arôme raffinée
d'un cigare doivent se diri-
ger vers The Greenhouse
Cigar Bar. Atmosphère un
tantinet guindée rehaussée
par les boiseries ouvrées.
On y sert de la bière fraîche
et de l'alcool de tout acabit.

Achats

À Cozumel, de nombreux
magasins et bureaux fer-
ment leurs portes entre 13h
et 16h, et souvent même

17h. Les magasins qui sont
situés sur l'avenue Rafael
Melgar, restent cependant
ouverts en haute saison
pour accueillir le flot de
touristes qui arrivent
chaque jour en bateau.

Comme à Cancún, les bons
achats à Cozumel sont
l'artisanat, les hamacs, les
bijoux en argent et les cigares. N'achetez aucun objet
fabriqué avec du corail noir,
même si l'on n'arrête pas de
dire que c'est «la» spécialité
de l'île, car cette espèce est
menacée d'extinction. En
général, il est préférable de
pénétrer dans San Miguel
pour découvrir ses bouti-
ques plutôt que de rôder
près du port. Les prix y sont
plus élevés que partout
ailleurs dans l'île et les endroits moins intéressants.
Près du parc, on trouve des
dizaines de boutiques
d'artisanat. Les paiements
sont acceptés en pesos ou
en dollars américains. Les
cartes de crédit ne sont pas
acceptées partout; quand
elles le sont, il y a des frais
de service assez importants.

San Francisco de Asis
Av. 65ᵉ, entre Calle 25 et Calle 27
aussi: Av. 30 angle Av. Juarez
On trouve à Cozumel de
grands marchés où l'on
vend de tout: du pain qui
sort du four, des vêtements,
de l'artisanat, des cosmétiques... et des spiritueux qui
coûtent bien moins cher
qu'à la boutique hors taxes
de la zone portuaire! Parmi

Cozumel

les meilleures adresses sont les marchés San Francisco de Asis.

La Retranca
Calle 11, angle Av. 30
La Retranca, un marché dans le même style, est ouvert 24 heures sur 24.

Mercado Municipal
7h à 13h
Av. Salas, entre Av. 20 et Av. 25
Le marché municipal à ciel ouvert, le Mercado municipal, est un endroit très animé où l'on peut voir s'activer les *Cozumeleños*.

Los Cinco Soles
Av. Rafael Melgar,
entre Calle 8 Norte et Calle 10 Norte
Ceux qui sont à la recherche d'artisanat mexicain

doivent absolument pousser la porte de la splendide boutique du resto Pancho's Backyard (voir p 211), Los Cinco Soles. S'y trouve aussi un petit café.

Van Cleef & Arpels
Av. Rafael Melgar nº 54
☎*872-1443*
La bijouterie Van Cleef & Arpels vend des créations originales en argent et en or de première qualité. Comparez les prix!

La Riviera Maya

Depuis quelques années, le corridor entre Cancún et Tulum porte le nom de Riviera Maya.

Ce nom évocateur des premiers occupants de la région fait référence à la côte mexicaine entre le port de Puerto Morelos et le village de Punta Allen, situé dans la Reserva de la Biosfera Sian Ka'an.

Il n'y a pas si longtemps, cette partie du Mexique qui donne sur la mer des Caraïbes consistait en une succession de plages vierges, de lagunes poissonneuses, de *cenotes* inexplorés, de grottes et de rivières souterraines. Il y a une génération, quelques paisibles villages étaient reliés par une route secondaire parallèle à la côte. Les choses ont bien changé depuis 25 ans.

La région a acquis ses titres de gloire dans les années 1980 grâce aux nombreuses excursions d'un jour organisées depuis Cancún vers les villes ar-

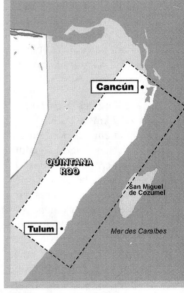

chéologiques de Tulum et de Cobá ainsi qu'au parc aquatique enchanteur de Xel-Há.

Certes, Cancún demeure le haut lieu du tourisme. Néanmoins la Riviera Maya mérite bien plus qu'une simple excursion. C'est une destination en soi et ses nombreux attraits sauront satisfaire ceux à la recherche des beautés de la nature et des activités qui s'y rattachent. Un très petit nombre de sites archéologiques ont été de mise en valeur. Ceux ouverts au public nous donnent néanmoins un aperçu fort intéressant de ce qu'était la vie des Mayas avant l'arrivée des Espagnols.

Le long des quelque 200 km de littoral s'égrènent des douzaines de très belles plages, certaines étant occupées par des complexes hôteliers de grand luxe et d'autres par des *cabañas* rustiques. Au large de ces côtes, le grand récif maya, le deuxième plus long système de corail au monde, offre une vision fantasmagorique des fonds marins.

Les anciennes villes mayas en ruine partagent ce magnifique paysage avec des constructions récentes érigées pour satisfaire l'achalandage toujours croissant des touristes venus de l'Europe et des Amériques.

Les premiers occupants de la région parlaient le maya yucatèque et, même si aujourd'hui la langue officielle est l'espagnol, la plupart des descendants mayas parlent toujours le yucatèque. Depuis quelques années, de nouveaux arrivants parlent qui le français, qui l'allemand, qui l'italien, et confèrent une atmosphère cosmopolite à ce paradis. L'anglais est évidemment parlé presque partout.

L'engouement qu'a connu Cancún a donc ouvert de nouvelles perspectives aux visiteurs en quête d'un cadre plus intime. L'infrastructure touristique du corridor entre Cancún et Tulum a pris forme au début des années 1990 avec l'ouverture des premiers hôtels d'importance. Bien qu'il n'existe pas de statistiques officielles, on estime que la région dispose de plus de 15 000 chambres réparties dans quelque 300 lieux d'hébergement dont 225 à Playa del Carmen.

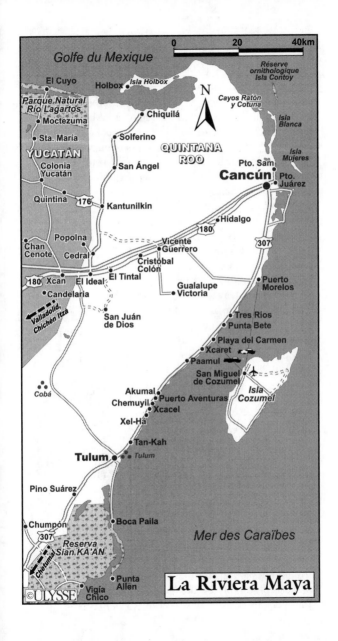

En un peu plus de 10 ans la Riviera Maya est devenue une destination de première importance; le port de transbordement de Puerto Morelos a gardé ses airs de village de pêcheurs, mais tout autour les attraits touristiques ont poussé comme des champignons. Playa del Carmen est devenue une ville de plus de 50 000 habitants, très populaire auprès des touristes avec ses nombreux hôtels «tout compris» nichés dans le quartier de Playacar. La magnifique plage au sud du site archéologique de Tulum compte maintenant 10 fois plus d'hôtels et de *cabañas* qu'il y a une décennie.

Le village qu'est Tulum Pueblo n'a pas subi les mêmes transformations que la côte, mais il possède dorénavant tous les services nécessaires au tourisme de masse (de la location de voitures au médecin parlant français ou anglais, en passant par les restaurants aux menus internationaux). Tulum Pueblo s'avère non seulement le point de départ vers les grandes desti-nations telles que Palenque ou Tikal, mais aussi un lieu d'arrêt et de repos pour un nombre croissant de vacanciers et de bourlingueurs. Ses petits hôtels et restaurants familiaux n'ont rien à envier à ceux des autres destinations de la Riviera Maya.

Pour s'y retrouver sans mal

En avion

Playa del Carmen

On peut aller à Playa del Carmen par avion à partir de Cancún ou de Cozumel. Le petit aéroport, situé juste au sud de la ville, accueille les vols intérieurs. De Playa del Carmen, il y a deux vols par semaine pour Chichén Itzá.

Aerocaribe
☎873-0350

Aerosaab
☎873-0804

Aero Ferinco
☎873-0636

En voiture

La voiture est certainement la façon la plus facile de parcourir la région. Vous trouverez des postes d'essence Pemex à tous les 30 km ou 40 km le long de la route Mex 307. On désigne cette route par différents noms tels que Carretera Cancún-Tulum ou Carretera Cancún-Chetumal. Cette route à deux voies, récemment revêtues, longe la côte à quelque 3 km ou 4 km de la plage. Un peu passé Playa del Carmen, elle se rétrécit jusqu'à ne compter qu'une seule voie et se prolonge jusqu'à Tulum. De là, la route Mex 307 passe par des villes et villages situés à l'intérieur des terres et rejoint Chetumal, la capitale du Quintana Roo.

La route Mex 307 est jalonnée d'embranchements de chemins ou de sentiers menant aux grands complexes «tout compris», aux attraits, aux villages et aux beautés naturelles qui se situent, la plupart du temps, à l'est de la route. Si vous venez du nord, soyez prudent lors du virage à gauche, car la priorité de passage n'est pas toujours indiquée.

Vous observerez tout le long de la route les bornes de kilométrage qui indiquent la distance depuis Chetumal et non à partir de Cancún. Ces bornes récemment ajoutées seront déroutantes pour les quelques années à venir, car les adresses des hôtels et des attraits indiquent le kilométrage à partir de Cancún ou de l'aéroport international. Le tableau (voir page suivante) indique les distances à partir de Cancún.

Pour sortir de Cancún

Vous sortirez du centre-ville de Cancún en empruntant l'Avenida Tulum vers le sud; elle devient la route Mex 307.

Depuis la zone hôtelière, prenez le Paseo Kukulcán vers le sud jusqu'à la route Mex 307. Le Paseo Kukulcán mène à l'aéroport et le trèfle routier mérite une attention particulière, car il est facile de se retrouver sur le chemin qui se dirige vers le centre-ville. Il faut passer au-dessus de la route Mex 307 et prendre la boucle de droite qui mène au sud (Playa del Carmen) par cette même route.

Depuis l'aéroport de Cancún, suivez les indications vers la sortie (quelque 300 m) jusqu'à la route Mex 307, où vous tournerez à droite (direction sud).

Les militaires élèvent de temps à autre un barrage

Riviera Maya

Les principales sorties de la route Mex 307 à partir de Cancún

Au km 14: aéroport.

Au km 19: vers les grands complexes hôteliers.

Au km 28,5: vers la Punta Tanchacte (Bahia Maya Village), près de la route Mex 307, un marché et un restaurant.

Au km 30: Crococun Crocodile Park, une ferme, un zoo; hôtels et restaurants sur la plage; noter qu'une petite route longe la plage jusqu'à Puerto Morelos.

Au km 36: vers Puerto Morelos.

Au km 38: Jardín Botánico D'. Alfredo Barrera.

Au km 40: Rancho Loma Bonita, location de chevaux.

Au km 45: vers Playa del Secreto.

Au km 49: vers la plage et l'hôtel Carousel.
Au km 51: vers Punta Maroma.

Au km 57: vers Tres Rios.

Au km 59: vers l'hôtel Le Mandarín.

Au km 62: vers la plage; hôtels et restaurants Capitán Lafitte & Kailum.

Aux km 63,5 et 65: vers Punta Bete Xcalacoco.

Au km 66: vers la plage Moxche;

Au km 67: vers la plage et l'hôtel Shangri La.

Aux km 68, 69 et 69,5: accès à la ville de Playa del Carmen et Playacar.

Au km 72: vers Motor Jungle Tour.

Au km 73: vers le parc aquatique Xcaret.

Au km 77: vers Punta Venato ou Puerto Calica.

Au km 86: vers Paamul.

Au km 92: vers Puerto Aventuras (complexe hôtelier).

Aux km 93 et 94: trois sorties à l'ouest de la route vers les *cenotes* Katun Chi, Azul et Cristalino.

Au km 94,5: vers le complexe hôtelier Barcelo Maya Beach & Garden Resort.

Aux km 95, 96 et 97: vers Xpu-Ha (prendre la route X7 pour la plage publique); l'hôtel Copacabana possède son propre chemin privé.

Au km 98: vers l'hôtel Robinson Club Tulum.

Au km 99: vers l'hôtel Le Dorado Resort.

Au km 104: vers Kantenah; hôtel et restaurants.

Aux km 105, 106 et 107: vers Akumal; grand complexe touristique.

Au km 111: vers l'hôtel Bahia Principe Resort.

Au km 112: vers la plage de Chemuyil.

Au km 113: vers l'ouest et le village maya de Chemuyil.

Au km 115: vers Xcacel.

Au km 117: entrée du parc écologique Xel-Há.

Au km 119: vers l'ouest et une série de *cenotes* et de rivières souterraines.

Au km 120: une route de 8 km mène à Bahias de Punta de Soliman.

Aux km 122 et 125: Tan-kah, *cenote* Manati et longue plage.

Au km 129: vers l'hôtel Sole Resort.

Au km 131: le site archéologique de Tulum, la gare routière, le Pemex.

Au km 132,5: une route vers l'ouest qui mène à Cobá.

Au km 132.5: une route vers la plage, à l'est (2 km), où l'on trouve hôtels et *cabañas*. Cette route mène à la Carretera Tulum-Punta Allen (celle-ci débute juste au sud de la zone archéologique et conduit à la réserve Sian Ka'an en longeant la côte).

Au km 133: Tulum Pueblo.

Riviera Maya

routier sur la route Mex 307 au sud de la sortie de l'aéroport. Ils fouillent les voitures et les camions, mais rarement les véhicules conduits par des touristes.

Puerto Morelos

Vous trouverez une station-service sur la route Mex 301. Elle est le point de rencontre du chemin qui mène à Puerto Morelos. Comme vous n'en rencontrerez pas beaucoup sur votre chemin, vous feriez bien d'y faire le plein avant de continuer votre visite du corridor de Tulum.

Playa del Carmen

Cette ville est située à quelque 68 km de Cancún. Roulez cap au sud durant près de 45 min pour atteindre Playa del Carmen.

Hertz
7h à 21h
Plaza Marina
Playacar
☎873-2474
45 Av. Norte, angle Calle 12
☎873-1130

Budget
Hôtel Continental Plaza
Playa del Carmen
☎873-0100
Calle 39 Fracc. 1 Col Ejidal, angle
Carretera Federal
☎873-2764

Tulum

Pour ce rendre à Tulum prenez la Mex 307 vers le sud. À quelque 130 km se trouvent la zone archéologique de Tulum, le village de Tulum (Tulum Pueblo) et Tulum Playa.

Site archéologique de Cobá

Légèrement au sud des ruines de Tulum, tournez à droite pour vous rendre, 47 km plus loin, à la zone archéologique de Cobá. Faites attention aux nombreux dos-d'âne non signalés.

Reserva de la Biosfera Sian Ka'an

Une route cahoteuse et poussiéreuse au sud des hôtels bordant la plage de Tulum mène à la Reserva de la Biosfera Sian Ka'an, puis continue jusqu'au petit village de Punta Allen. Suivez la Carreterra Tulum-Boca Paila et vous arriverez à l'entrée de la Reserva de la Biosfera Sian Ka'an, située à 16 km au sud de Tulum. Un poste de contrôle militaire se trouve peu après l'entrée de la réserve. On arrête rarement les touristes, mais ayez vos papiers d'identification en main au cas où.

Boca Paila et Punta Allen

En voiture, prévoyez un peu plus de quatre heures pour rejoindre Punta Allen depuis Cancún. La route entre Cancún et Tulum ne pose pas de problème mais, au sud de Tulum, la route se détériore et devient rocailleuse et poussiéreuse.

En taxi

Vous trouverez des taxis à Playa del Carmen, Puerto Morelos, Akumal, Puerto Aventuras et Tulum.

Il faut négocier avant de prendre le taxi.

À Playa del Carmen, des taxis sont postés en permanence à l'angle de la rue piétonnière et de l'Avenida Juárez. De Playa del Carmen à Xcaret, le tarif est d'environ 120 pesos. Les taxis peuvent prendre au maximum cinq personnes. Il est préférable de préparer la somme exacte, car les chauffeurs ne peuvent jamais vous rendre la monnaie et, contrairement à la rumeur, ils apprécient les pourboires.

En autocar

Playa del Carmen

La gare routière de Playa del Carmen se trouve sur l'Avenida 5, à l'angle de l'Avenida Juárez.

Auto Transportes de Oriente
☎*873-0855*

De nombreux autocars assurent des liaisons pratiquement toutes les 15 min entre Cancún et Playa del Carmen. Ceux-ci réclament des frais de 4$ pour le voyage d'une durée d'environ une heure.

Il y a des départs pour Chichén Itzá en autocar de première classe à 7h30 et à 12h45. Aussi, de nombreux départs se font dans la journée pour Tulum et Xcaret.

Tulum

Il y a deux gares routières à Tulum; une est près de la zone archéologique, l'autre au centre-ville. Cette dernière est ouverte 24 heures sur 24. Les deux gares sont le point de départ de nombreuses destinations.

Cobá

Des autocars assurent des liaisons entre Playa del Carmen et Cobá en passant par Tulum. Le trajet dure envi-

Riviera Maya

ron 2 h15 min pour des frais d'un peu plus de 3$.

Reserva de la Biosfera Sian Ka'an

Un seul taxi (*collectivo*) se rend à la Reserva de la Biosfera Sian Ka'an. Il faut réserver chez **Savana Comunicacion** (*Av. Tulum, ☎871-2081, www.tulummx.com*).

Boca Paila et Punta Allen

Il n'y a pas d'autocar partant de Cancún pour se rendre à Boca Paila ou à Punta Allen. Les autocars s'arrêtent au village de Tulum. De là, prenez le *collectivo* jusqu'à Boca Paila ou Punta Allen.

En bateau

Playa del Carmen

Environ 15 traversées dans les deux sens ont lieu chaque jour entre Playa del Carmen et Cozumel à bord de navettes modernes. Le premier départ a lieu à 5h et le dernier à 22h, à des intervalles d'environ deux - heures. Les horaires ont toutefois tendance à varier. Le port de Playa del Carmen se trouve à l'extrémité sud de la ville. On se procure les billets à l'entrée du port (*environ 16$ aller-retour*). La traversée dure

entre 35 et 45 min. Selon les statistiques, près de 30% des passagers souffriraient du mal de mer. Mangez légèrement au moins une demi-heure avant le départ et amenez des sacs de plastique!

Si vous désirez aller à Cozumel avec votre voiture vous devez partir du port de Puerto Morelos. Sachez que l'attente sera d'au moins une heure. Le trajet vous prendra entre 2 h 30 min et 4 h à effectuer, et ce n'est pas donné: 200 pesos par voiture et 30 pesos par personne. Le premier départ du traversier de Cozumel est généralement à 6h, mais les horaires varient constamment. Pour connaître les heures de départ, composez le ☎871-0008.

Renseignements pratiques

Information touristique

Tout comme Cancún et Cozumel les localités de Playa del Carmen, Puerto Aventuras, Akumal et Tulum produisent une brochure d'information pour les touristes.

Office de tourisme

À Playa del Carmen, il y a un comptoir près de la gare routière qui distribue des brochures et des cartes.

Playa Info
Av. 5, entre Calle 10 et Calle 12
☎*876-1344*

À Tulum, **The Weary Traveler** est le meilleur endroit pour les informations touristiques.

Santé

Médecins

Playa del Carmen

Dr Victor Macias
Av. 35, entre Calle 2 et Calle 4
☎*873-0493*
☎*874-4760 cellulaire*

Tulum

Dr Arturo Manjarrez
parle l'anglais et le français
Pharmacia Primera
Av. Tulum
☎*871-2052*

Pharmacies

Playa del Carmen

Farmacia Canto
Av. 30 Norte Mz 34
ou
Calle 4, angle Constituyenles
☎*873-0512*

Farmacia Luz de la Aurora
Av. Juárez Sur, angle 30 Av.
☎*873-0312*

Banque et bureau de change

Vous trouverez de nombreux bureaux de change dans toutes les localités de la Riviera Maya. Les banques sont plus rares.

Playa del Carmen

Bancomer
9h à 13h
Av. Juárez, cinq maisons à l'ouest de l'Avenida 5
Cette banque change l'argent jusqu'à midi. On peut y obtenir des avances de fonds sur la carte de crédit Visa ou MasterCard.

Puerto Aventuras

Il y a un guichet automatique dans le centre commercial.

Tulum

La Banco Bital se situe au nord du poste de police *(Av. Tulum, Tulum Pueblo)*.

Bureau de poste

Playa del Carmen

lun-ven 8h à 17h
sam 9h à 13h
Av. Juárez, angle Av. 20

Tulum Pueblo

Av. Tulum

Agences de voyages

Playa del Carmen

Tierra Maya Tours
5 Av., angle Calle 6
☎ *873-1385*

Tulum

Sian Kàan Tours
Av. Tulum
☎ *871-2363 ou 871-2499*

Attraits
touristiques

Puerto Morelos

À 36 km au sud de Cancún se trouve Puerto Morelos, un petit village de pêcheurs d'où partent des traversiers pour voitures pour se rendre à Cozumel. Les produits importés destinés à Cancún et Cozumel, transportés dans des cargos de marchandises, passent par Puerto Morelos, dont le port est le second en importance dans la région après celui de Puerto Juárez, situé à quelques kilomètres au nord de Cancún. Le développement touristique, sans

être aussi intense qu'à Playa del Carmen, est ici bien amorcé. La plage est belle, et le village est à seulement une demi-heure en voiture de Cancún. Les hôtels et les condominiums, s'ils ne poussent pas comme des champignons, connaissent toutefois une expansion rapide. Un récif de corail, situé au large, est idéal pour la plongée sous-marine et la plongée-tuba. Puerto Morelos est un endroit tranquille où la vie est simple et où les habitants s'avèrent des plus aimables. Vous trouverez ici tous les services nécessaires à un agréable séjour.

Orchidées

Puerto Morelos se targue d'abriter la plus grande librairie (livres en anglais) de la Riviera Maya.

Près de Puerto Morelos

Le **Jardín Botanico Dr Alfredo Barrera ★★** *(3,75$; mardim 9h à 17h; autoroute 307, km 38, ou 1 km au sud de Puerto Morelos)* est en fait un sentier naturel qui permet de découvrir les riches

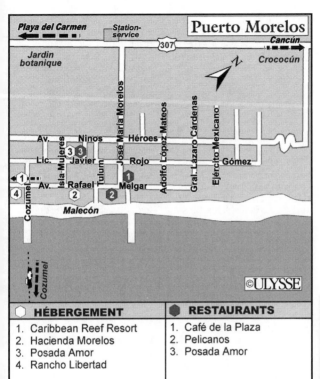

Puerto Morelos

Playa del Carmen — Station-service — 307 — Cancún

Jardin botanique — Crococún — Crococún

Av. Ninos — Héroes
Lic. Javier — Rojo — Gómez
Av. Rafael — Melgar
Malecón
Cozumel

José María Morelos — Adolfo López Mateos — Gral. Lázaro Cárdenas — Ejército Mexicano

Isla Mujeres — Tulum

©ULYSSE

⬡ HÉBERGEMENT	⬢ RESTAURANTS
1. Caribbean Reef Resort	1. Café de la Plaza
2. Hacienda Morelos	2. Pelicanos
3. Posada Amor	3. Posada Amor
4. Rancho Libertad	

ses écologiques de la région. Vous y verrez, en plus des plantes, arbres et fleurs de la région, des singes, des iguanes, environ 150 espèces d'oiseaux et un intéressant petit temple maya. Ce jardin possède aussi une jolie collection d'orchidées.

Au km 30 se trouve **Crococún** ★★ *(5$; tlj 8h30 à 17h30; autoroute 307, km 30)*, une grande ferme d'élevage de crocodiles où l'on peut observer des spécimens de crocodiles «Moreletti», de tous âges et de toutes les tailles... bien à l'abri derrière une barrière métallique. Les guides ouvrent parfois les cages, et l'on peut alors toucher à quelques animaux. Les chanceux verront aussi des perroquets et des serpents. Ce site comprend en outre une petite boutique et un restaurant. De Cancún à Puerto Morelos en autocar, le trajet dure une demi-heure. Le chauffeur fera un arrêt spécial pour vous à Crococún si vous le lui demandez.

Tres Rios

Créée à la fin de l'année 1998, **Tres Rios** *(19$; tlj)* est située à seulement 10 km (15 min) au nord de Playa del Carmen et 25 min au sud de Cancún. Tres Rios est une réserve écologique privée s'étendant sur environ 150 ha. Elle tire son nom de trois petits cours d'eau débordant de trois *cenotes* ponctuant son territoire, d'où ils s'écoulent ensuite paresseusement jusqu'à l'océan. Après avoir payé votre droit d'entrée, vous enfourchez l'un des nombreux vélos garés près d'une ferme où l'on élève des autruches et vous filez jusqu'à la plage, ou bien jusqu'aux *cenotes*, dans lesquels les amateurs de plongée-tuba peuvent musarder à leur guise jusqu'à la mer. Contrairement à Xel-Há, où les visiteurs batifolent dans un énorme aquarium en compagnie de bancs de poissons colorés, les cours d'eau de Tres Rios sont entourés de végétation luxuriante et se veulent plus discrets et moins fréquentés. On peut aussi embarquer dans des kayaks et sillonner les cours d'eau qui se faufilent à travers la forêt et la mangrove. Ceux et celles qui préfèrent aller à cheval sur la plage peuvent en louer. Finalement, moyennant la somme de 45$, les amateurs de plongée sous-marine ne manqueront certainement pas d'aller explorer l'épave échouée dans les profondeurs de la mer à quelques encablures de la plage. On trouve aussi un resto et une boutique de souvenirs sur les lieux. Possibilité de louer serviettes *(2$)* et casiers *(2$)*.

Punta Bete/Xcalacoco

A quelque 65 km de Cancún, une route cahoteuse d'environ 3 km aboutit à Punta Bete/Xcalacoco. Cet endroit tranquille est populaire pour son camping et sa très belle plage, longue de 3 km et ses quelques infrastructures modernes. La baignade et la plongée y sont excellentes. Plusieurs familles y vivent des maigres revenus que leur procure une plantation de cocotiers maintenant décimée. On trouve à Punta Bete/Xcalacoco quelques petits restos et hôtels tout simples ainsi que de nombreuses *palapas* sur la plage.

Playa del Carmen

Du temps des Mayas, cet endroit s'appelait *Xaman Ha* (mot maya signifiant «eaux du Nord»). Maintenant, les habitués disent tout simplement *Playa*. La plus animée et la plus touristique des villes entre Cancún et Chetumal, Playa del Carmen compte environ 50 000 habitants. Par sa situation géographique, l'endroit est idéal comme point de départ pour visiter la région. Plusieurs bateaux font la traversée jusqu'à Cozumel chaque jour. Les navires de croisière jettent l'ancre fréquemment devant la ville, ce qui est très joli à voir le soir, quand ils brillent de tous leurs feux. Playa del Carmen est principalement fréquentée par une population de randonneurs, de mordus d'archéologie et d'amoureux de plein air et du *farniente*.

Dans la rue principale *(Av. 5)*, à l'intérieur de Playa del Carmen, se succèdent nombre de restaurants, bars et boutiques qui témoignent du développement touristique intense que connaît cette destination.

La rue principale est l'Avenida 5, qui longe la côte derrière une série d'hôtels et de restaurants. Rue piétonnière, elle rend la circulation automobile des rues transversales difficile. À Playa, les rues parallèles au rivage sont les *Avenidas* (avenues), et les rues perpendiculaires, les *Calles* (rues).

Artisanat

Le temps poursuit inexorablement son œuvre et transforme tout sur son passage. Il n'y a pas longtemps Playa del Carmen n'était qu'un chouette petit village de pêcheurs avec ses maisons à demi construites, ses rues défoncées et poussiéreuses flanquées de quelques petits restos familiaux sans prétention. Parfois, une poule surgissait de nulle part et se baladait à travers le village en caquetant, alors que son propriétaire courait derrière elle sous les éclats de rire des enfants. La plage était vierge d'hôtels et l'on pouvait tremper ses orteils dans l'eau ou fixer un hamac entre deux palmiers pour s'adonner au plaisir du *farniente* sans risque d'être dérangé par personne. Playa del Carmen n'est définitivement plus ce

Riviera Maya

qu'elle était et se transforme à un rythme effarant sous le flux incessant des touristes qu'elle voit passer à longueur d'année. Hôtels, restos, agences de voyages et boutiques de tout acabit se multiplient sans cesse. L'Avenida 5, jadis rue cahoteuse et pleine de trous, est devenue sans nul doute sa principale artère commerciale. Fermée à la circulation automobile entre la Calle 1 et la Calle 8, cette voie de passage bordée par une série de cafés-terrasses, hôtels, restaurants, bars, et par quantité de vendeurs tentant d'attirer les badauds vers leur commerce en criant des *amigo, cheaper for you, come inside*, est désormais réservée aux piétons. La plage est toujours splendide, le naturisme est toléré et le soleil continue d'éblouir ceux et celles qui s'exposent à ses rayons.

Ibis

Playacar

Cet important projet touristique est situé au sud du centre-ville de Playa del Carmen, au-delà de l'aéroport. Ce développement de 354 ha comprend un parcours de golf à 18 trous, un centre de tennis, plusieurs

hôtels et un centre culturel et commercial. Il se développe sans cesse. On y retrouve les grandes chaînes d'hôtels qui adoptent la formule du «tout compris».

Il faut entrer dans le complexe de Playacar pour admirer les vestiges mayas datant de l'époque postclassique. À partir de l'entrée, le premier groupe se trouve à environ 300 m sur la droite, très visible de la route. C'est un petit édifice surélevé dont la façade est entourée de colonnes de pierre. Les deux autres groupes sont à quelques mètres sur cette même route, et s'avèrent très intéressants eux aussi.

L'Aviario Xaman-Ha ★ *(tlj 9h à 17h; Paseo Xaman-Ha, ☎/⁓873-0593)* est une réserve ornithologique pour les espèces que l'on retrouve au Yucatán ou ailleurs au Mexique, telles que flamants roses, toucans, pélicans, ibis, hérons, perroquets, cormorans et cigognes, ainsi que pour certaines espèces de canards sauvages. Le site est divisé en six parties selon les groupes d'oiseaux. Des chercheurs étudient dans cette réserve la reproduction d'une trentaine d'espèces différentes.

Le **golf de Playacar** (☎873-0624) est aménagé dans un vaste espace vallonné. Dessiné par Robert von Hagge, il est un des mieux cotés du pays et des tournois internationaux s'y déroulent fréquemment.

Xcaret

L'histoire de Xcaret (prononcer Ich-ca-rét) commence vers l'an 600. C'était alors une ville avec son centre cérémoniel, un grand marché et le principal port desservant Cozumel. Francisco de Montejo, le conquérant du Yucatán, y aurait perdu plusieurs hommes en 1528 au cours d'une bataille. Ce site enchanteur comprend une rivière souterraine, des vestiges mayas, un *cenote*... des restaurants, des boutiques, une marina et des hôtels à proximité.

Xcaret (mot maya signifiant «petite crique») est maintenant un domaine de 40 ha où l'on peut pratiquer la plongée, la voile, l'équitation, la nage avec les dauphins, la méditation... Le site comprend en outre un musée, un petit zoo, un aquarium, un jardin botanique et un village maya reconstitué. On y présente chaque soir le spectacle *Xcaret de Noche*, une grande fresque historique et musicale. Il y a tant à faire à Xcaret qu'on peut très facilement y passer toute une journée.

La nouvelle activité aquatique en vogue à Xcaret s'appelle le *snuba*. Mélange de plongée-tuba et de plongée sous-marine, l'activité consiste à respirer à l'aide d'un long tube rattaché à une bouteille d'oxygène comprimé, ce qui permet de se déplacer à sa guise sous l'eau pour découvrir le merveilleux monde marin, en compagnie d'un plongeur expérimenté.

Des autobus font la navette chaque jour entre Cancún et Xcaret. Au siège social de l'entreprise privée qui gère le site, à Cancún (*à côté de l'hôtel Fiesta Americana Coral Beach*, ☎883-0654, ≈883-3143), il y a des départs en autobus chaque jour à 9h, 10h et 11h.

Nourriture, boissons, radios et crème solaire sont prohibées à Xcaret. La seule crème acceptée est la crème *Xcaret*, vendue sur place.

Le site est ouvert tous les jours de 8h30 à 22h.

Droit d'entrée: **39$**
Location d'un casier: **2$**
Location d'une serviette: **3$**
Promenade à cheval: **30$/heure**
Nage avec les dauphins: **65$**

Paamul

Paamul est une petite plage bien à l'abri dans une baie, mais qui n'apparaît pas paradisiaque au premier coup d'œil, à cause des nombreux coquillages et éclats de corail qui la recouvrent. Les amoureux de Paamul y vont surtout pour la plongée sous-marine, car la mer est transparente et une grande variété de poissons tropicaux peut y être observée. Il est dangereux de marcher pieds nus sur cette plage.

Chaque année, des tortues géantes viennent nidifier la nuit sur la plage en juillet et en août. Il ne faut surtout pas toucher aux œufs ni faire de la lumière, car cela effraie les tortues qui voient déjà la moitié de leur progéniture dévorée par les prédateurs.

Puerto Aventuras

À 20 km au sud de Playa del Carmen, Puerto Aventuras est en plein essor. Anciennement déserte, la baie sur laquelle donne Puerto Aventuras sert maintenant de cadre à un ambitieux complexe de condominiums de luxe ouvert depuis 1987 qui s'étend sur près de 365 ha. Près de 600 autres hectares sont actuellement en développement. Ses principaux attraits sont un port de plaisance et un parcours de golf à 18 trous. Puerto Aventuras comprend des pavillons privés, des condominiums, plusieurs hôtels, des boutiques et des restaurants. La formule «temps partagé» y est très populaire.

En 1741, le galion espagnol *El Matancero* a heurté les récifs tout près d'Akumal. Le **Musée d'archéologie sous-marine Pablo Bush Romero ★** *(contribution volontaire; tlj 10h à 13h et 14h à 18h; ☎873-5129)* expose les différents objets qui y ont été récupérés, tels des boucles de ceinture, des canons, des pièces de monnaie, des pistolets ainsi que des vases en terre cuite provenant des ruines mayas environnantes.

Xpu-há

À 3 km au sud de Puerto Aventuras se cache la plage de Xpu-há, que de nombreux hôtels ont envahis. C'est encore un endroit où la plongée-tuba et la plongée sous-marine sont très agréables à pratiquer.

Sept sentiers mènent à la plage. On conseille de prendre le X7.

Au nord se situe l'Eco Park, un autre complexe hôtel-parc d'attractions comme on en retrouve de plus en plus sur la Riviera Maya.

Kantenah

Avant d'atteindre Akumal, vous croiserez la plage de Kantenah, longtemps déserte, où se trouvent maintenant deux grands complexes hôteliers (voir p 256).

Akumal

La plage d'Akumal, qui fait 15 km de long, est bordée, d'un côté, par la mer et de l'autre, par une longue rangée de palmiers. On y trouve un centre de villégiature et une zone résidentielle. Akumal (mot maya signifiant «tortue»)

faisait autrefois partie d'une grande plantation de cocotiers. Elle a d'abord été aménagée en 1958 par des plongeurs qui exploraient l'épave immergée d'un galion espagnol. La superbe plage d'Akumal est protégée du large par une barrière de corail que les plongeurs du monde entier viennent observer depuis de nombreuses années. La baie tranquille de Half Moon Bay, mesurant environ 500 m de long, est parfaite pour la voile, le surf et la plongée-tuba. Plusieurs s'y rendent aussi pour la sérénité qui y règne. Le développement s'y est effectué en harmonie. On a toujours l'impression d'avoir beaucoup d'espace autour de soi. De plus, Akumal possède quelques bons restaurants et bars sur la plage.

La lagune **Yal-ku** est située juste au nord, au-delà de la baie. Difficilement accessible, cet endroit est peu visité, mais les plus tenaces qui s'y rendent sont récompensés pour leur peine. N'oubliez pas que la crème solaire y est interdite. Il y a un droit d'entrée minime pour accéder à la lagune.

La **Planetary Coral Reef Foundation** (PCRF) (☎874-3484), fondée en 1991, sensibilise les plongeurs à la fragilité des récifs de corail et de l'écosystème marin. La PCRF travaille avec le Centre écologique d'Akumal, dédié à la préservation de l'environnement, pour développer une base de données sur l'état du récif d'Akumal et monter un programme de recyclage des déchets.

Chemuyil

La plage de sable blanc de Chemuyil est magnifique. La plongée-tuba, dans ces eaux turquoise et cristallines, est un véritable plaisir. Bien que plusieurs palmiers aient été décapités par les violents ouragans qui ont frappé la côte ces dernières années, il s'en trouve encore, près de la rive, qui fournissent un peu d'ombre. Chemuyil dispose d'un petit resto, d'un camping, de quelques hôtels et d'une boutique de plongée.

Sur le côté ouest de la route 307 se situe le village maya de Chemuyil. Ici, résident les nombreux travailleurs qui rendent votre séjour agréable. On y retrouve de bons restaurants.

Xcacel

À Xcacel, il y a un camping où l'on peut planter sa tente près de la plage, à l'ombre des palmiers. C'est joli, mais il faut impérativement porter des chaussures, car cette plage est couverte de coquillages et de coraux, et s'enduire le corps d'insectifuge. On y trouve un restaurant et un petit *cenote*. Les amateurs d'ornithologie passeront un bon moment avec les perroquets et les *mot-mot* (ainsi nommés à cause de leur cri) qui habitent les parages. Le meilleur moment pour aller à la rencontre de ces petites créatures est tôt le matin. Xcacel est idéale pour les sports nautiques, car ses eaux sont calmes et transparentes.

Xel-Há

Xel-Há vaut résolument le détour si vous êtes amateur de plongée-tuba. Des bancs d'énormes poissons-perroquets colorés bleu, jaune et orange s'offriront en spectacle durant votre escapade aquatique. De plus, moyennant des frais supplémentaires *(90$)*, il vous est loisible de nager en compagnie des dauphins, ces sympathiques mammifères marins qui font irrésistiblement sourire petits et grands.

Connu comme le plus grand «aquarium naturel» du monde, Xel-Há (prononcer Chel-Ha) est constitué de 4 ha de lagunes exotiques, d'anses et de criques creusées naturellement dans le calcaire friable caractéristique de la région. Certaines criques ont toutefois été «encouragées» par la main de l'homme. De grands plans d'eau transparente et calme regorgent de poissons multicolores. Paradis des amateurs de plongée, Xel-Há est aussi propice aux essais timides des débutants. Ceux et celles qui ne se baignent pas pourront tout de même admirer la faune et la flore marines du haut de la promenade surplombant les rives, tellement l'eau est limpide. Sur place, on trouve des douches et des boutiques, ainsi qu'un restaurant de fruits de mer, et l'on peut aussi louer de l'équipement de plongée.

Le site est ouvert tous les jours de 8h à 17h. Le droit d'entrée pour les adultes est de 19$, de 11,40$ pour les enfants de moins de 12 ans, et c'est gratuit pour les enfants de moins de 5 ans. Il est interdit d'entrer dans le site avec des aliments ou des boissons. Il est aussi interdit d'utiliser de la crème solaire, car elle contient des produits dangereux pour la faune marine. Des vestiaires et des cases sont proposés, de même que de l'équipement de plongée.

Tan-Kah

À 9 km au sud de Xel-Há s'étend Tan-Kah, un site archéologique qui abriterait pas moins de 45 édifices mayas très anciens dans les profondeurs de la forêt.

Tulum

L'ancienne ville de Tulum (mot maya signifiant «mur») a connu son apogée entre l'an 900 et l'an 1540 environ, soit au moment du déclin des grandes villes de l'intérieur. Ses temples et édifices, beaucoup plus petits que ceux de Chichén Itzá, témoignent du style d'architecture que l'on retrouve partout sur la côte

Riviera Maya

mexicaine de la mer des Caraïbes. C'est la seule cité portuaire maya entourée d'une muraille sur trois côté, et l'un des centres cérémoniels encore en activité quand les Espagnols arrivent au Mexique au XVIe siècle. L'expédition navale de Juan de Grijalva, longeant la côte du Yucatán en 1518, fut très impressionnée par cette majestueuse cité surplombant une falaise de 12 m de hauteur. Les murs des temples de Tulum étaient alors peints de couleurs vives et contrastées, dont il ne reste que peu de traces aujourd'hui.

Tulum était à l'origine peuplée de plusieurs milliers de personnes. C'était aussi un marché important relié à plusieurs villes environnantes, entre autres à Coba et à Xel-Há. Bien que Tulum fût abandonnée au XVIe siècle, elle servit de refuge aux Mayas de Chan Santa Cruz lors du conflit armé entre les Blancs et les Mayas durant la guerre des Castes. Les habitants du village de Tulum (un peu plus au sud que le site archéologique lui-même) sont d'ailleurs en

grande partie des descendants de ce peuple fier et indépendant.

En 1993, le gouvernement a lancé un vaste programme de restauration et de conservation des édifices de Tulum, reconnaissant ainsi son intérêt historique. Beaucoup de touristes logeant à Cancún ou à Cozumel découvrent Tulum avec l'un des nombreux tours guidés en autocar organisés par presque toutes les agences de voyages de la région. Sur la côte, c'est l'excursion la plus populaire, souvent combinée avec celle de Xel-Há. Tulum recevrait environ un million de visiteurs par année. On imagine donc à quel point l'endroit peut être bondé, surtout durant la haute saison touristique. Le moment de la journée le plus agréable pour visiter Tulum est la fin de l'après-midi, quand les touristes sont partis et que le soleil n'est pas trop chaud. La visite dure environ deux heures.

À l'entrée du site se trouvent un marché recouvert qui abrite des boutiques d'artisanat et quelques casse-croûte. À l'entrée, on peut parfois voir des *voladores*. C'est un spectacle très impressionnant qui marie l'acrobatie et la musique. Le village de Tulum, établi à 2 km au sud d'El Crucero, soit l'embranchement vers

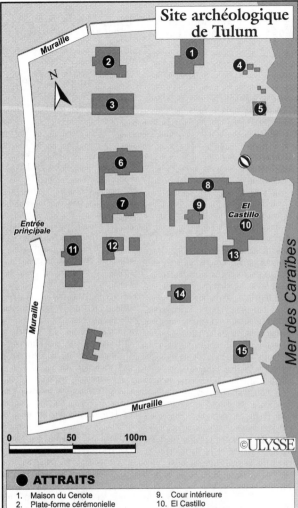

Site archéologique de Tulum

Muraille

N

Entrée principale

Muraille

Muraille

El Castillo

Mer des Caraïbes

1
2
3
4
5
6
7
8
9
10
11
12
13
14
15

0   50   100m

©ULYSSE

● ATTRAITS

1. Maison du Cenote
2. Plate-forme cérémonielle
3. Plate-forme résidentielle
4. Sanctuaires
5. Temple du Vent
6. Palais du Halach Unic
7. Maison des Colonnes
8. Temple du Dieu Descendant
9. Cour intérieure
10. El Castillo
11. Maison du Chultun
12. Temple des Fresques
13. Temples de la Série Initiale
14. Plate-forme résidentielle
15. Temple de la Mer

le site archéologique, est lui aussi digne d'intérêt. On y trouve tous les services.

La zone archéologique

Afin de protéger les vestiges de Tulum, la plupart des structures intéressantes sont fermées au public en raison de l'afflux démesuré de touristes qui envahissent quotidiennement le site. Par conséquent, on ne peut hélas pas visiter l'intérieur de l'attrait principal du site, le Castillo. Les visiteurs doivent en effet se contenter d'observer d'une certaine distance. Toutefois, la beauté du site compense cet état de fait. Tulum étant érigé sur une falaise surplombant la mer, vous pourrez y admirez de magnifiques paysages. N'oubliez pas d'apporter votre maillot de bain pour vous rafraîchir dans la mer. En effet, une petite crique servant jadis de lieu d'embarquement pour les bateaux invite à la baignade.

Du lundi au samedi, le droit d'entrée est de 35 pesos pour les adultes, et c'est gratuit pour les 12 ans et moins. Le dimanche, l'entrée est libre. La location d'une case à l'entrée du site coûte 18 pesos. L'accès, jadis situé près des ruines, donne maintenant sur un stationnement *(1$)*, juste à côté de l'autoroute 307, ce qui oblige les visiteurs à faire environ 500 m à pied ou à monter à bord d'un petit train *(1$ aller-retour)*. Un guide peut être engagé à l'entrée du site. Comptez 30 pesos pour l'utilisation d'une caméra vidéo.

L'entrée à la partie muraillée se fait par un étroit passage dans le mur de pierre qui entoure la cité. Le premier bâtiment qui se présente aux visiteurs est le Temple des fresques. Face à la mer, au point le plus élevé, vous verrez le Castillo. Tout à côté se trouve le Temple du dieu descendant. Quelques autres structures de moindre importance sont disséminés aux alentours.

Le Temple des fresques

Ce temple à deux étages se compose d'une base large, avec quatre colonnes de pierre sur un des côtés. On ne peut pas y pénétrer, mais on distingue fort bien des fresques colorées à l'intérieur; elles représentent l'univers tel que l'imaginaient les Mayas. On peut aussi y voir l'empreinte de mains trempées dans de la peinture rouge.

El Castillo

Juché sur le bord de la falaise, ce temple est hélas fermé aux visiteurs. Son entrée est flanquée de deux colonnes représentant des serpents et un dieu descendant.

Le Temple du dieu descendant

On pénètre sous cette structure à deux étages par une petite porte surmontée d'une figure taillée dans le roc représentant le «dieu descendant», c'est-à-dire une forme humaine dont les pieds sont tournés vers le ciel et la tête vers le sol. On ne sait pas si cette forme représente une abeille ou plutôt le soleil couchant.

Cobá

Cobá est un petit village pittoresque éparpillé sur les rives du Lago Cobá, tout près de la zone archéologique qui porte son nom. Les infrastructures touristiques y sont très limitées.

La zone archéologique

Témoin muet de l'élégance intemporelle de la glorieuse époque maya, à jamais disparue mais pas tout à fait oubliée, l'**ancienne ville de Cobá** *(environ 3$ ou 25 pesos; tlj 8h à 17h)* se dresse solennellement à 47 km à l'ouest de Tulum, au sein d'une végétation luxuriante brûlée par un soleil de plomb. Les archéologues affirment que seulement un faible pourcentage des édifices est visible et que, si le gouvernement décide un jour de débloquer assez de fonds pour restaurer le site au complet, Cobá constituera l'une des plus grandes cités mayas jamais découvertes. On suppose qu'entre 300 et 1100 ap. J.-C., Cobá, alors à son apogée, comptait environ 50 000 personnes et rivalisait de prestige avec la splendide cité de Tikal, au Guatemala. D'ailleurs, contrairement à Chichén-Itzá et où prime un mélange d'architectures maya et toltèque, l'architecture de Cobá est du style Petén qui caractérise Tikal. Les édifices de Cobá n'ont cependant pas la splendeur de Tikal, de Chichén-Itzá ou de Palenque. Les structures

Riviera Maya

mises au jour sont peu nombreuses et très éloignées les unes des autres. Nous vous suggérons vivement de vous couvrir la tête d'un chapeau et d'apporter de l'eau ainsi que de l'insectifuge. Pour ceux qui ne se contentent pas de jeter un coup d'œil rapide et qui veulent comprendre davantage l'architecture des lieux, il est préférable de louer les services d'un guide à l'entrée du site.

Un premier groupe d'édifices, appelé le groupe Cobá, se dresse à près de 100 m de l'entrée sur la droite. S'y trouve la deuxième plus haute pyramide (22 m) du site, désignée sous le nom d'**Iglesia**. Un petit *juego de pelota* bien restauré s'étend aussi près de la pyramide.

Un peu plus loin se dresse un deuxième ensemble appelé **Las Pinturas**, ainsi nommé en raison des fresques colorées qui garnissent sa façade.

Puis, un peu plus loin se trouve **Xay-be**. Son nom signifie «à la croisée des chemins» en maya. De forme circulaire, cette pyramide s'élève à environ 12 m de hauteur sur 3 niveaux. Il semble que c'était un ancien lieu stratégique où se croisaient quatre chemins mayas, et que la construction érigée en ce lieu était utilisée comme observatoire astronomique et poste de guet.

L'attrait principal du site, **Nohoch Mul**, est situé à environ 1 km de l'entrée du site et détient le titre de la plus haute pyramide du Yucatán. On n'en atteint le sommet, à 42 m, qu'après avoir gravi 120 marches. Une corde en guise de rampe aide les visiteurs qui ont le vertige à redescendre plus aisément. À côté de la pyramide se trouve une **stèle** haute de 4 m et pesant 4 tonnes où sont gravés des hiéroglyphes, qui indiquent la date du 30 novembre de l'an 780 de notre ère.

Plusieurs *sacheob* (chemins blancs) sillonnent la région, ce qui renforce la thèse qui veut que Cobá occupait une place importante dans la région. Pour éviter de vous perdre, revenez sur le chemin balisé si vous empruntez brièvement l'un des nombreux *sacheob* qui traversent la route. Ceux-ci croisent des édifices en ruine émergeant partiellement çà et là, enveloppées d'une quiétude séculaire au beau milieu de l'exubérance végétale, et dégagent un charme certain. De là, vous n'aurez pas trop de mal à croire que cet héritage d'une ère de prospérité inégalée devait, il y a bien longtemps, être encore plus spectaculaire que ce qui s'étend sous vos yeux aujourd'hui.

★★

Reserva de la Biosfera Sian Ka'an

En maya, **Sian Ka'an** signifie grosso modo «lieu où le ciel naît». Cette réserve compte 520 000 ha le long de la côte au sud de Tulum. La Reserva de la Biosfera Sian Ka'an est formée de forêts tropicales,

Ara

ponctuée de *cenotes*, parsemée de savanes, bordée de dunes et de lagunes, et se blottit en face d'une barrière de corail qui s'allonge à un peu plus de 100 m dans la mer. De plus, de nombreuses petites ruines mayas émergent çà et là de ce tapis de verdure. Ce fascinant mélange d'exubérance végétale, marine et minérale sert d'habitat naturel à une faune et à une flore des plus variées. En effet, à titre d'exemple, plus de 300 espèces d'oiseaux y virevoltent et gazouillent à leur guise. Parmi les espèces les plus connues, mentionnons le toucan, l'ara et le flamant rose.

Tendez l'oreille au bruissement du vent qui caresse doucement les feuilles des arbres parfois enjolivés par une légion d'oiseaux colorés juchés sur leurs branches. Même si les animaux de grande taille fuient généralement à la moindre alerte, vous aurez peut-être le privilège d'apercevoir un puma ou un jaguar gambader silencieusement pour aussitôt disparaître dans la végétation. Votre regard captera peut-être aussi la présence des singes qui s'élancent et se pourchassent de branche en branche, des crocodiles qui glissent doucement sur l'eau à l'affût d'une proie dans les brumes matinales qui s'effilochent ou des tortues marines qui batifolent dans l'eau des lagunes.

Bien qu'il soit intéressant de voyager sans aucune structure préétablie ou contrainte de temps, vo us devriez peut-être envisager de recourir à une agence de voyages pour visiter la réserve.

En effet, la meilleure façon de découvrir la réserve est de communiquer avec les **Amigos de Sian Ka'an** *(Av. Cobá nº 5, Loc 48 et 50, Plaza America, ☎884-9585, www.cancun.com/siankaan)*, une association qui vise à promouvoir et à protéger ce pur joyau de nature et son écrin de verdure. L'excursion part de l'hôtel Ana y José (voir p 259) et dure

(voir p 259)

Riviera Maya

environ six heures. La moitié de la balade s'effectue en bateau. On demande 48$ (par personne) si vous utilisez votre propre véhicule pour vous rendre jusqu'à Boca Paila. On demande des frais supplémentaires de 10$ si vous montez dans le véhicule de l'agence à l'hôtel Ana y José.

L'agence de voyage **Sian Ka'an Tours** (*Av. Tulum, Tulum Pueblo,* ☎*871-2363*) organise également des visites à l'intérieur de la réserve.

Boca Paila et Punta Allen

Boca Paila et Punta Allen sont deux villages pittoresques qui vivent de la pêche et du tourisme et qui sont situés sur une petite péninsule à l'intérieur de la Reserva de la Biosfera Sian Ka'an. L'électricité y est produite par des générateurs et les infrastructures sont sommaires.

Boca Paila est flanquée d'une jolie plage blanche et sablonneuse et d'une baie poissonneuse appelée Bahía de La Ascención. La pêche est sans conteste l'activité qui attire le plus grand nombre de touristes.

L'hôtel Casa Blanca (*www.casablancafishing.com*) est un établissement hôtelier composé de *cabañas* très propres coiffées d'un toit de chaume et dotées de sanitaires privés et d'une terrasse ouverte sur la mer.

Iguane

Des guides professionnels vous accompagnent sur des bateaux et vous indiquent les meilleurs endroits où pêcher. Parmi les espèces qui foisonnent dans les parages, mentionnons le albula, le *tarpon* et le vivaneau. Par ailleurs, les visiteurs peuvent aussi faire du kayak de mer, de la plongée-tuba, ou tout simplement lézarder sur la plage en bouquinant.

Fondé au milieu du XXe siècle en raison de la prolifération de langoustes, le mignon petit village de pêcheurs de **Punta Allen** borde la Bahía de La Ascención et compte moins de 1 000 habitants. Plus au sud, se trouve la Bahía del Espíritu Santo, deuxième plus grande réserve de langoustes du Mexique qui s'étend sur 120 000 ha. À Punta Allen, les infrastructures sont sommaires, mais les petits restaurants servent toujours la prise du jour.

Les plages sont étroites et un peu rocailleuses. Les hôtels offrent un confort spartiate et le camping est permis.

Activités de plein air

Mis à part le surf, la presque totalité des sports nautiques se pratiquent le long de la Riviera Maya. Les grands hôtels de la Riviera Maya louent habituellement l'équipement nécessaire à la pratique de ces sports. On y offre des journées de familiarisation à la plongée sous-marine et aussi le service de navette pour le club de golf de Playacar ou de Puerto Aventuras. Vous trouverez aussi des boutiques de location d'équipement dans les agglomérations urbaines ainsi que sur toutes les grandes plages de la Riviera Maya.

Les amateurs de sports d'aventure, comme la randonnée en véhicule tout-terrain, la randonnée pédestre dans les sentiers de la forêt tropicale ou les sorties en bateau dans les mangroves, trouveront un nombre surprenant d'agences spécialisées qui sauront satisfaire toutes leurs exigences. De nombreux parcs écologiques ont été aménagés et font partie des attraits touristiques de la région.

Plongée sous-marine et plongée-tuba

Puerto Morelos

À 200 m de la rive de Puerto Morelos se trouve un récif de corail très prisé des plongeurs. Depuis mars 1997, le ministère de l'Environnement du Mexique a classé ce récif «zone protégée». C'est le plus long de tout l'hémisphère Nord. De nombreux navires se sont échoués dans les environs depuis le début de la colonisation espagnole, entre autres un galion espagnol qui attire beaucoup d'amateurs. À l'hôtel Bahía Maya Village (voir p 246), on peut louer de l'équipement de plongée ou encore participer à une excursion à Puerto Morelos ou au très beau *cenote* Dos Ojos (à 90 km à l'intérieur des terres). Ce centre organise aussi des expéditions de pêche en haute mer d'une journée ou d'une demi-journée.

Punta Bete

La Posada del Capitán Lafitte
Carretera Cancún-Tulum, km 62
☎*873-0214 ou 800-538-6802*
lafitte@sureste.com

À Punta Bete, l'hôtel La Posada del Capitán Lafitte possède une boutique de plongée du nom de **Buccaneer's Landing**, qui offre tous les services. On peut y louer l'équipement nécessaire pour faire de la plongée sous-marine ou de la plongée-tuba, et y faire aussi des promenades à cheval.

Playa del Carmen

Plusieurs entreprises à Playa del Carmen louent du matériel de plongée-tuba ou de plongée sous-marine et organisent des excursions. En voici quelques-unes:

Seafari Divers
Av. 5, entre Calle 2 Norte et Av. Juárez
☎873-0901

Club Náutico Tarraya
Calle 2 Norte, près de la plage
☎873-2040
gmillet@prodigy.net.mx

Costa Sol y Luna
Entre Calle 10 et Calle 12
☎873-2072

Phocea Caribe
Av. 5, entre Calle 12 et Calle 14
☎/≈873-1210
Cette entreprise propose des cours d'initiation à la plongée d'une journée et des cours de plus longue durée.

Puerto Aventuras

Puerto Aventuras offre la possibilité de pratiquer de multiples activités comme le golf, la pêche en haute mer, la plongée sous-marine et la plongée-tuba, la voile et le kayak. À 1 km au sud du complexe se trouve le **Cenote Azul** (accès par l'autoroute 307), où l'on peut nager dans une eau claire et fraîche.

Mike Madden's CEDAM Dive Center
☎873-5129
mmaden@cancun.rce.com.mx
Le Mike Madden's CEDAM Dive Center propose des cours complets de plongée, loue tout l'équipement nécessaire et organise des excursions aux *cenotes* environnants. Mike Madden est un plongeur émérite de réputation internationale qui a exploré de nombreux *cenotes* dans la région. Il possède cinq centres de plongée. Tous les guides sont certifiés PADI.

Akumal

Dive Center Akumal
sur la plage même
☎/≈875-9025
www.akumaldivecenter.com

Équitation

Puerto Morelos

Rancho Loma Bonita
Carretera Cancun-Tulum, km 40, vers
Punta Bete
☎*887-5423*
Depuis plus de 25 ans, le
Rancho Loma Bonita per-
met de parcourir à cheval
des sentiers sauvages dans
la jungle ou des kilomètres
de plage. On peut même y
jouer au polo à dos d'âne,
armé d'un balai! Un autobus
fait la navette deux fois par
jour entre Cancún et le
ranch. Les départs se font à
partir du restaurant OK
Maguey *(Plaza Kukulcan)*.
Les tarifs, qui varient selon
les activités pratiquées,
incluent une assurance-
accident. Il y a un restaurant sur place.

Hébergement

Puerto Morelos

Posada Amor
$
⊗, ℜ
Av. Xavier Rojo Gómez
☎*871-0033*
La Posada Amor dispose de
18 petites chambres au

confort simple et décorées à
la mexicaine, réparties dans
des habitations qui entourent une petite cour intérieure ombragée. Certaines
chambres ont une salle de
bain privée avec douche.
Possibilité de louer une
cabaña rustique pouvant
abriter quatre personnes.

Hacienda Morelos
$$
⊗, ≈, ℜ
Av. Rafael Melgar, sur la plage, près
du quai 8
☎/≈*871-0015*
L'hôtel Hacienda Morelos
compte 15 studios avec
grands lits. Les chambres
spacieuses sont joliment
décorées à la mexicaine. La
piscine est entourée de
palapas. Légèrement suré-
levée, elle offre un beau
point de vue sur la mer.

Rancho Libertad
$$ pdj
⊗
Prolongacion Rafael Melgar, au sud
du port
☎*871-0181 ou 888-305-5225*
www.rancholibertad.com
Le Rancho Libertad est tenu
par des Étasuniens. Le bâtiment principal abrite une
grande salle au sol couvert
de sable où l'on peut jouer
aux échecs, regarder les
étoiles avec un téléscope,
gratter une guitare ou frapper sur un tambour. Une
cuisine commune bien
équipée est accessible à
tous. Les 12 chambres ont
un ventilateur de plafond et

Riviera Maya

certaines ont des lits suspendus par des cordes. On peut aussi dormir dans l'un des hamacs mis à la disposition de la clientèle. La plage de l'hôtel est très jolie. C'est vraiment un endroit où se coucher tôt et se lever tard. On offre des cours de plongée. On peut louer un kayak pour 21 pesos l'heure, une bicyclette pour 50 pesos par jour et l'équipement de plongée-tuba est gratuit.

Bahía Maya Village
$$$ tout compris
⊗, ≡, ℝ, ≈, ℜ
Carratera Cancún-Tulum, km 28,5, sur la plage Punta Tanchacte
☎871-0097
⇄884-3849
Les 100 chambres du Bahía Maya Village comprennent toutes un minibar et un ventilateur. Certaines d'entre elles ont l'air conditionné. Le Bahía Maya Village situé à 7 km au nord de Puerto Morelo se compose de plusieurs bâtiments entourés de jardins. La piscine est grande et entourée de *palapas*, de hamacs et de chaises longues. L'hôtel dispose d'un restaurant de cuisine italienne, d'une discothèque, d'une boutique, d'un centre de plongée et d'un comptoir de location de voitures.

Caribbean Reef Exclusive Club
$$$
⊗, ≡, ≈, ℜ
Prolongacion Rafael Melgar, au sud de l'embarcadère
☎871-0191
Le Caribbean Reef Resort est un hôtel moderne offrant un grand confort. Ses 21 villas spacieuses ont une jolie vue sur la mer. L'hôtel comprend une piscine, un court de tennis, un bar et une boutique de plongée. La direction organise des excursions de plongée sous-marine.

Punta Maroma

Maroma
$$$$$
≡, ⊗, ≈, ℜ, ☉
Carretera Cancún-Tulum, km 51
Punta Maroma
☎872-8200
⇄872-8220
www.maromahotel.com
L'hôtel Maroma est situé directement sur la magnifique Playa Maroma, une plage de sable blanc de 3 km de long qui se trouve au sud de Puerto Morelos, à environ 15 min en voiture de Playa del Carmen. Le Maroma est exceptionnel et sans aucun doute le complexe hôtelier le plus luxueux de la Riviera Maya. Il offre seulement 36 chambres ou villas campés dans un décor paradisiaque. L'architecture des bâtiments et l'aménagement du jardin qui les entoure sont en-

chanteurs. Le Maroma se targue d'être le lieu de prédilection des «gens de Beverly Hills». Il est facile de le croire. Les amateurs des nouvelles disciplines comme l'aromathérapie, la réflexologie, ou du *Temazcal* (sauna maya), seront pris en main par des artisans qui leur feront découvrir des muscles qu'ils ignorent posséder.

Punta Bete

La Posada del Capitán Lafitte
$$$ ½p
⊗, ≈, ℜ
☎873-0212 ou 800-538-6802
lafitte@prodigy.net.mx
La Posada del Capitán Lafitte est une institution à Punta Bete. Ses 40 logements répartis dans une série de maisonnettes au toit de chaume comprennent chacun une chambre à coucher et une terrasse avec vue sur la mer. Quelques logements comptent deux chambres. Les salles de bain comportent des douches seulement. En fin de journée, près de la piscine, il y a des spectacles de *mariachis*. On y loue des chevaux et l'on organise des excursions de plongée sous-marine et de pêche.

Playa del Carmen

À Playa del Carmen, la majorité des hôtels sont situés sur la plage, à seulement quelques mètres de la mer. Certains d'entre eux louent des *cabañas*. Les plus chers et les plus confortables sont situés aux extrémités nord et sud de la ville.

Urban Hostel
$ pdj
Av. 10, entre Calle 4 et Calle 6
☎879-9342
urbanhostel @ yahoo.com
À Playa del Carmen, comme dans toutes les villes de la côte Caraïbe mexicaine, les voyageurs avec sac à dos trouveront un hébergement à bon prix. Une auberge de jeunesse située au centre-ville propose un lit sous une grande *palapa* pour 10$ par nuitée, petit déjeuner compris. L'auberge peut accueillir une vingtaine de clients qui se partagent la cuisine pour préparer leurs repas. Les salles de bain et les douches sont communes. L'auberge offre aussi une moustiquaire et un casier de rangement sécuritaire; une salle de repos est mise à la disposition des clients. Aucune carte de membre n'est requise.

Mom's
$
≈, ℜ, ⊗, ≡
Av. 30, angle Calle 4
☎/⇄873-0315

moms@caribe.net.mx

L'hôtel Mom's, construit un peu comme une hacienda avec cour centrale et petite piscine, est un peu retiré. Il est situé à environ 5 min à pied de la rue piétonnière. Ses 16 chambres sont confortables, propres, grandes et fraîches, avec salles de bain privées. Certaines offrent l'air conditionné. Le propriétaire possède une bibliothèque très intéressante et se fera un plaisir de vous prêter quelques bouquins que vous pourrez lire sur la terrasse située à l'étage.

Albatros
$-$$ pdj
≡, ⊗, ℜ
sur la plage, angle Calle 8
☎*873-0001*
À 20 m de la plage, l'Albatros, un hôtel de 31 chambres, se compose de maisonnettes beiges recouvertes d'un toit de chaume. Toutes les chambres disposent d'un balcon privé avec hamac. Elles sont peintes en blanc et meublées sobrement; le plancher est recouvert de carreaux de céramique. Le matin, on sert du café et des croissants. L'hôtel organise des excursions de plongée sous-marine et l'on peut aussi louer tout l'équipement nécessaire à la plongée.

Villa Deportiva Juvenil
$/pers.
Av. 30, angle Calle 8

Sans contester l'un des endroits les plus économiques où dormir à Playa del Carmen, la Villa Deportiva Juvenil, une auberge de jeunesse pour tous, compte 200 lits répartis dans 10 dortoirs et 5 *cabañas*. Ces dernières, munies d'un ventilateur et d'une douche privée, peuvent loger trois ou quatre personnes. En partageant le coût de ces modestes habitations à plusieurs, on paiera encore moins cher que pour le dortoir. Hommes et femmes couchent dans des *cabañas* et dortoirs distincts, relativement propres. Idéal pour les voyageurs peu difficiles.

Pelícano Inn
$$ pdj
⊗, ℜ, ≡
sur la plage, angle Calle 6
☎*873-0997 ou 800-538-6802*
⇥*873-0998*
Le Pelícano Inn est un nouvel hôtel de 38 chambres, entouré d'un jardin tropical. Les chambres ont deux grands lits ou un très grand lit. Au petit déjeuner, on se sert soi-même au buffet. L'hôtel dispose d'un magasin de matériel de pêche et de plongée.

El Tucán
$$ pdj
≈, ≡
Av. Norte nº 5A, entre Calle 14 et Calle 16
☎*873-0417*
⇥*873-0668*

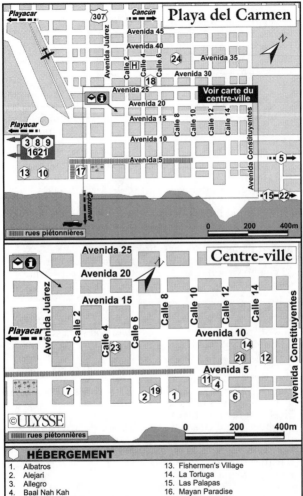

Playa del Carmen

307
Cancún

Avenida 45
Avenida 40
Avenida Juárez
Calle 2
H
Calle 4
Calle 6
24
Avenida 35
18
Avenida 30

Voir carte du centre-ville

Avenida 25
Avenida 20
Avenida 15
Calle 8
Calle 10
Calle 12
Calle 14

Playacar
3 8 9
16 21
13 10
17
Avenida 10
Avenida 5

Avenida Constituyentes
5
15 22

rues piétonnières
0   200   400m

Centre-ville

Avenida 25
Avenida 20
Avenida 15

Avenida Juárez
Calle 2
Calle 4
Calle 6
Calle 8
Calle 10
Calle 12
Calle 14

Playacar
23
Avenida 10
14
20
12

Avenida 5
11
4
7
2 19
1
6

Avenida Constituyentes

©ULYSSE
rues piétonnières
0   200   400m

⬡ HÉBERGEMENT

1. Albatros
2. Alejari
3. Allegro
4. Baal Nah Kah
5. Balcones del Caribe
6. Blue Parrott Inn
7. Camping y Cabañas La Ruina
8. Caribbean Village
9. Club Royal Maeva Playacar
10. Continental Plaza Playacar
11. Copacabana
12. El Tucán

13. Fishermen's Village
14. La Tortuga
15. Las Palapas
16. Mayan Paradise
17. Molcas
18. Mom's
19. Pelícano Inn
20. Quinta Mija
21. Royal Hideway Resort and Spa
22. ShangriLa Caribe
23. Villa Deportiva Juvenil

L'hôtel El Tucán renferme environ 65 chambres propres et confortables mais un peu petites. À côté de l'hôtel, il y a un petit jardin privé rafraîchissant avec des cascades d'eau et un petit *cenote* près de la réception.

Blue Parrott Inn
$$
⊗, ≡, ℜ
sur la plage, angle Calle 12
☎873-0083
Très populaire pour les nombreux services qu'il offre, le Blue Parrott Inn organise diverses activités nautiques (kayak, plongée-tuba et plongée sous-marine, pêche, etc.). Ses 32 chambres sont toutes climatisées.

Balcones del Caribe
$$$
ℂ, ⊗, ≡, ≈, ℜ
Calle 34, entre Av. 5 et Av. 10
☎873-0830
Adoptant la formule «tout compris», le Balcones del Caribe, propose 72 suites avec 2 chambres chacune. Elles sont bien décorées et équipées d'une cuisinette, d'une salle à manger et de l'air conditionné. Elles sont réparties dans deux bâtiments modernes de quatre étages. Le Balcones possède un court de tennis et un comptoir de location de voitures. Une navette assure une liaison avec la plage.

Alejari
$$-$$$ pdj
⊗, ≡, ℜ
sur la plage, angle Calle 6
☎873-0374
≈873-0005
Petit hôtel familial en bord de mer, l'Alejari s'attire la faveur des vacanciers grâce à des chambres propres, à un service souriant et à des prix qui ne crèveront pas trop votre budget.

🏖 Baal Nah Kah
$$-$$$ pdj
⊗, ≡
Calle 12, angle Av. 5
☎873-0110
≈873-0050
marino@pya.com.mx
Confort et convivialité sont au rendez-vous au chouette *bed and breakfast* Baal Nah Kah, qui loue jusqu'à six chambres de grandeurs différentes, mais décorées à la mexicaine avec simplicité, charme et délicatesse. Deux d'entre elles disposent d'un balcon, mais tous les visiteurs ont accès à la cuisine. La plage est à 30 secondes de marche et le service est sympathique.

🏖 Copacabana
$$-$$$
≡
Av. 5, entre Calle 10 et Calle 12
☎873-0218
Jouxtant le restaurant 100% Natural (voir p 264), le Copacabana se dresse à un jet de pierre de la plage et compte de jolies chambres très propres, colorées et

disposées tout autour d'une agréable cour intérieure. S'y trouve aussi un bassin à remous extérieur pour ceux et celles qui désirent relaxer après une journée de plage. L'établissement loue des vélos et organise des excursions de plongée sous-marine et de pêche hauturière.

🐢 La Tortuga
$$-$$$ pdj
≈, ⊛, ℜ
Av. 10, angle Calle 14
☎873-1484
⇌873-0798
hotel_la_tortuga@bigfoot.com

L'hôtel La Tortuga est situé à seulement deux rues de la plage, mais un peu en retrait de l'animation de l'Avenida 5. Les chambres sont tranquilles et bien décorées. Toutes les suites sont équipées d'une baignoire à remous. L'hôtel offre un bon rapport qualité/prix.

🐢 Las Palapas
$$$ ½p
≈, ℜ
route 307, km 292
☎873-0584 ou 800-433-0885
⇌873-0458
reservations@palapas.com.mx

Les 55 chambres du Las Palapas se trouvent à environ 2 km au nord de Playa del Carmen sur la plage. L'hôtel est tenu par un Allemand. Les chambres consistent en des bungalows circulaires couverts de feuilles, de un ou deux étages, avec salle de bain, ventilateurs,

lits à deux places et balcon. Le petit déjeuner et le dîner sont inclus dans le prix de la chambre. Le complexe possède une boutique et deux restaurants; il organise des excursions.

Molcas
$$$ pdj
≡
Calle 1, angle Av. 5
☎873-0070,
⇌873-0135
molcas@qroo1telmex.net.mx

Malgré les remous provoqués par le boom hôtelier de ces dernières années, le Molcas parvient à s'ajuster et à défier le poids des ans. Situé à deux pas de la jetée qui sert d'embarcadère aux bateaux qui se rendent à Cozumel, l'établissement propose des chambres propres, modernes et sans fantaisie.

🐢 Quinta Mija
$$$-$$$$
ℜ, ≈, ⊛, ℂ
Av. 5, entre Calle 14 et Calle 12
☎873-0111
info@quintamija.com.mx

Un peu à l'écart du grouillement qui règne au sud de l'Avenida 5, mais à un bloc et demi de la mer, se dresse la charmante Quinta Mija. Réparties autour d'une cour intérieure bucolique, les chambres sont simples, tranquilles, agréables et équipées d'une cuisinette. La piscine est la bienvenue après une longue journée de visite des ruines sous le

Riviera Maya

soleil radieux mais brûlant du Yucatán ou après s'être fait bronzer sur la terrasse de l'hôtel qui offre une splendide vue sur la mer. S'y trouvent aussi quelques ordinateurs pour ceux qui veulent avoir recours à l'Internet; on paye bien sûr pour le temps d'utilisation.

🌴 Shangri-La Caribe
$$$$ tout compris
ℜ, ≈
à environ 2 km au nord du centre-ville
P.O. Box 2664, Evergreen, Colorado
☎800-538-6802
info@turqreef.com

Le Shangri-La Caribe est l'endroit idéal pour ceux qui désirent s'éloigner quelque peu du centre-ville de Playa del Carmen. Ce chic établissement hôtelier bénéficie d'un cadre propice à la détente et possède toutes les infrastructures nécessaires pour rendre votre séjour le plus agréable possible. Les *cabañas* sont spacieuses, équipées de lits confortables, dotées d'un balcon avec hamac, et sont disséminées entre les palmiers, à deux pas d'une plage sablonneuse et tranquille. Parmi les autres services et installations offerts: bureau de location de voitures, service de taxi, boutique de plongée sous-marine, massages professionnels, deux tables de billard, une table de ping-pong, deux excellents restaurants (voir p 266) et une piscine pour ceux qui préfèrent l'eau

douce. Le service est souriant et sans faille.

Playacar

Mayan Paradise
$$$$ pdj
ℜ, ≈, ≡, ℂ
☎873-0933
≈873-2015

Le Mayan Paradise est un autre gros complexe hôtelier qui prône la formule «tout compris». Les chambres climatisées se trouvent dans des bâtiments colorés qui s'imbriquent les uns dans les autres jusqu'à la piscine. Dans cet hôtel de luxe où l'exigence va de soi, on trouve tout ce dont on a besoin sans avoir à sortir de l'établissement. La plage est tranquille et la piscine y est presque accolée.

Hala Royal All Inclusive Beach Resort
$$$$
≡, ⊗, ≈, ℜ
☎873-4040
≈873-1154

Adoptant la formule «tout compris», le Club Royal Maeva Playacar est un grand complexe de 300 chambres au décor moderne dans des couleurs typiquement mexicaines; la plupart ont vue sur la mer. On peut y pratiquer une foule d'activités sportives, et s'y trouvent 2 camps de vacances pour enfants de 2 à 4 ans et de 4 à 12 ans.

Royal Hideway Resort and Spa
$$$$$
≈, ℜ, ≡, ⊗
Lote Hotelero 6
☎*873-4500*
⇄*873-4506*
des É.-U.:
☎*(305) 262-5909*
⇄*262-8789*
du Canada:
☎*(416) 593-3787*
⇄*204-1939*

L'argent ne vous pose aucun problème? Vous êtes à la recherche d'un palace qui suinte le luxe? Baigné de lumière et astiqué de partout, le Royal Hideway Resort and Spa innove dans la formule «tout compris». Contrairement aux autres établissements hôteliers adeptes de la formule «tout compris» qui privilégient la quantité au détriment de la qualité, le Royal Hideway offre un service plus personnalisé avec diktat, mais dans un décor un peu pompeux, et se targue d'être le seul hôtel club à appartenir à la très sélecte association des Preferred Hotels and Resorts Worldwide. Dès votre arrivée, on vous offre une flûte de champagne en guise de bienvenue. De plus, des fleurs fraîchement coupées embaument votre chambre et un panier de fruits est déposé sur la table. Les chambres sont regroupées dans de petites villas à la facture coloniale où un concierge s'occupe de faire vos réservations pour chaque repas et ne demande qu'à répondre à vos moindres caprices.

Chaque chambre est équipée d'un magnétoscope, d'une chaîne stéréo et d'un choix de disques compacts, ainsi que d'une prise pour brancher votre ordinateur portable. Les salles de bain sont dallées de marbre. Se trouve aussi à la disposition des clients de l'hôtel une salle de spectacle de 220 places où l'on peut dîner en tête-à-tête tout en regardant un divertissement folklorique. Bien évidemment, piscine, bar, centre de conditionnement physique, agence de voyages, courts de tennis, relais santé et toute la gamme habituelle de services et d'activités aquatiques sont offerts dans cet établissement très haut de gamme.

Allegro Resort
$$$$$ pdj
≡, ≈, ℜ, ⊗
www.allegrpresort.com
Anciennement connu sous le nom de Diamond Resort, l'hôtel Allegro fait aussi partie des établissements «tout compris». Ses quelque 300 chambres sont impeccables et bien équipées, coiffées d'un toit de chaume et disséminées sur une pente qui dévale doucement jusqu'à la mer. Devant chacune d'elles, les visiteurs sont affalés dans un hamac en train de lire un bouquin ou d'observer nonchalamment les nombreuses espè-

Riviera Maya

ces d'oiseaux qui virevoltent çà et là. L'endroit convient tant aux couples à la recherche d'un séjour romantique qu'à des vacanciers venus en famille. Une aire de jeux est en effet réservée aux gamins qui cherchent à s'ébattre, tandis qu'une piscine est réservée uniquement à ceux et celles qui recherchent la quiétude. S'y trouve aussi une autre piscine pour ceux qui veulent faire ribote en se mettant le plus à l'aise possible et sans incommoder personne. La plage est propre et tranquille.

Caribbean Village
$$$$$
⊗, ≡, ≈, ℜ
☎*873-0506*
⇥*873-0348*
Complexe hôtelier «tout compris», le Caribbean Village, situé près du golf de Playacar, renferme 300 grandes chambres modernes et confortables, avec 2 grands lits, télévision et téléphone. Dans les jardins qui entourent l'hôtel, il y a deux piscines et trois courts de tennis. L'hôtel comprend un comptoir de location de voitures et une boutique de plongée. Le coût de la chambre inclut un parcours de golf quotidien (*voiturette 15$*).

Continental Plaza Playacar
$$$$$
⊗, ≡, ≈, ℜ
☎*873-0100*

Les 188 chambres et 16 suites du Continental Plaza Playacar comprennent toutes un téléviseur et un balcon privé, et sont décorées à la mexicaine. L'hôtel est situé devant l'une des plus jolies plages du secteur, et pas très loin à pied du centre-ville de Playa del Carmen. Cet hôtel possède un comptoir de location de voitures, des courts de tennis et une boutique de plongée. On peut y pratiquer de nombreuses activités dont le ski nautique et la voile. Il s'agit du seul hôtel de Playa del Carmen qui n'adopte pas la formule «tout compris».

Fishermen's Village
$$$$$
Bahía del Espíritu Santo nº 9
☎/⇥*873-1390*
reserv@mail.fishermen.com.mx
Le Fishermen's Village se dresse à côté de l'hôtel Continental Plaza et adopte la formule «tout compris». Toutes les chambres s'avèrent confortables et bénéficient d'une jolie vue sur la mer. La piscine se prête bien à la détente après une trempette dans la mer ou en attendant qu'on dresse le buffet pour la soirée.

Paamul

Cabanas Paamul
$ pdj
⊗, ℜ
☎*874-3240*

Le modeste hôtel Paamul est tenu par une sympathique famille mexicaine. Le confort est simple, mais on y mange bien. Cette même famille gère aussi l'unique camping de Paamul, situé non loin de l'hôtel *(30 pesos incluant douche et toilettes)*. Vous trouverez à l'hôtel une boutique de plongée bien équipée et une laverie.

Puerto Aventuras

Aventura Palace
$$$
⊗, ≡, ≈, ⊘
sur la plage, à l'extrémité nord de la marina
☎/≈873-5100
L'hôtel Club de Playa comprend 300 chambres spacieuses avec balcons et magnifique vue sur la mer. Les clients de cet hôtel peuvent jouer gratuitement au golf de Puerto Aventuras. L'hôtel possède une boutique de plongée.

Club Oasis Puerto Aventuras
$$$$ tout compris
≈, ≡, ⊗, ℂ, ℜ
sur la plage, au nord de la marina
☎873-5050
≈873-5051
www.oasishotels.com.mx
Le Club Oasis Puerto Aventuras abrite 275 chambres dont certaines avec baignoire à remous et cuisinette. Cet hôtel a adopté la formule «tout compris» et organise de nombreuses activités pour sa clientèle.

Le transport jusqu'à la marina est inclus dans le prix de la chambre.

Barcelo Maya Beach & Garden Resort
$$$$ tout compris
≡, ⊗, ≈, ℝ, ⊘
Carretera Cancún-Tulum, km 94,5
☎875-1500
Le Barcelo Maya Beach & Garden Resort est situé directement sur une plage isolée à 5 min au sud de Puerto Aventuras et à 50 min de l'aéroport. Ce grand complexe de catégorie supérieure offre d'immenses chambres réparties dans plusieurs édifices de trois étages avec ascenseurs ou dans le bâtiment principal. Le Barcelo Maya Beach est certainement le plus grand complexe hôtelier de cette partie de la côte.

Xpu-há

Hotel Copacabana
$$$$ tout compris
≡, ⊗, ≈, ℝ, ⊘
Carretera Cancún-Tulum, km 96,5
☎873-0218
L'Hotel Copacabana, situé sur la plage de Xpu-há, est un immense complexe construit dans un jardin qui s'étend de la route principale à la plage. Les chambres possèdent tous les attributs de leur catégorie: climatisation, ventilateur de plafond, un très grand lit ou deux lits doubles, salle de bain avec douche, sèche-

Riviera Maya

cheveux, téléphone, télévision par câble ou par satellite, minibar, coffret de sûreté, balcon ou terrasse. Ce village autosuffisant offre plusieurs services tels que boutiques, location de voitures, bureau de change, service de buanderie et de nettoyage à sec, salon de massage, en plus de tout l'équipement pour les différents sports nautiques.

Le Xpu-ha Eco Park, un ensemble d'attraits naturels, se situe au nord de la plage. Ce parc comprend un réseau de *cenotes* reliés par des rivières souterraines que viennent compléter une volière, un jardin botanique et des pistes cyclables. C'est un endroit où se pratiquent de nombreux sports nautiques.

Kantenah

El Dorado Resort
$$$$$
⊗, ≡, ≈, ℜ
Carretera Cancún-Tulum, km 99
☎*884-3242*
⇄*884-6952*
L'El Dorado Resort occupe une grande partie de la plage de Kantenah. C'est un complexe de 135 grandes suites avec plancher de marbre et télévision par satellite. L'hôtel possède deux piscines, deux restaurants, trois bars et de grands jardins. Tous les repas et les

activités sportives sont inclus dans le tarif mentionné.

Robinson Club Tulum
$$$$$
⊗, ≈, ≡, ⊘, ℜ
Carretera Cancún-Tulum, km 98
☎*881-1010*
Au sud de Xpu-há, le Robinson Club Tulum propose 300 jolies chambres décorées dans des tons pastel. Malgré son nom, cet hôtel se trouve à plusieurs kilomètres au nord de Tulum.

Akumal

Club Akumal Caribe & Villas Maya
$$$
≈, ⊗, ℂ, ℜ
☎*875-9011 ou 800-351-1622*
www.hotelakumalcaribe.com
Le grand complexe Club Akumal Caribe & Villas Maya compte différents types d'hébergement, qui vont de la grande *cabaña* tout confort à la petite chambre d'hôtel en passant par le condominium à deux ou trois chambres. On peut y pratiquer le tennis et le basketball, mais surtout la plongée sous-marine car le complexe abrite deux boutiques de plongée.

Club Oasis Akumal
$$$
⊘, ⊗, ≈, ⊛, ℜ
Carretera Cancún-Tulum, km 106
☎*875-9000*
www.oasishotels.com.mx

Installé au-dessus de l'entrée d'un temple, ce surmontoir bien conservé ajoute à l'impression de pénétrer dans un endroit sacré. - *A. Legault*

L'imposante pyramide de Chichén Itzá se découpe sur le bleu profond du ciel qu'elle atteint presque.
- *Sappa*

À l'occasion des fêtes comme Noël, on fabrique et l'on vend des fleurs de papier colorées qui serviront à animer les festivités.
- *M. Daniels*

Les 180 grandes chambres du Club Oasis Akumal ont toutes un grand balcon avec vue sur la mer ou sur les jardins, et la plupart offrent l'air conditionné. Cet hôtel en forme de *U* est installé sur une très belle plage. Son architecture est typiquement mexicaine. Le Club Oasis dispose d'un court de tennis, d'une agence de voyages, d'un comptoir de location de voitures et d'un club de plongée, l'Oasis, géré par le CEDAM.

Hacienda la Tortuga
$$$

⊗, ≡, ℂ, ≈, ℜ

à 10 min à pied du grand complexe Club Akumal Caribe

☎875-9068

www.akumalonline

La Hacienda la Tortuga est un petit centre situé sur la plage; il comprend neuf condominiums avec une chambre ou deux, une cuisinette et une grande salle de bain.

Bahía Principe Tulum
$$$$ tout compris

≡, ⊗, ≈, ℝ

Carretera Cancún-Tulum, km 111

☎875-5000

Le Bahía Principe Tulum est situé sur une longue plage de sable blanc au sud du village d'Akumal. Cet immense complexe construit sur un vaste terrain paysager offre des chambres de catégorie supérieure réparties dans plusieurs édifices de trois étages. C'est un village en soi. Situé à l'entrée de l'hôtel, le petit centre commercial Hacienda Doña Isabel abrite une discothèque, un restaurant, un bar laitier, un salon de beauté, un salon de massage, un comptoir de location de voitures, un cybercafé et une petite clinique qui offre des services médicaux de base.

Tan-kah

Sole Resorts
$$$$$ tout compris

≡, ⊗, ≈, ℝ, ☉

Carretera Cancún-Tulum, km 122, entre le site archéologique de Tan-kah et celui de Tulum

☎871-3333

www.soleresort.com.mx

Le complexe hôtelier Sole Resort & Spa est directement situé sur la plage de Tan-kah, à environ 5 min en voiture au nord de Tulum et 25 min de Playa del Carmen. Il offre des chambres et des suites réparties dans plusieurs édifices construits selon les plans d'une hacienda mexicaine du XIXe siècle. Tous les bâtiments sont entourés d'une végétation tropicale luxuriante. Les architectes ont emprunté avec succès l'ocre ou le jaune-brun si caractéristique des édifices de la ville d'Izamal au Yucatán; le ton est sobre et les espaces dégagés. Le complexe offre tous les services qui correspondent à sa catégorie. On peut y pratiquer les sports tels que la voile, la planche à voile, la plongée en apnée, le kayak et la plongée sous-marine ainsi que la pêche en haute mer. Il y a un service de navette pour le terrain de golf de Playacar.

Tulum Playa

Il y a quelques hôtels à l'embranchement El Crucero, mais vous ne serez alors pas près de la mer. Au sud de la zone archéologique, sur le chemin qui mène à Boca Paila, un chapelet de *cabañas* s'étale sur une longue plage bordée de palmiers, certaines proposant un confort simple et de quoi manger. Quelques-unes de ces *cabañas* n'ont même pas l'eau courante, alors que d'autres sont tout à fait luxueuses. La route entre Tulum et Boca-Paila est cahoteuse, poussiéreuse, et longe la plage au sud de la zone archéologique de Tulum jusqu'à la Reserva de la Biosfera Sian Ka'an.

Cabañas Don Armando
$
bc, ℜ
sur la plage, à 650 m au sud de la zone archéologique
☎871-2417
Les Cabañas Don Armando se sont taillé une place enviable dans les cercles des bourlingueurs désargentés. Les chambres sont spartia-tes, mais conviendront parfaitement à ceux et celles qui recherchent un gîte frugal sur la plage. Le soir venu, tout le monde se donne rendez-vous au bar et l'on bavarde joyeusement autour d'un pichet de sangria.

Acuario
$$ pdj
≈, ⊗, ℜ, ≡
El Crucero
Carretera Cancún-Tulum, km 131
☎871-2195
Ouvert depuis 1990, l'hôtel Acuario renferme 27 chambres vastes et confortables avec télé couleur et salle de bain privée, ce qui est un luxe au sud de Tulum. Les autobus pour Playa del Carmen partent du stationnement de cet hôtel.

El Paraíso
$$
ℜ, ⊗
à environ 1 km de la zone archéologique
☎871-2006
En continuant vers le sud, on trouve l'hôtel El Paraíso. Les chambres comptent deux grands lits et une salle de bain privée. L'hôtel possède un restaurant fort acceptable et la plage est magnifique.

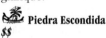 Piedra Escondida
$$
ℜ
Carretera Tulum Boca Paila, km 3,5
☎876-2531

www.xmedium.com/piedraescondida

La Piedra Escondida dispose de *cabañas* simples, dotées d'un plancher en carrelé et ouvertes sur un balcon où un hamac déjà tendu aux murs est là, prêt à épouser la forme de votre corps. Le personnel est souriant.

Cabañas Ana y José
$$-$$$
ℜ, ≈, ⊗
Carretera Tulum-Bocapaila, km 7
☎887-5470
⇄887-5469
www.tulumresorts.com

Les Cabañas Ana y José disposent de 15 chambres situées à deux emjambées de la mer. Parmi elles, cinq seulement bénéficient d'une vue sur l'océan et coûtent évidemment plus cher que les autres. Toutefois, elles s'avèrent toutes coquettes, ultra-propres, décorées à la mexicaine et grillagées. S'y trouve une piscine agréablement située au beau milieu d'un jardin bucolique. L'établissement possède aussi un bureau de location de voitures, mais vous pouvez prendre votre véhicule loué à votre arrivée à l'aéroport. Finalement, un stationnement gratuit est mis à la disposition des clients de ce charmant hôtel.

Tropical Padus
$$-$$$
ℜ

Carretera Tulum-Boca Paila, km 9
☎876-2088
⇄871-2092
www.secom.net/tropicalpadus

Tenu par un sympathique couple d'Italiens, le Tropical Padus est surtout réputé pour la qualité de la cuisine servie à son alléchant restaurant (voir p 268), mais l'établissement loue aussi des *cabañas* confortables, propres et spacieuses. Possibilité de louer de l'équipement pour pêcher ou pour s'adonner à la plongée-tuba ou sous-marine. L'hôtel possède un stationnement privé pour accueillir ses clients.

Posada Dos Ceibas
$$-$$$
≡, ⊗, ℜ
Carretera Tulum-Boca Paila, km 10
☎877-6024
⇄871-2335
www.dosceibas.com

La Posada Dos Ceibas est prisée des yogis californiens et des amateurs de méditation. La propriétaire y donne des cours dans une salle aménagée en ce sens. Quant au propriétaire, il s'intéresse au programme de protection des tortues marines depuis qu'il a découvert, un bon matin, un nid rempli d'œufs dans l'escalier qui mène à la plage. À la Posada Dos Ceibas, vous logerez dans une des 10 luxueuses maisonnettes ronde perchées au sommet d'un promontoire. Le restaurant sert une cuisine variée avec une forte influence italienne.

Tulum Pueblo

Vous trouverez des lieux d'hébergement de toutes les catégories dans le village qu'est Tulum Pueblo. Le seul désavantage est le coût du transport à la plage située à quelque 2 km de la route Mex 307. Si vous n'avez pas de voiture, vous devrez prendre un taxi dont le prix de la course varie selon la distance (30 pesos pour les 2 premiers kilomètres, 100 pesos pour se rendre à la Posada Dos Ceibas).

The Weary Travelers
$
⊗, ℜ
Av. Tulum (route Mex 307), en face de la gare routière ADO
☎871-2461
The Weary Travelers est beaucoup plus que la meilleure auberge de jeunesse de la Riviera Maya. Elle fait office de bureau de renseignements, de cybercafé et de librairie de livres d'occasion. On a aménagé un jardin dans la cour intérieure. Les dortoirs sont conçus de façon à garder le maximum d'intimité tout en respectant les attributs d'une auberge. Les propriétaires sont des bourlingueurs qui connaissent bien les besoins du voyageur.

Maya Tulum
$$$
ℜ, ⊗
Carretera Tulum-Boca Paila, km 5
☎877-8638
⇄871-2429
www.mayantulum.com
maya@mayantulum.com
Jadis connu sous le nom de Osho Tulum, le Maya Tulum s'attire la faveur des visiteurs qui sont à la recherche de détente en raison des séances de yoga et de méditation qui se tiennent généralement sur la plage. L'établissement est en effet situé à deux pas de la mer, près de la Reserva de la Biosfera Sian Ka'an, et loue 31 *cabañas* disséminées au milieu d'une palmeraie verdoyante. Certaines disposent d'une splendide vue sur la mer, tandis que d'autres sont enfouies un peu à l'écart de la plage. Tous les lits sont cependant couverts d'une moustiquaire pour protéger ceux qui y couchent du harcèlement nocturne des moustiques et autres créatures avides de sang humain. Les chambres sont dépourvues d'électricité. L'ambiance y est plutôt lénifiante et porte au repos.

Cobá

Hotel El Bocadito
$
ℜ, ⊗
à droite à l'entrée du village
☎876-3738
L'hôtel El Bocadito loue des
chambres propres au
confort plutôt spartiate qui
conviendront parfaitement
aux aventuriers désireux de
loger plus près de la zone
archéologique de Cobá.

Villas Arqueologicas
$$
≈, ℜ, ≡, ⊗
sur les rives du Lago Cobá
☎/≈874-2087
☎08.01.80.28.03 France
Dans un registre nettement
supérieur, l'ancien Club
Med plaira à une clientèle
plus fortunée qui veut aussi
dormir près de la zone ar-
chéologique de Cobá. Le
bâtiment principal de l'hôtel
est construit près du lac et
l'ensemble est calqué sur le
même modèle que l'hôtel
du Club Med, situé près des
ruines de Chichén-Itzá. Les
40 chambres ont été com-
plètement rénovées en 2000
et s'articulent autour d'une
cour intérieure qui abrite la
piscine. L'hôtel possède
aussi une salle de billard
dotée d'une petite biblio-
thèque où les clients peu-
vent s'évader après une
journée passée à visiter les
ruines.

Restaurants

Puerto Morelos

Kab Meyah
$
Calle Tulum, au sud de la Plaza
Morelos
Le restaurant Kab Meyah est
aussi une boutique d'artisa-
nat et un poste d'Internet.
On charge 25 pesos pour
envoyer un message.

Café de la Plaza
$
Plaza Morelos
Le Café de la Plaza loge
dans un petit local décoré
sans artifice et abrite à
peine cinq tables où l'on
mange coude à coude une
cuisine santé maison. Am-
biance bohème et décon-
tractée.

Pelicanos
$-$$
Av. Rafael Melgar, au bord de la mer
☎871-0014
Au Pelicanos, les poissons
frais, les fruits de mer et les
spécialités yucatèques sont
servies dans une ambiance
chaleureuse et à très bon
prix.

Posada Amor
$-$$
Av. Xavier Rojo Gómez
☎871-0033

☎*871-0178*
Au restaurant de l'hôtel Posada Amor, on prépare de délicieux et robustes petits déjeuners. Il y a même du véritable sirop d'érable pour les crêpes! Le dimanche, on sert des buffets très généreux de mets mexicains et nord-américains.

Punta Bete/Xcalcoco

Los Pinos
$-$$$
sur la plage, km 63,5
Les bourlingueurs se retrouvent souvent attablés au petit restaurant sans prétention appelé Su Amigo Pancho. Le menu est axé sur les poissons et les crustacés, mais il s'ajuste aux caprices de la mer.

Frederiko
$-$$$
sur la plage Xcalacoco
Situé juste à côté de Los Pinos, le restaurant Frederiko propose lui aussi un menu semblable à son voisin.

Playa del Carmen

Atomic Internet Cafe
$
Calle 8, angle Av. 5
L'Atomic Internet Cafe loge dans un local moderne climatisé. Les clients en profitent pour siroter un cappuccino mousseux et grignoter un peu, tout en envoyant du courrier électronique à des amis lointains. Comptez 1,5 peso par minute d'utilisation ou 200 pesos pour 200 minutes.

Cyberia Internet Cafe
$
Calle 4, entre Av. 15 et Av. 10
Les internautes se retrouvent au Cyberia Internet Cafe pour naviguer sur le Net ou prendre des nouvelles de la maison. L'endroit n'est pas climatisé mais pour combattre la chaleur vous pouvez compter sur les pales des ventilateurs et sur une bière fraîche.

Andale
$-$$
8h à 2h
Av. 5, entre Calle 6 et Calle 8
☎*873-2928*
Glaces rafraîchissantes, pizzas croustillantes, café corsé et service souriant vous attendent au petit resto Andale. Sa terrasse tient lieu de poste d'observation pour prendre le pouls de la principale artère de Playa del Carmen.

Sabor
$-$$
Av. 5, entre Calle 2 et Calle 4
Le restaurant Sabor est très couru pour ses salades, ses hamburgers au soya, ses sandwichs et ses desserts savoureux. C'est le rendez-vous des végétariens de Playa del Carmen.

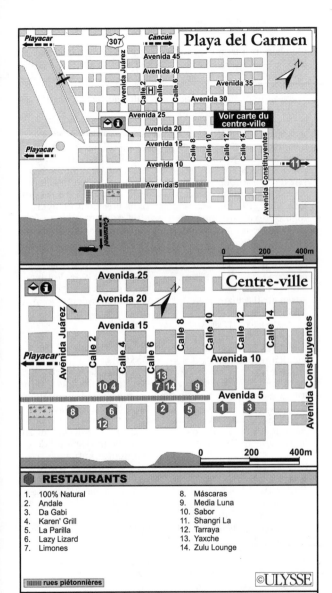

Playa del Carmen

Playacar · Cancún · 307 · Avenida Juárez

Avenida 45
Avenida 40
Calle 2 · H · Calle 4 · Calle 6
Avenida 35
Avenida 30
Avenida 25
Avenida 20
Avenida 15
Calle 8 · Calle 10 · Calle 12 · Calle 14
Avenida 10

Playacar

Voir carte du centre-ville

Cozumel

Avenida 5

Avenida Constituyentes

11

0   200   400m

Centre-ville

Avenida 25
Avenida 20

Playacar

Avenida 15

Avenida Juárez · Calle 2 · Calle 4 · Calle 6 · Calle 8 · Calle 10 · Calle 12 · Calle 14

Avenida 10

13
10 4   7 14   9

Avenida 5

8   6   2   5   1   3

12

Avenida Constituyentes

0   200   400m

⬡ RESTAURANTS

1. 100% Natural
2. Andale
3. Da Gabi
4. Karen' Grill
5. La Parilla
6. Lazy Lizard
7. Limones
8. Máscaras
9. Media Luna
10. Sabor
11. Shangri La
12. Tarraya
13. Yaxche
14. Zulu Lounge

▨▨▨ rues piétonnières

©ULYSSE

Club Náutico Tarraya
$-$$
Calle 2 Norte
☎*873-2040*
Le restaurant Club Náutico Tarraya borde la plage près du parc central. Depuis sa fondation en 1968, ce restaurant familial se spécialise dans tout ce que la mer produit. Il est très apprécié par les nombreuses familles mexicaines qui le fréquentent surtout la fin de semaine. Il va sans dire qu'avec ce nom, c'est un club nautique avec location de kayaks et d'équipement de plongée; le décor le confirme.

Karen' Grill & Pizza
$-$$
Av. 5, entre Calle 2 et Calle 4
Pizzas et hamburgers côtoient les plats traditionnels mexicains au menu du restaurant Karen' Grill & Pizza. L'ambiance est à la fête lorsque des spectacles de musique folklorique d'Amérique du Sud enflamment les soirées *muy caliente* (voir p 270).

Lazy Lizard
$-$$
7h à 23h
Av. 5, entre Calle 2 et Calle 4
La terrasse ombragée et décontractée du Lazy Lizard attire de nombreux touristes souhaitant se rassasier de pâtes maison, d'hamburgers juteux, de crevettes grillées ou de spécialités mexicaines. La plupart décident de lézarder paresseusement

après le repas et de le digérer en buvant une bière froide.

Zulu Lounge
$-$$
17h30 à 23h
Av. 5, entre Calle 6 et Calle 8
Le Zulu Lounge est uns resto-bar hybride où des éléments décoratifs évoquant l'Afrique distillent une atmosphère éclectique dans la salle à manger. Le chef prépare une cuisine thaïlandaise aux effluves mexicains qui attire une clientèle bohème et décontractée. S'y trouvent aussi quelques tables de billard pour se distraire, discuter ou tout simplement siroter un cocktail ou une bière froide.

🐚 100% Natural
$-$$$
Av. 5, entre Calle 10 et Calle 12
Un classique de la cuisine santé mexicaine, 100% Natural jouxte le charmant hôtel Copacabana (voir p 250). Le resto est aménagé dans une splendide cour intérieure ombragée par des arbres géants et couvert d'un toit de chaume. On y sert d'excellents assortiments de jus de fruits et de plats diététiques pour ceux et celles qui surveillent leur alimentation.

Da Gabi
$-$$$
18h à 23h
Av. 5, angle Calle 12

Le populaire restaurant italien Da Gabi propose des plats de fruits de mer et de poisson, des pâtes fraîches, et, pour finir en beauté son repas, du bon café *espresso*... La salle est vaste et bien décorée; des ventilateurs de plafond rafraîchissent l'air ambiant.

Máscaras
$$
8h à minuit
Av. Juárez, en face du parc
☎873-1053
Au restaurant-bar Máscaras, on déguste de bonnes pizzas cuites au four à bois (la pizza aux trois fromages est excellente). Le restaurant s'annonce comme le seul «vrai» restaurant italien en ville. La terrasse donne sur le terrain de jeu des enfants de la ville.

Jardín Limones
$$-$$$
Av. 5, entre Calle 6 et Calle 8
☎873-0848
Pénétrez dans le Jardín Limones et savourez les poissons ou les steaks qu'on y prépare. Le restaurant Jardín Limones, ouvert dans les années 1980, se targue de cuisiner les meilleurs steaks en ville. Les vins, dont la liste est impressionnante, sont abordables et le décor unique.

Yaxche
$$-$$$
Calle 8, entre Av. 5 et Av. 10
☎873-2502
Lorsque vous passez la porte du restaurant Yaxche, vous entrez dans un palais maya comme il devait y en avoir aux temps anciens, mais c'est la cuisine actuelle des Mayas de la péninsule du Yucatán que vous y découvrirez. Plus d'une vingtaine de plats portant des noms mayas qui d'un dieu, qui d'un souverain ancien, qui d'un lieu, vous sont proposés. Cette cuisine yucatèque se retrouve rarement sur la côte est de la péninsule. Le décor reproduit l'intérieur imaginé d'un palais royal de la période classique. Des fresques à base de peinture végétale reproduisent les murs de différentes villes anciennes aujourd'hui abandonnées. Visitez le jardin du Yaxche le soir: sa fontaine et le jeu de lumière sont surprenants.

Media Luna
$$-$$$
Av. 5, entre Calle 12 et Calle 14
Presque en face du café Sasta, le restaurant Media Luna propose de copieux petits déjeuners et un menu table d'hôte tarifé à prix honnête. La nuit tombée, des chandelles à la flamme vacillante dans les niches des murs distillent une atmosphère paisible et romantique. Quelques plats végétariens figurent au menu, mais on vous suggère le filet de poisson, merveilleusement bien relevé. Le décor laisse à désirer.

Shangri-La Caribe
$$-$$$

2 km au nord de Playa del Carmen,
sur la plage

Pourquoi le restaurant de
l'hôtel Shangri La ne figure-
t-il pas parmi les restos les
plus courus de la région?
Cela demeure une énigme!
Certes, les prix pratiqués se
situent dans la catégorie
supérieure, mais la qualité
de la nourriture est irrépro-
chable. Le menu change
selon l'inspiration du chef,
qui joue admirablement
bien la carte de la cuisine
mexicaine fusionnée avec
des plats classiques internationaux, et semble s'être
donné comme mission
d'enjôler vos papilles gusta-
tives. Tous les dimanches
soir, on sert un plantureux
buffet mexicain accompa-
gné de la musique de *ma-
riachis*. Le local est aéré, le
service est sans faille et le
personnel déambule discrè-
tement entre les tables.

La Parilla
$$-$$$$

Av. 5, angle Calle 8
☎873-0687

Comme Cancún, Playa del
Carmen possède un restau-
rant La Parilla, où l'on sert
de la pizza cuite au four à
bois, des fruits de mer et
des spécialités mexicaines
et italiennes. On y prépare
le petit déjeuner, le déjeu-
ner et le dîner. Chaque soir,
vers 19h, des musiciens
viennent accompagner le
repas des dîneurs.

Puerto Aventuras

Pour un bon repas à petit
prix, il y a un **petit marché**
en face du Aventura Palace.
On y mange de délicieux
tacos, confortablement assis
à l'une des six tables qui se
trouvent à l'intérieur. On
peut arroser ce repas avec
une bière locale. Chaque
soir, dans la petite île qui se
trouve en face du marché,
on assiste au retour des
oiseaux.

Café Ole International
$

à quelques minutes à pied de l'hôtel
Aventura Palace

Au Cafe Ole International,
on propose des spécialités
mexicaines à prix raison-
nable et le repas se termine
avec un bon café. La for-
mule «table d'hôte» y est
privilégiée.

Papaya Republic
$-$$

derrière le golf

On mange assis directement
sur le sable au Papaya Re-
public, un restaurant entouré de palmiers qui sert de
bons poissons et fruits de
mer dans une ambiance
décontractée.

Carlos'n Charlie
$$

à l'intérieur du centre commercial

Eh oui, les tentacules de la
chaîne Carlos 'n Charlie se
sont étendues jusqu'à Puer-
to Aventuras. On y sert de

généreuses portions de grillades et du «Tex-Mex» à l'américaine.

Akumal

Souper à Akumal se révèle être une aventure agréable. Il y a peu de restaurants, mais de la diversité et surtout une ambiance chaleureuse et un cadre enchanteur. On y déguste des mets locaux et étrangers.

Près de l'entrée principale d'Akumal, vous trouverez le magasin général **Super Chomak**. Attenant à ce marché, un petit casse-croûte vend pour presque rien de bons petits *tacos*.

Buena Vida
$-$$
sur la route de la plage, au nord d'Akumal, Half Moon Bay
Le bar-restaurant Buena Vida offre une très belle vue sur la baie. On y consomme paresseusement un cocktail, les orteils dans le sable. Ses petits déjeuners ne vous décevront pas.

La Lunita
$-$$
Hacienda Las Tortugas, Half Moon Bay
On peut s'asseoir à l'intérieur ou sur la plage à La Lunita. Vous y trouverez des mets mexicains contemporains et créatifs, une grande variété de desserts et du bon café. Ce restau-

rant est ouvert tous les jours le midi et le soir, et pour le petit déjeuner pendant les mois d'hiver.

Lol-ha
$-$$$
Playa Akumal
Le populaire Lol-ha sert pour dîner des poissons frais, des fruits de mer et des *tacos*. C'est un endroit vivant et très coloré. Il est aussi ouvert pour le petit déjeuner à la britannique mais ferme pour le déjeuner.

Que Onda
$$
près de la lagune Yal-ku
Que Onda est un restaurant italien qui sert des pâtes fraîches faites sur place. Il possède une bonne sélection de vins italiens, un bar-salon, une très belle terrasse et une piscine éclairée le soir.

Tulum Playa

À l'entrée de la zone archéologique de Tulum, il y a quelques casse-croûte où l'on peut se restaurer pour moins de 50 pesos.

Maya Tulum
$-$$
Carretera Tulum-Boca Paila, km 7
Le restaurant de l'hôtel Maya Tulum se spécialise dans les mets végétariens.

Riviera Maya

La mer étant à proximité, la carte propose aussi du poisson, des crustacés et de la langouste.

Christina
$-$$
El Crucero
☎884-4856

Le restaurant de l'hôtel Acuario, Christina, propose un menu typiquement mexicain préparé avec soin. Copieux petits déjeuners.

Cabañas Ana y José
$$-$$$
à 7 km au sud des ruines
☎871-2004

Le restaurant de l'hôtel Cabañas Ana y José, où l'on a les pieds dans le sable, est très recommandé.

Da Orazio
$$-$$$
Carretera Tulum - Boca Paila, km 9
☎876-2088
www.secom.-net/tropicalpadus

Si vous raffolez de pâtes maison et de mets italiens relevés, dirigez-vous sans plus tarder vers le sympathique restaurant de l'hôtel Tropical Padus (voir p 259) Da Orazio. Le propriétaire officie lui-même dans la cuisine et mitonne de délectables créations culinaires qui fondent littéralement dans la bouche

pour épancher votre soif d'exotisme.

Tulum Pueblo

La plupart des hôtels de Tulum Pueblo possèdent leur propre restaurant. Dans la rue principale qu'est l'Avenida Tulum, vous trouverez des restaurants sans enseigne. Certains de ces établissements proposent des mets cuits sur charbons de bois qui demandent de la part du convive une certaine témérité qui sera bien récompensée car c'est délicieux. D'autres, au décor plus traditionnel, cuisinent des mets d'ici et d'ailleurs. Pour le plus grand plaisir des voyageurs, les nombreux restaurants italiens reflètent l'importance de cette communauté dans le village.

Il Basílico
$$
Av. Tulum, angle Beta Norte
☎876-3350

Le restaurant Il Basílico est certainement l'un des restaurants italiens les plus prisés du village. On y sert de la pizza à croûte mince et on y concocte les recettes italiennes traditionnelles. Les entrées s'avèrent plus recherchées et la carte des vins comprend quelques bons crus d'Europe. Le service est impeccable.

Cobá

Bocadito
$-$$
situé juste à côté de l'arrêt d'autocar
Le restaurant de l'hôtel Bocadito, qui porte son nom (voir p 261), propose une cuisine familiale, simple et alléchante à des prix qui ne malmèneront pas trop votre budget.

Club Med
$$$
au bord du Lago Cobá
Ceux qui veulent se payer une gâterie iront faire ripaille au restaurant du Club Med. Le menu propose un bon assortiment de mets nationaux et internationaux. Service attentionné et prix en conséquence.

Sorties

Playa del Carmen

Capitán Tutix
sur la plage, angle Calle 4
Passé 23h le vendredi soir, au fur et à mesure que les autres bars ferment leurs portes, les résidants se joignent aux touristes en quête d'animation pour se rassembler chez le Capitán Tutix. Le bar rappelant vaguement une enceinte de bateau se transforme alors graduellement en piste de danse animée par des musiciens. Des tables et des chaises enfoncées dans le sable à l'extérieur permettent de siroter une bière sur la plage au son d'une musique à tendance pop américaine. L'endroit est parfois fréquenté par de nombreux amuseurs publics et artistes qui offrent à la clientèle une forme de divertissement alternative.

La Raya
sur la plage, à côté du Capitán Tutix
Pour ceux d'entre vous souffrant d'une *turista* musicale causée par une indigestion de rythmes latinos, le bar La Raya ose varier en proposant une musique aux tendances techno. Le bar étant voisin du Capitán Tutix, on y accède par la plage pour découvrir sa terrasse intimiste donnant sur un intérieur ténébreux à l'atmosphère parfumée par un brouillard artificiel. Les aventuriers aux yeux et aux poumons «supérieurs» auront le plaisir de découvrir un second étage généralement désert, faute de consommateurs suffisamment nombreux. L'avenir de l'établissement semble incertain puisque Playa del Carmen et ses touristes semblent réticents à embrasser la vague techno.

Riviera Maya

Beer Bucket

Av. 5, entre Calle 10 et Calle 12

Le Beer Bucket est un petit mais sympathique endroit. Il propose la bière la moins chère en ville sous la forme d'une chau-   dière de glaçons conte- nant cinq biè- res pour envi- ron 35 pesos. Si vous supportez bien la *Corona*, l'endroit vaut sûrement le dé- tour. Ce bar à aire ouverte et à l'ambiance musi- cale sobre est l'endroit idéal pour converser tout en regardant les prome- neurs de la rue principale. Les places sont peu nom- breuses, donc tâchez d'arriver tôt.

Cabalooa Sports Bar

Av. 5, angle Calle 16

Les amateurs de sport en quêten d'un endroit pour regarder un match seront rassurés d'apprendre que le Cabalooa Sports Bar, situé au second étage de l'hôtel Mosquito Blue, peut ré- pondre à leurs attentes par l'intermédiaire d'un écran projecteur géant relié à une antenne satellite. À défaut d'être intéressé par le match, vous pourrez tou- jours vous attarder à regar- der l'animation nocturne du haut du second étage si vous n'avez pas trouvé de

place pour vous asseoir au Beer Bucket.

Karen's Grill & Pizza

Av. 5, entre Calle 2 et Calle 4

Le restaurant Karen's Grill & Pizza dispose d'une grande piste de danse où des musi- ciens folkloriques invitent les touristes à participer à des soirées pendant lesquelles les ryth- mes latinos sont à l'honneur.

Pez Vela

Av. 5, angle Calle 2

Le Pez Vela annonce clairement sa devise à l'entrée: *food, drinks and rock'n' roll*. Le soir venu, des groupes de musi- ciens généralement ama- teurs brûlent les planches et font entendre les vieux clas- siques de la musique rock.

La Tequilaría

Av. 5, entre Calle 4 et Calle 6

Repérez l'étendard mexicain gonflé par le vent et vous aboutirez devant la jolie façade orange de La Tequi- laría. Quatre petites tables et autant de tabourets for- ment sa petite terrasse, où les passants en profitent pour s'arrêter boire un verre et discuter tranquillement. À l'intérieur, on vend 269 dif- férentes sortes de tequilas et quelques mescals. Ceux qui supportent mal la cha- leur peuvent monter à l'étage et s'attabler devant la fenêtre ouverte tout en se désaltérant. Le soir venu, des *mariachis* grattent leurs guitares et donnent la sérénade aux touristes.

Achats

Puerto Morelos

Kab Meyah
Calle Tulum, Plaza Morelos
☎/≈871-0164
Puerto Morelos abrite une jolie boutique d'artisanat local, Kab Meyah, où sont fabriqués et vendus des vases de terre cuite peints à la main, des bracelets d'argent finement ciselés et de jolies illustrations. On peut voir les ouvrières à l'œuvre à l'arrière de la boutique.

Playa del Carmen

Tout le long de l'Avenida 5, l'allée piétonnière, vous croiserez des dizaines de boutiques qui vendent des *huipiles*, des couvertures de laine tissées à la main, des vases et des masques en terre cuite et différents objets d'art. Playa del Carmen possède en outre de bonnes adresses pour les vêtements de plage ou de plongée.

Mexican Amber
Av. 5, entre Calle 4 et Calle 6
☎873-0446
La boutique Mexican Amber propose de très jolis bijoux d'ambre.

Galería Arte Y Vida
Av. 10, entre Calle 10 et Calle 12
La Galería Arte Y Vida propose des toiles dont les cadres sont fabriqués à la main. On y trouve aussi différents objets d'art, des illustrations et certains objets usuels, comme des lampes et des théières, fabriqués dans la région. La boutique est en retrait de l'Avenida 10, dans une petite rue.

Fuente
à 50 m du port, en face du Cicsa Money Exchange
La bijouterie Fuente vend des bracelets, des boucles et des anneaux en argent certifié, tous fabriqués à la main. Pour vous assurer de l'authenticité d'une pièce en argent, vérifiez si elle porte l'inscription «925».

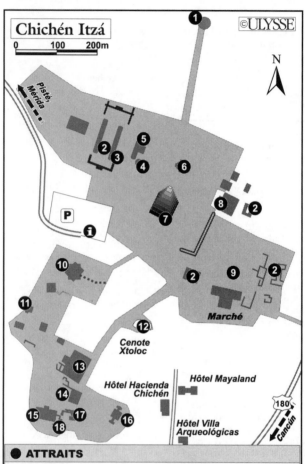

Chichén Itzá

0   100   200m

©ULYSSE

N

Piste, Mérida

P
ⓘ

❶
❷ ❸ ❹ ❺ ❻
❼
❽ ❷
❷ ❾
Marché
❿
⓫
⓬
Cenote Xtoloc
⓭
⓮
⓯ ⓱
⓰
⓲
Hôtel Hacienda Chichén
Hôtel Mayaland
Hôtel Villa Arqueológicas
180
Cancún

● ATTRAITS

Le groupe nord
1. Cenote sacré
2. Terrain de pelote
3. Annexe au temple des Jaguars
4. Plate-forme des Aigles et des Jaguars
5. Plate-forme des Crânes ou Tzompantli
6. Plate-forme de Vénus
7. Castillo (la pyramide de Kukulkán)
8. Temple des Guerriers
9. Groupe des Mille Colonnes

Le groupe sud
10. Tombe du Grand Prêtre (Osario)
11. Maison du Cerf
12. Cenote Xtoloc
13. Observatoire (Caracol)
14. Temple des Panneaux
15. Bâtiment des Nonnes
16. Édifice de l'Écriture Inconnue
17. Église
18. Annexe Est

Excursion à Chichén Itzá

Chichén Itzá se trouve au cœur de la grande plaine du nord de la péninsule, où les seuls points d'eau sont les *cenotes* dispersés de façon aléatoire.

Les arbres y sont nombreux et plutôt trapus. Ce site archéologique est le plus visité de toute la péninsule yucatèque. D'importants travaux de restauration ont permis de conserver les palais et les temples qui étaient couverts de végétation. On y accède depuis Cancún en voiture ou en autocar sur une route bien revêtue ou même par avion. La zone archéologique est située à 179 km de Cancún.

Situé à quelques kilomètres du site le village de Pisté est une sorte de prolongement commercial de Chichén Itzá. On y trouve des boutiques d'artisanat, des restaurants, des hôtels, un terrain de camping, une station d'essence Pemex et une banque.

Pour s'y retrouver sans mal

En voiture

À partir de Cancún, vous emprunterez l'autoroute 180, pour atteindre Chichén Itzá et le petit village de Pisté. Le trajet vous prendra environ deux heures à effectuer.

Ceux qui prévoient louer une voiture pour se rendre à Chichén Itzá doivent se munir de quelques centaines de pesos. Sachez en effet qu'il y a un poste de péage sur l'autoroute qui facture un droit de passage d'environ 120 pesos, puis un second poste tout juste avant d'arriver au site qui demande encore 30 pesos. N'oubliez pas de doubler cette somme, car vous devrez défrayer les mêmes droits au retour. Le stationnement coûte aussi une dizaine de pesos, et ce, sans compter l'entrée au site qui se chiffre à 70 pesos. Évidemment, vous devrez remplir votre réservoir d'essence, sans oublier de manger et de boire durant la journée, ce qui entraînera des dépenses supplémentaires.

En arrivant de Cancún, vous devrez sortir à l'embranchement qui se trouve à environ ½ km au sud de l'entrée du site archéologique. Suivez les panneaux indicateurs sur la route.

En avion

Aerocaribe
☎*842000*
De Cancún à Chichén Itzá, Aerocaribe propose des vols aller-retour dans la même journée au tarif de 120$US. Le vol dure une vingtaine de minutes, et il y a environ trois allers-retours par jour. L'aéroport est situé non loin du site où des taxis emmènent les voyageurs jusqu'au site.

En autocar

Gare routière de Cancún
Angle Tulem et Uxmal

De Cancún, des autocars de première ou deuxième classe partent toutes les heures pendant la journée en direction de Chichén Itzá. Il en coûte environ 30 pesos. Le trajet peut, selon le type d'autocar, durer entre deux et trois heures. Le dernier autocar du soir en partance de Chichén Itzá pour Cancún quitte la gare routière à 23h. Vérifiez l'horaire, car il change fréquemment.

Pisté

La gare routière est située devant l'hôtel Piramide Inn.

Attraits touristiques

★★★

Chichén Itzá

On ne peut oublier de visiter la grande cité archéologique de Chichén Itzá lors d'un séjour dans la péninsule du Yucatán. Sur près de 15 km² s'étalent de nombreux temples et édifices témoins d'une époque où Chichén Itzá régnait sur tout le nord de la péninsule.

Chichén Itzá a été classé «Patrimoine culturel de l'humanité» par l'Unesco. C'est l'un des sites les mieux restaurés de la péninsule et aussi l'un des plus importants. Certains de ses édifices sont toutefois toujours enfouis sous une épaisse couche de végétation.

Chichén Itzá est très visité. Le jour, il y a carrément foule. Le meilleur moment pour découvrir les charmes de cette ancienne cité est tôt le matin, avant les grandes chaleurs du jour, et surtout avant l'arrivée des cars remplis de touristes (vers 11h). Vous jouirez aussi d'une plus grande latitude pour admirer le somptueux Castillo, le gigantesque terrain de pelote ou le groupe des Mille Colonnes. Si vous êtes de passage lors de l'équinoxe de printemps ou d'automne, vous pourrez assister à la descente du serpent (voir encadré).

Le site de Chichén Itzá est ouvert tous les jours de 8h à 17h; l'entrée coûte 75 pesos (sauf le dimanche, où l'entrée est libre). À l'entrée du site, on trouve un restaurant (*$-$$*), un cinéma gratuit, un petit musée (gratuit avec explication en français), une librairie et de nombreuses boutiques de souvenirs. Il y a aussi une consigne gratuite *(8h à 17h)*, des toilettes et un vaste stationnement *(10 pesos par jour)*. Si vous décidez de louer les services des guides sur place, il vous faudra suivre leur cadence accélérée. Pour l'utilisation d'une caméra vidéo, il faut compter des frais de 30 pesos.

Chaque soir, on présente à Chichén Itzá un spectacle son et lumière *(5$; en anglais à 21h ou en espagnol à 17h)*. Quelquefois, on organise de grands événements.

Ainsi, le ténor Luciano Pavarotti y a donné un spectacle en décembre 1996.

Popul Vuh

Le *Popul Vuh* était la *Bible* des Mayas. Il s'agissait d'un ouvrage de référence remarquable où s'inscrivaient leurs mœurs, leurs coutumes, leurs traditions, bref, tout leur savoir et ce que les Mayas représentaient. Lorsque les Espagnols s'emparèrent du Yucatán, les prêtres, brûlant d'envie de propager la foi chrétienne et d'étendre le christianisme en pays païen, n'hésitèrent pas à brûler pratiquement toutes les copies du *Popol Vuh* devant les Mayas consternés mais impuissants. Quatre copies seulement survécurent à l'autodafé et sont entre les mains de spécialistes qui ont déchiffré certaines informations et qui continuent à tenter de percer les nombreux mystères de cette brillante civilisation à jamais disparue.

Comme le site est majoritairement à découvert, il est impératif de se munir d'un chapeau ou d'une casquette, de crème solaire, d'une bouteille d'eau et de lunettes de soleil. De bonnes chaussures de marche ne sont pas superflues.

Histoire

Chichén Itzá est incontestablement la plus impressionnante ville archéologique du monde maya. À ses débuts, un petit village connu sous le nom d'Uucyl Abnal, Chichén Itzá demeura un lieu de pèlerinage jusqu'à l'arrivée des Espagnols au XVIe siècle. Elle fut pendant trois siècles, de 900 à 1200 de notre ère, le centre du pouvoir d'une grande ville-État qui régnait sur toute la région.

Son nom en langue maya signifierait «la bouche du puits des Itzás». Le premier terme, Chichén, fait référence au *cenote* sacré, un grand puits naturel comme on en trouve partout dans la péninsule. Le terme Itzá fait référence aux puissants hommes mi-historiques, mi-mythiques qui y régnaient lors de son apogée.

Malgré les nombreux travaux de conservation et de reconstruction, Chichén Itzá occulte toujours ses secrets, notamment celui de ses occupants. En effet, les Itzás ont suscité plusieurs théories quant à leurs origines, leurs influences et leurs conquêtes. Les grandes peintures murales et les bas-reliefs des colonnes ont maintes fois confirmé une interprétation du passé qui s'avéra infirmée par la suite. Les écrits que les Mayas nous ont laissés contredisent l'interprétation actuelle des hiéroglyphes sculptés sur les linteaux des édifices.

L'interprétation traditionnelle soutient que Chichén Itzá fut conquise par les Toltèques venus de Tula, leur capitale située au centre du Mexique. Mais des voies dissidentes clament que le mouvement d'influence s'est fait de Chichén Itzá vers Tula et non l'inverse. Le directeur des dernières recherches sur le terrain conclut qu'il est fort possible que plusieurs groupes d'origines différentes aient participé au contrôle politique, militaire et économique de Chichén Itzá.

Pour les visiteurs de ce site archéologique, ces multiples interprétations portent à confusion. De surcroît, la nomenclature utilisée pour les différents édifices nous vient souvent des premiers Espagnols et les attributs comme maya, toltèque ou vieux Chichén, sont toujours employés pour situer dans le temps les différents groupes de structures.

Chichén Itzá, érigée à mi-chemin entre la côte orientale et occidentale de la péninsule, occupe plus de 15 km. Sa position géographique lui donnait accès aux grandes salines de la côte nord; de son port de mer, situé dans l'île de Cerritos, les bateaux naviguaient entre le golfe du Mexique et la mer des Caraïbes. Sa suprématie militaire et politique lui permettait d'étendre son contrôle sur les terres fertiles de la plaine et, à son apogée, Chichén Itzá contrôlait d'importantes routes terrestres.

L'urbanisme

La majorité des édifices publics est distribuée dans un système de grandes *plazas* (places). La grande *Plaza del Caracol* (place de l'observatoire), qui occupe la partie sud du site, comprend l'Edificio de las Monjas (édifice des nonnes), ses annexes, le Templo de los Tableros (temple des Panneaux) et de Akab Dzib (édifice de l'Écriture inconnue). Une place intermédiaire que l'on nomme El Osario ou tombeau du Grand Prêtre comprend toutes les structures à l'intérieure de la plate-forme située à l'est du *cenote* de Xtoloc. Une troisième est l'immense Plaza del Castillo, qui comprend le groupe des Mille Colonnes, le Mar

Juego de pelota

Le *juego de pelota* ou *pok-ta-pok*, fut pratiqué d'abord par les Olmèques et plus tard repris par les Mayas. On pourrait le définir comme un jeu hybride issu d'une sorte de croisement étrange entre le *fútbol* et le rugby, où tous les coups sont permis, mais avec une signification religieuse obscure. Personne n'est en mesure d'affirmer combien de joueurs y participaient exactement et encore moins d'en définir les règles, mais on sait que le jeu se déroulait à l'intérieur d'un terrain de forme géométrique particulière, aux dimensions variées et aux murs de pierres. Sur chacun des deux murs longitudinaux bordant le terrain et au centre de ceux-ci, était scellé un monumental anneau de pierre. Les adversaires se protégeaient les genoux et les hanches, et ils devaient s'échanger une balle pleine, faite peut-être de caoutchouc et d'un diamètre d'environ 10 cm sans la faire tomber au sol et sans se servir de leurs mains ou de leurs pieds, puis la lancer on ne sait trop comment à travers l'anneau de pierre pour s'inscrire au pointage. Il va sans dire que les parties devaient être longues, pénibles et ardues. L'enjeu? Certains affirment qu'à l'époque maya les vainqueurs avaient le privilège d'offrir des sacrifices aux dieux. D'autres prétendent que lorsque la culture guerrière et despotique des Toltèques s'est fondue à celle des Mayas, la victoire a pris une tout autre signification. Parfois, les perdants se voyaient trancher la tête, mais d'autres fois les gagnants étaient sacrifiés aux dieux.

ché, le Templo de los Guerreros (temple des Guerriers), le grand terrain de pelote, le *cenote* sacré et les petites structures au nord du Castillo.

En plus de ces trois grandes places, il existe d'autres édifices publics de dimensions plus modestes à une distance de 200 m à 700 m au sud du noyau administratif et religieux. Ces structures sont entourées de monticules qui soutenaient des maisons construites en matériaux périssables comme celles qui existent toujours aujourd'hui au Yucatán. Une vingtaine de *sacbeob* (chemins blancs) mesurant entre 2 m et 8 m de large reliaient ces structures au centre de la ville.

Les styles architecturaux de Chichén Itzá

Depuis plusieurs années, on distingue au moins deux styles d'architecture publique à Chichén Itzá. Le premier style est une variante locale du style Puuc qui a évolué aux VIIIe et IXe siècles dans les petites montagnes du Yucatán. Ce style se caractérise par la maçonnerie en parement et surtout par les mosaïques en relief sur la partie supérieure des façades des temples et des palais. Plusieurs temples sont construits sur de hautes plateformes aux coins arrondis et aux escaliers sans rampe.

Les décorations en mosaïque ont comme motif principal des masques superposés représentant Chac, le dieu de la pluie, et des dessins géométriques

comme des grecques et persanes dérivant de représentations de serpents stylisés.

Le deuxième style nommé maya toltèque, est lui aussi issu du style Puuc mais énormément enrichi d'éléments et de techniques qui proviennent du Mexique et plus particulièrement de Tula. Les structures de ce style comprennent les pyramides à palier avec murs inclinés et panneaux à dessins géométriques ou en reliefs figuratifs à chacun des niveaux. Les édifices de ce style ont de grandes salles à colonnes ou piliers comme supports intérieurs et des portiques semi-ouverts.

La décoration en relief est omniprésente: les bas-reliefs représentent des serpents emplumés, des jaguars en mouvement ou assis, des aigles, des scènes animées et d'interminables files de guerriers et de dignitaires.

À cet ensemble architectural s'intègre une série de sculptures comme les *chacmools* à l'entrée des temples, de petits et de grands porteurs appelés atlantes qui supportent des autels, des linteaux ou des poutres, des trônes en forme de jaguar, des têtes humaines sortant de la bouche de serpents et de grands serpents à sonnette qui se transforment en frises, en linteaux, en colonnes ou en rampes d'escaliers.

Visite du site

Afin d'attribuer un temps équitable à la visite des plus importantes structures, nous avons divisé le site en deux parties: le groupe nord comprend les édifices de style maya toltèque et le groupe sud, où l'on trouve la Plaza del Osuario et la Plaza del Caracol, possède des édifices de styles maya-toltèque et puuc.

El Castillo

Le groupe nord

Situé à peu près au milieu du groupe nord, **El Castillo** (pyramide de Kukulkán), cette pyramide coiffée d'un temple, domine tous les autres par sa hauteur (30 m). El Castillo, temple pyramidal, conjugue les cultures maya et toltèque, et présente plusieurs symboles cosmologiques. Les Mayas liaient intimement l'étude des étoiles et des mathématiques avec la religion. Ainsi, El Castillo comporte 365 marches sur ses 4 faces (ce qui correspond au nombre de jours de l'année solaire), 52 dalles (le nombre d'années d'un siècle maya) et 18 terrasses (les mois de l'année religieuse).

Plusieurs touristes escaladent El Castillo pour la vue formidable sur les alentours qu'on a du sommet. Ce n'est pas chose facile, car l'escalier a un angle de 45°. La descente est plus difficile que la montée.

El Castillo abrite une autre pyramide avec un temple plus petit. On y accède par un étroit escalier qui se trouve à la base du temple, côté nord sous l'escalier.

Surmonté d'une sculpture du Chacmool et de deux colonnes en forme de serpent, le **Templo de los Guerreros** (temple des guerriers) serait une imitation du «temple de l'étoile du matin» de Tula, en plus grand. C'est un édifice imposant qui surmonte une plate-forme étagée et entourée de colonnes de pierre. On a découvert à l'intérieur un autre temple plus ancien, à la taille plus modeste. Le site n'est pas ouvert aux visiteurs.

La descente du serpent

Au moment de l'équinoxe de printemps et d'automne, l'ombre créée par le soleil trace, sur l'un des angles du Castillo, une forme sinueuse semblable à un serpent qui descendrait lentement.

Ce phénomène dure environ 15 min. Les rayons du soleil qui glissent sur les marches donnent l'illusion qu'un animal est réellement en train de se mouvoir. Au pied des quatre angles du temple se trouvent d'ailleurs d'énormes têtes de serpent en pierre, avec la gueule ouverte, ce qui laisse deviner que, si le phénomène est dû au hasard, les Mayas ont su l'exploiter pour en faire un événement dramatique.

Les Mayas ayant été grands observateurs du ciel et des étoiles, il ne serait en tout cas pas surprenant que les plans du temple aient été conçus dans l'intention bien particulière de créer cet effet.

Bien aligné le long du temple des Guerriers, ce groupe imposant de colonnes de pierre, le **Grupo de las Mil Columnas** (groupe des Mille Colonnes), comprend plusieurs édifices qui servaient à l'administration et aux grandes réunions.

Au nord du Castillo, sur le chemin qui mène au *cenote* sacré se dresse une petite plateforme carrée, décorée de nombreux bas-reliefs sculptés: la **Plataforma de Venus** (plateforme de Vé-nus). On accède au sommet de ce temple par l'un des quatre escaliers qui l'entourent de chaque côté. Là, une plateforme assez large servait peut-être aux danses sacrées.

De la plateforme de Venus, un *sabeob* ou chemin blanc de 300 m de long entouré de grands arbres mène au **Cenote Sagrado** (*cenote* sacré). Presque parfaitement rond, ce *cenote* de 55 m de diamètre et profond de 25 m contient une eau verdâtre et

Excursion à
Chichén Itzá

opaque. Sur la droite, un petit temple surplombe le *cenote*. Les recherches ont permis de remonter à la surface une cinquantaine de squelettes (surtout des hommes et des enfants), des objets en or, en cuivre, en jade et en obsidienne ainsi que des poupées de caoutchouc. Près du *cenote* se trouve un petit casse-croûte où vous pourrez consommer des rafraîchissements.

Chacmool

Le Tzompantli ou **Plataforma de los Craneos** (Plateforme des crânes) est une grande plateforme carrée, dont les murs sont ornés de bas-reliefs de crânes sculptés dans la pierre, de face ou de profil, chacun ayant sa propre personnalité.

Près de Tzompantli se trouve la **Plataforma de las Aguilas y de los Jaguares** (plateforme des Aigles et des jaguars) dont les murs ornés d'aigles sculptés serrant dans leurs griffes des cœurs humains. Les escaliers sont flanqués de chaque côté de serpents en pierre.

À l'extrême nord-ouest du groupe nord s'étend le plus vaste **terrain de pelote** jamais découvert dans l'espace maya. Mesurant 145 m sur 37 m, le terrain est entouré de chaque côté de deux murs de pierre de 8 m de hauteur. Dans chacun de ces murs se trouve un cerceau de pierre, dans lesquels les joueurs devaient faire passer une balle de caoutchouc. La balle, symbole du soleil, ne devait jamais toucher le sol. La réverbération du son, à l'intérieur du terrain de jeu, est impressionnante.

À l'entrée droite du terrain, le **Templo de los Jaguares** (Temple des tigres) est orné de nombreux bas-reliefs et d'une grande murale. Une sculpture de jaguar fait aussi face à la maison des Aigles.

Le groupe sud

À l'entrée du groupe sud, se dresse la pyramide de 10 m de hauteur de **El Osario** ou **Tumba del Gran Sacerdote** (Tombe du Grand Prêtre).

Des squelettes et des objets précieux ont été découverts à l'intérieur.

Plus au sud se trouve un bâtiment rond de deux étages qui servait sans doute d'observatoire: **El Caracol** (L'observatoire). Des fenêtres étroites, qui laissent pénétrer le soleil, permettaient sans doute aux prêtres mayas de calculer le temps.

En continuant vers le sud, on atteint un bâtiment dont la façade est richement ornée du masque qui représente le dieu de la pluie, Chac. Il s'agit de l'**Edificio de las Monjas** (bâtiment des Nonnes)

Juste à côté du bâtiment des Nonnes, l'**Iglesia** (église), un petit bâtiment à l'architecture de style Puuc, présente, sur sa façade, des motifs géométriques et des animaux, notamment les quatre porteurs du ciel tels qu'ils sont représentés dans la mythologie maya : le crabe, l'escargot, le tatou et la tortue.

Dans ce même secteur, soulignons la présence du **Templo de los Tableros**, (temple des Panneaux) et de **Akab Dzib** (l'édifice de l'Écriture inconnue).

Hébergement

Chichén Itzá

Hacienda Chichén
$$$

≡, ≈, ℜ, *bp*

Carretera Mérida-Cancún, km 120

☎*924-2150*

Construite au XVIIᵉ siècle, l'Hacienda Chichén est installée sur une ancienne plantation d'agaves. C'est ici que logèrent les explorateurs John Lloyd Stephens et Frederick Catherwood lors des premières fouilles archéologiques au Yucatán vers 1840. Par la suite, elle a appartenu au consul américain Edward Thompson pendant ses recherches à Chichén Itzá. C'est maintenant une pittoresque auberge de 18 chambres, avec un ravissant jardin et une vaste piscine. Les chambres, décorées à la manière coloniale, ont toutes une véranda et une salle de bain privée. Le hall d'entrée et les communs sont remplis d'objets anciens et d'artisanat maya. On loue des chalets qui comprennent deux chambres meublées simplement, avec des poutres au plafond. L'hacienda est ouverte de novembre à avril.

Mayaland

$$$

pdj, ⊗, ≈, ℜ

Carretera Méri-
da-Cancún, km 120

☎ **98-872450,**
(9)851-0127

≈**(9) 884-4510**

Tout près de la zone
archéologique de Chi-
chén Itzá se trouve
l'hôtel Mayaland,
un complexe
moderne cons-
truit autour du
bâtiment principal où
prime une architecture colo-
niale. L'hôtel compte
65 chambres au milieu
d'une végétation luxuriante.
Le Mayaland offre toutes les
installations d'un hôtel de
luxe, notamment quatre
restaurants, quatre bars et
trois piscines. Les visiteurs
peuvent loger dans des
maisonnettes au toit de
chaume ou dans des cham-
bres au décor colonial si-
tuées dans l'édifice princi-
pal.

Villas Arqueológicas

$$$

≈, ℜ

100 m à l'est du Mayaland

☎**98-562830**

L'hôtel Villas Arqueológicas
est un édifice aux murs en
stuc blanc et au toit de tui-
les rouges. Ses petites
chambres renferment des
lits jumeaux et une salle de
bain avec douche. L'hôtel
abrite une bibliothèque
bien documentée sur la
culture maya, un restaurant
et une piscine entourée de
jardins. Bien qu'il fasse
partie du Club Med, on
peut loger dans cet hôtel
une nuitée ou deux en
payant uniquement le prix
de la chambre.

Pisté

Dolores Alba

$

pdj, ⊗, ≡

Carretera Pisté-Cancún, km 122

☎**99-285650** (Merida)

Le Dolores Alba est un hôtel «petit budget», avec
28 chambres modestes mais
tout de même propres et
confortables. Comme elles
n'ont pas toutes l'air conditionné, spécifiez-le si vous
en désirez dans votre
chambre. L'hôtel offre le
transport gratuit jusqu'aux
ruines.

Pirámide Inn
$
≈, ℜ
Carratera Pisté-Cancun K-122
☎98-562462

Les deux bâtiments du Pirámide Inn abritent 44 chambres modernes, aux murs et aux planchers blancs. L'hôtel possède un jardin, une piscine, un court de tennis et un bon restaurant. On peut aussi planter sa tente sur un petit terrain aménagé à   cet effet à côté de l'hôtel. Les campeurs peuvent utiliser la piscine, et l'on a mis des douches à l'eau chaude à leur disposition *(environ 60 pesos pour 2 personnes)*. L'hôtel est situé à l'extrémité est de Pisté.

Restaurants

Chichén Itzá

Vous trouverez une petite cafétéria (**$**) ainsi qu'un restaurant climatisé (**$$**) à l'entrée ouest du site archéologique. On y sert des mets corrects mais sans surprises. Une autre solution serait d'aller aux restaurants de l'un ou l'autre des hôtels décrits plus haut, ou bien de vous diriger vers Pisté, un petit village situé à quelques kilomètres de Chichén Itzá.

Hacienda Chichén
Carretera Mérida-Cancún, km 120
$$
☎98-510129

Le restaurant de l'Hacienda Chichén propose de délicieuses spécialités yucatèques à prix très raisonnable.

Hotel Chichén Itzá
$$
≡, ≈, ℜ
☎98-562671

À 2 km des ruines de Chichén Itzá, dans le village de Pisté, l'hôtel Chichén Itzá propose des chambres confortables. Il est un peu en retrait de la route mais son accès est facile.

Mayaland
$$-$$$
Carretera Mérida-Cancún, km 120
☎98-872450
⇌99-642335

À l'hôtel Mayaland, il y a quatre restaurants qui servent différentes spécialités. Les repas sont plutôt chers, mais on profite des beaux jardins de l'hôtel.

Excursion à
Chichén Itzá

Villas Arqueológicas
$$$
100 m à l'est du Mayaland
☎98-562830
L'hôtel Villas Arqueológicas (voir p ?) abrite un restaurant de cuisine française et mexicaine dans un décor très élégant. Midi et soir, la table d'hôte est un meilleur choix que le repas à la carte, plus cher.

Pisté

En longeant la route 180, vous croiserez de nombreux petits restaurants où l'on sert des mets du pays selon la formule «table d'hôte».

À Pisté même, en face de l'hôtel Misión Chichén, se trouve le restaurant **Sayil**, où l'on peut manger très bien pour moins de 50 pesos.

Dans la salle confortable et climatisée du restaurant **Xaybe**, tout près du Sayil, on propose des buffets. La cuisine est bonne et, au déjeuner, on se ressert tant qu'on le désire pour environ 45 pesos. Le prix du repas du soir est un peu plus élevé.

Lexique

Quelques indications sur la prononciation de l'espagnol en Amérique latine.

CONSONNES

c Tout comme en français, le **c** est doux devant *i* et *e*, et se prononce alors comme un **s** : *cerro* (serro). Devant les autres voyelles, il est dur : *carro* (karro). Le **c** est également dur devant les consonnes, sauf devant le **h** (voir plus bas).

g De même que pour le **c**, devant **i** et **e** le **g** est doux, c'est-à-dire qu'il est comme un souffle d'air qui vient du fond de la gorge : *gente* (hhente).

Devant les autres voyelles, il est dur : *golf* (se prononce comme en français). Le **g** est également dur devant les consonnes.

ch Se prononce **tch**, comme dans «Tchad» : *leche* (letche). Tout comme pour le *ll*, c'est comme s'il s'agissait d'une autre lettre, listée à part dans les dictionnaires et dans l'annuaire du téléphone.

h Ne se prononce pas : *hora* (ora).

j Se prononce comme le **r** de «crabe», un **r** du fond de la gorge, sans excès : *jugo* (rrugo).

ll Se prononce comme le **y** dans «yen» : *llamar* (yamar). Dans certaines régions, par exemple le centre de la Colombie, **ll** se prononce comme **j** de «jujube» (*Medellín* se prononce Medejin). Tout comme pour le *ch*, c'est comme s'il s'agissait d'une autre lettre, listée à part dans les dictionnaires et dans l'annuaire du téléphone.

ñ Se prononce comme le **gn** de «beigne» : *señora* (segnora).

r Plus roulé et moins guttural qu'en français, comme en italien.

s Toujours **s** comme dans «singe» : *casa* (cassa).

v Se prononce comme un **b** : *vino* (bino).

z Comme un **z** : *paz* (pass).

VOYELLES

e   Toujours comme un **é** : *helado* (élado) sauf lorsqu'il précède
deux consonnes, alors il se prononce comme un **è** : *encontrar*
(èncontrar)

u   Toujours comme **ou** : *cuenta* (couenta)

y   Comme un **i** : *y* (i)

Toutes les autres lettres se prononcent comme en français.

ACCENT TONIQUE

En espagnol, chaque mot comporte une syllabe plus accentuée.
Cet accent tonique est très important en espagnol et s'avère souvent nécessaire pour sa compréhension par vos interlocuteurs. Si,
dans un mot, une voyelle porte un accent aigu (le seul utilisé en
espagnol), c'est cette syllabe qui doit être accentuée. S'il n'y a pas
d'accent sur le mot, il faut suivre la simple règle suivante :

On doit accentuer l'avant-dernière syllabe de tout mot qui se termine par une voyelle : ***amigo***.

On doit accentuer la dernière syllabe de tout mot qui se termine
par une consonne sauf ***s*** (pluriel des noms et adjectifs) ou ***n*** (pluriel des verbes) : ***usted*** (mais ***amigos***, ***hablan***).

PRÉSENTATIONS

au revoir	*adiós, hasta luego*	je suis québé-cois(e)	*Soy quebequense*
bon après-midi ou bonsoir	*buenas tardes*	je suis suisse	*Soy suizo*
bonjour (forme familière)	*hola*	je suis un(e) touriste	*Soy turista*
bonjour (le matin)	*buenos días*	je vais bien	*estoy bien*
bonne nuit	*buenas noches*	marié(e)	*casado/a*
célibataire (m/f)	*soltero/a*	merci	*gracias*
comment allez-vous?	*¿cómo esta usted?*	mère	*madre*
copain/copine	*amigo/a*	mon nom de famille est...	*mi apellido es...*
de rien	*de nada*	mon prénom est...	*mi nombre es...*
divorcé(e)	*divorciado /a*	non	*no*
enfant (garçon/fille)	*niño/a*	oui	*sí*
époux, épouse	*esposo/a*	parlez-vous français?	*¿habla usted francés?*
excusez-moi	*perdone/a*	père	*padre*
frère, sœur	*hermano/a*	plus lentement s'il vous plaît	*más despacio, por favor*

je suis belge	*Soy belga*	quel est votre nom?	*¿cómo se llama usted?*
je suis cana-dien(ne)	*Soy canadiense*	s'il vous plaît	*por favor*
je suis désolé, je ne parle pas espagnol	*Lo siento, no ha-blo español*	veuf(ve)	*viudo/a*
je suis fran-çais(e)	*Soy francés/a*		

DIRECTION

à côté de	*al lado de*	il n'y a pas...	*no hay...*
à droite	*a la derecha*	là-bas	*allí*
à gauche	*a la izquierda*	loin de	*lejos de*
dans, dedans	*dentro*	où se trouve ... ?	*¿dónde está ... ?*
derrière	*detrás*	pour se rendre à...?	*¿para ir a...?*
devant	*delante*	près de	*cerca de*
en dehors	*fuera*	tout droit	*todo recto*
entre	*entre*	y a-t-il un bureau de tourisme ici?	*¿hay aquí una oficina de turis-mo?*
ici	*aquí*		

LE TEMPS

année	*año*	mardi	*martes*
après-midi, soir	*tarde*	mercredi	*miércoles*
aujourd'hui	*hoy*	jeudi	*jueves*
demain	*mañana*	vendredi	*viernes*
heure	*hora*	samedi	*sábado*
hier	*ayer*	janvier	*enero*
jamais	*jamás, nunca*	février	*febrero*
jour	*día*	mars	*marzo*
maintenant	*ahora*	avril	*abril*
minute	*minuto*	mai	*mayo*
mois	*mes*	juin	*junio*
nuit	*noche*	juillet	*julio*
pendant le matin	*por la mañana*	août	*agosto*
quelle heure est-il?	*¿qué hora es?*	septembre	*septiembre*
semaine	*semana*	octobre	*octubre*
dimanche	*domingo*	novembre	*noviembre*
lundi	*lunes*	décembre	*diciembre*

LES TRANSPORTS

à l'heure prévue	*a la hora*	l'autobus	*el bus*
aéroport	*aeropuerto*	l'avion	*el avión*
aller simple	*ida*	la bicyclette	*la bicicleta*
aller-retour	*ida y vuelta*	la voiture	*el coche, el carro*
annulé	*annular*	le bateau	*el barco*
arrivée	*llegada*	le train	*el tren*
avenue	*avenida*	nord	*norte*

bagages	*equipajes*	ouest	*oeste*
coin	*esquina*	passage de chemin de fer	*crucero ferrocarril*
départ	*salida*	rapide	*rápido*
est	*este*	retour	*regreso*
gare, station	*estación*	rue	*calle*
horaire	*horario*	sud	*sur*
l'arrêt d'autobus	*una parada de autobús*	sûr, sans danger	*seguro/a*
l'arrêt	*la parada*	taxi collectif	*taxi colectivo*

LA VOITURE

à louer	*alquilar*	feu de circulation	*semáforo*
arrêt	*alto*	interdit de passer, route fermée	*no hay paso*
arrêtez	*pare*	limite de vitesse	*velocidad permitida*
attention, prenez garde	*cuidado*	piétons	*peatones*
autoroute	*autopista*	ralentissez	*reduzca velocidad*
défense de doubler	*no adelantar*	station-service	*servicentro*
défense de stationner	*prohibido aparcar o estacionar*	stationnement	*parqueo, estacionamiento*
essence	*petróleo, gasolina*		

LES NOMBRES

0	*cero*	23	*veintitrés*
1	*uno ou una*	24	*veinticuatro*
2	*dos*	25	*veinticinco*
3	*tres*	26	*veintiséis*
4	*cuatro*	27	*veintisiete*
5	*cinco*	28	*veintiocho*
6	*seis*	29	*veintinueve*
7	*siete*	30	*treinta*
8	*ocho*	31	*treinta y uno*
9	*nueve*	32	*treinta y dos*
10	*diez*	40	*cuarenta*
11	*once*	50	*cincuenta*
12	*doce*	60	*sesenta*
13	*trece*	70	*setenta*
14	*catorce*	80	*ochenta*
15	*quince*	90	*noventa*
16	*dieciséis*	10	*cien/ciento*
17	*diecisiete*	200	*doscientos, doscientas*
18	*dieciocho*	500	*quinientos ,as*
19	*diecinueve*	1 000	*mil*
20	*veinte*	10 000	*diez mil*
21	*veintiuno*	1 000 000	*un millón*
22	*veintidos*		

Index

Index

Index

Index

Bon de commande Ulysse

Guides de voyage

☐	Abitibi-Témiscamingue et Grand Nord	22,95 $	135 FF
☐	Acapulco	14,95 $	89 FF
☐	Arizona et Grand Canyon	24,95 $	131,13 FF
☐	Bahamas	24,95 $	129 FF
☐	Belize	16,95 $	99 FF
☐	Boston	17,95 $	89 FF
☐	Calgary	16,95 $	99 FF
☐	Californie	29,95 $	129 FF
☐	Canada	29,95 $	129 FF
☐	Cancún et la Riviera Maya	19,95 $	91,77 FF
☐	Cape Cod – Nantucket – Martha's Vine-	17,95 $	89 FF
☐	Carthagène (Colombie)	12,95 $	70 FF
☐	Charlevoix – Saguenay – Lac-Saint-Jean	22,95 $	135 FF
☐	Chicago	19,95 $	99 FF
☐	Chili	27,95 $	129 FF
☐	Colombie	29,95 $	145 FF
☐	Costa Rica	27,95 $	129 FF
☐	Côte-Nord – Duplessis – Manicouagan	22,95 $	135 FF
☐	Cuba	24,95 $	129 FF
☐	Cuisine régionale au Québec	16,95 $	99 FF
☐	Disney World	19,95 $	135 FF
☐	El Salvador	22,95 $	145 FF
☐	Équateur – Îles Galápagos	24,95 $	129 FF
☐	Floride	29,95 $	129 FF
☐	Gaspésie – Bas-Saint-Laurent – Îles-de-la-Madeleine	22,95 $	99 FF
☐	Gîtes et Auberges du Passant au Québec	14,95 $	89 FF
☐	Guadalajara	17,95 $	89 FF
☐	Guadeloupe	24,95 $	99 FF
☐	Guatemala	24,95 $	129 FF
☐	Haïti	24,95 $	150,80 FF
☐	Hawaii	29,95 $	129 FF
☐	Honduras	24,95 $	129 FF
☐	Hôtels et bonnes tables du Québec	17,95 $	89 FF
☐	Huatulco et Puerto Escondido	17,95 $	89 FF
☐	Jamaïque	24,95 $	150,80 FF
☐	La Havane	16,95 $	79 FF
☐	La Nouvelle-Orléans	17,95 $	99 FF
☐	Las Vegas	17,95 $	89 FF
☐	Lisbonne	18,95 $	79 FF
☐	Louisiane	29,95 $	129 FF
☐	Los Angeles	19,95 $	99 FF
☐	Los Cabos et La Paz	14,95 $	89 FF
☐	Martinique	24,95 $	99 FF